A VIDA MENTIROSA DOS ADULTOS

ELENA FERRANTE

TRADUÇÃO DE MARCELLO LINO

A VIDA MENTIROSA
DOS ADULTOS

Copyright © 2019 by Edizioni e/o

TÍTULO ORIGINAL
La vita bugiarda degli adulti

PREPARAÇÃO
Milena Vargas

REVISÃO
Carolina Rodrigues
Juliana Pitanga
Wendell Sussuarana

PROJETO GRÁFICO DE MIOLO E DIAGRAMAÇÃO
Carolina Araújo | Ilustrarte Design

CAPA
Túlio Cerquize

CIP-BRASIL. CATALOGAÇÃO NA PUBLICAÇÃO
SINDICATO NACIONAL DOS EDITORES DE LIVROS, RJ

F423v

  Ferrante, Elena, 1943-
    A vida mentirosa dos adultos / Elena Ferrante ; tradução Marcello Lino. - 1. ed. - Rio de Janeiro : Intrínseca, 2020.
    432 p. ; 21 cm.

    Tradução de: La vita bugiarda degli adulti
    ISBN 978-85-510-0637-5

    1. Ficção italiana. I. Lino, Marcello. II. Título.

20-64783　　　　　　　　　　　　　CDD: 853
　　　　　　　　　　　　　　　　　　CDU:82-3(450)

Leandra Felix da Cruz Candido - Bibliotecária - CRB-7/6135

[2020]
Todos os direitos desta edição reservados à
EDITORA INTRÍNSECA LTDA.
Av. das Américas, 500, bloco 12, sala 303
22640-904 – Barra da Tijuca
Rio de Janeiro — RJ
Tel./Fax: (21) 3206-7400
www.intrinseca.com.br

PARTE UM

PARTE UM

UM

Dois anos antes de sair de casa, meu pai disse à minha mãe que eu era muito feia. A frase foi pronunciada à meia-voz, no apartamento que meus pais, recém-casados, compraram no Rione Alto, no topo da Via San Giacomo dei Capri. Tudo — os espaços de Nápoles, a luz azul de um fevereiro gélido, aquelas palavras — ficou parado. Eu, por outro lado, escapei para longe e continuo a escapar também agora, dentro destas linhas que querem me dar uma história, enquanto, na verdade, não sou nada, nada de meu, nada que tenha de fato começado ou se concretizado: só um emaranhado que ninguém, nem mesmo quem neste momento escreve, sabe se contém o fio certo de uma história ou se é apenas uma dor embaralhada, sem redenção.

DOIS

Amei muito meu pai, era um homem sempre gentil. Tinha modos finos, de todo coerentes com seu corpo delgado a ponto de as roupas parecerem de um número maior, o que, aos meus olhos, dava-lhe um ar de inimitável elegância. Seu rosto tinha traços delicados, e nada — os olhos profundos com longos cílios, o nariz de uma engenharia impecável, os lábios carnudos — estragava sua harmonia. Dirigia-se a mim em todas as ocasiões com expressão alegre, independentemente do seu humor ou do meu, e não se fechava no escritório — estudava sempre — sem antes me arrancar pelo menos um sorriso. Gostava, sobretudo, dos meus cabelos, mas é difícil dizer agora quando começou a elogiá-los, talvez eu tivesse ainda dois ou três anos. Durante a minha infância, certamente tivemos conversas deste tipo:

— Que cabelos bonitos, que qualidade, que brilho, dá para mim?

— Não, são meus.

— Que falta de generosidade!

— Se quiser, posso emprestar.

— Está ótimo, nunca mais vou devolver.

— Você já tem os seus.

— Os que eu tenho peguei de você.

— Não é verdade, você está mentindo.

— Pode conferir: eram bonitos demais e roubei de você.

Eu conferia, mas de brincadeira, pois sabia que ele nunca os roubaria de mim. E ria, ria muito, me divertia mais com ele do que com minha mãe. Ele sempre queria algo meu, uma orelha, o nariz, o queixo, dizia que eram tão perfeitos que não podia viver sem eles. Eu adorava aquele tom, que me provava o tempo todo como eu lhe era indispensável.

Meu pai, naturalmente, não era assim com todos. Às vezes, quando algo o envolvia muito, acabava somando com agitação discursos finíssimos a emoções descontroladas. Em outras, ao contrário, dava um corte seco e recorria a frases breves, de extrema precisão, tão densas que ninguém retrucava mais. Eram dois pais muito diferentes daquele que eu amava, e comecei a descobrir a existência deles por volta dos sete ou oito anos, ao ouvi-lo discutir com amigos e conhecidos que às vezes iam à nossa casa para reuniões muito acaloradas sobre problemas dos quais eu não entendia nada. Em geral, eu ficava com minha mãe na cozinha e não reparava muito na maneira como eles brigavam a poucos metros de distância. Mas, às vezes, como minha mãe também tinha o que fazer e se fechava no seu quarto, eu ficava sozinha no corredor brincando ou lendo, em geral lendo, eu diria, porque meu pai lia muitíssimo, minha mãe também, e eu gostava de ser como eles. Eu não dava importância às discussões e só interrompia a brincadeira ou a leitura quando de repente eles faziam silêncio e surgiam aquelas vozes estranhas do meu pai. A partir daquele momento, ele ditava a lei e eu esperava que a reunião acabasse para entender se ele havia voltado a ser o de sempre, com tons gentis e afetuosos.

Na noite em que disse aquela frase, ele acabara de saber que eu não estava indo bem na escola. Era uma novidade. Desde a primeira série, eu sempre havia sido boa aluna e só nos dois meses anteriores começara a ter problemas. Mas meus pais faziam muita questão de que eu me saísse bem na escola, e foi minha mãe quem ficou mais alarmada quando as primeiras notas ruins apareceram.

— O que está acontecendo?
— Não sei.
— Você tem de estudar.
— Eu estudo.
— Por que então?
— Eu lembro de algumas coisas, mas de outras, não.
— Estude até lembrar de tudo.

Eu estudava até a exaustão, mas os resultados continuavam decepcionantes. Naquela tarde, em especial, minha mãe tinha ido falar com os professores e voltara muito desgostosa. Não chamou minha atenção, meus pais nunca chamavam minha atenção. Limitou-se a dizer: a mais insatisfeita é a professora de matemática, mas disse que, se você quiser, pode conseguir. Depois foi para a cozinha preparar o jantar e, nesse ínterim, meu pai chegou. Do meu quarto, ouvi apenas que ela estava fazendo um resumo das queixas dos professores. Entendi que, para me justificar, aludia às mudanças da primeira adolescência. Mas ele a interrompeu e, com uma das tonalidades que nunca usava comigo — até fez uma concessão ao dialeto, absolutamente proibido na nossa casa —, deixou escapar aquilo que ele certamente não queria ouvir sair de sua boca:

— Não tem a ver com a adolescência: está ficando a cara de Vittoria.

Se ele soubesse que eu podia ouvi-lo, tenho certeza de que nunca teria falado daquela maneira, tão distante da leveza divertida que nós costumávamos usar. Os dois achavam que a porta do meu quarto estava fechada, eu sempre a fechava, e não perceberam que um deles a deixara aberta. Foi assim que, aos doze anos, soube pela voz do meu pai, sufocada pelo esforço de mantê-la baixa, que eu estava ficando igual à sua irmã, uma mulher na qual — eu o ouvira dizer desde sempre — feiura e maldade coincidiam perfeitamente.

A esta altura, alguém poderia fazer uma objeção: talvez você esteja exagerando, seu pai não disse ao pé da letra: Giovanna é feia. É verdade, não era do seu feitio pronunciar palavras tão brutais. Mas eu passava por um período de grande fragilidade. As menstruações vinham havia quase um ano, os seios já estavam visíveis demais e eu sentia vergonha deles, tinha medo de cheirar mal e me lavava o tempo todo, ia dormir desanimada e acordava desanimada. Meu único consolo, naquele período, minha única certeza, era que ele adorava absolutamente tudo em mim. Por isso, quando ele me comparou a tia Vittoria, foi pior do que se tivesse dito: Giovanna antigamente era bonita, agora ficou feia. O nome Vittoria, na minha casa, soava como o de um ser monstruoso que mancha e infecta os que toca. Eu sabia pouco ou nada sobre ela, só a vira raríssimas vezes, mas — essa é a questão —, daquelas ocasiões, eu só recordava o asco e o medo. Não o asco e o medo que poderia ter me causado minha tia em carne e osso, eu não tinha nenhuma lembrança dela. O que me assustava eram o asco e o medo que meus pais sentiam. Meu pai, desde sempre, falava obscuramente da irmã, como se ela praticasse ritos vergonhosos que a emporcalhavam, que emporcalhavam qualquer pessoa a seu lado. Minha mãe, por sua vez, nunca a mencionava. Aliás, quando intervinha nos desabafos do marido, costumava calá-lo como se estivesse com medo de que ela, onde quer que estivesse, pudesse ouvi-los e fosse subir correndo a Via San Giacomo dei Capri com passadas largas, embora fosse uma rua comprida e íngreme, arrastasse consigo de propósito todas as doenças dos hospitais da região, voasse até a nossa casa no sexto andar, quebrasse a mobília lançando raios negros inebriados pelos olhos e a esbofeteasse se ainda fizesse menção de reclamar.

Claro, eu intuía que, por trás daquela tensão, devia haver uma história de afrontas feitas e recebidas, mas na época eu sabia pouco sobre questões familiares e, acima de tudo, não considerava aquela tia terrível uma pessoa da família. Ela era um espantalho da infância, uma silhueta seca e endiabrada, uma figura desgrenhada à espreita nos cantos das casas quando escurecia. Seria possível que, de repente, sem nenhum preâmbulo, eu tivesse de descobrir que estava ficando a cara dela? Eu? Eu que até aquele momento me achava bonita e acreditava, graças a meu pai, que seria bonita para sempre? Eu que, por causa do que ele me dizia sempre, achava que tinha cabelos esplêndidos, eu que queria ser amadíssima da maneira como ele me amava, como ele me acostumara a acreditar, eu que já sofria por sentir meus pais de repente insatisfeitos comigo, uma insatisfação que me agitava turvando tudo?

Esperei as palavras da minha mãe, mas sua reação não me consolou. Embora odiasse todos os parentes do marido e detestasse a cunhada como se detesta uma lagartixa que sobe correndo por sua perna nua, ela não reagiu gritando:

você está maluco, entre minha filha e sua irmã não há nada em comum. Limitou-se a um fraco e brevíssimo: o que você está dizendo, nada disso. E eu, ali no meu quarto, corri para fechar a porta e não ouvir mais nada. Depois chorei em silêncio e só parei quando meu pai voltou a anunciar — dessa vez com a voz boa — que o jantar estava pronto.

Eu me juntei a eles na cozinha com os olhos secos. Tive de suportar, encarando o prato, uma série de conselhos úteis para melhorar meu aproveitamento escolar. Depois voltei a fingir que estudava enquanto eles se acomodavam na frente da televisão. A dor que eu sentia não queria cessar nem atenuar. Por que meu pai tinha pronunciado aquela frase, por que minha mãe não o contradisse com firmeza? Era o descontentamento deles com minhas notas baixas ou um alarme sem relação com a escola que se iniciara sabe-se lá quando? E ele, logo ele, havia pronunciado aquelas palavras feias por causa de um desgosto momentâneo que eu lhe causara ou, com seu olhar agudo, de pessoa que sabe e vê tudo, identificara havia tempo os traços de um estrago futuro, de um mal que avançava, que lhe causava desconforto e contra o qual ele mesmo não sabia como agir? Fiquei desesperada a noite toda. De manhã, estava convencida de que, se eu quisesse me salvar, devia ir ver como era realmente o rosto de tia Vittoria.

TRÊS

Foi uma empreitada árdua. Em uma cidade como Nápoles, habitada por famílias com numerosas ramificações que, mesmo entre as brigas mais sanguinolentas, nunca cortavam de fato os laços, meu pai vivia, ao contrário, com absoluta autonomia, como se não tivesse parentes consanguíneos, como se tivesse sido autogerado. Naturalmente, eu via com frequência os pais e o irmão da minha mãe. Todos eram pessoas afetuosas que me davam muitos presentes e, até a morte dos meus avós — primeiro foi o vovô, um ano mais tarde, a vovó; desaparecimentos repentinos que me perturbaram, minha mãe chorou como chorávamos nós, meninas, quando nos machucávamos —, até meu tio ir trabalhar longe, tivemos com eles ótimas relações, muito frequentes e alegres. Dos parentes do meu pai, por outro lado, eu não sabia quase nada. Apareceram na minha vida em raras ocasiões — um casamento, um enterro — e sempre com um clima de afetuosidade tão falso que eu só conseguia sentir o incômodo dos contatos forçados: cumprimente o vovô, dê um beijo na tia. Por aqueles parentes, portanto, eu nunca havia sentido grande interesse, até porque depois daqueles encontros meus pais ficavam nervosos e, de comum acordo, os esqueciam como se tivessem sido envolvidos em uma encenação de pouco valor.

Também devo dizer que, se os parentes da minha mãe viviam em um espaço preciso com um nome sugestivo, o bairro chamado Museo — eram os avós do Museo —, o espaço no qual os parentes do meu pai moravam era indefinido, sem nome. Eu só tinha uma certeza: para ir até eles, era necessário descer, descer, descer cada vez mais, até a mais funda das profundezas de Nápoles, e a viagem era tão longa que eu achava, naquelas ocasiões, que nós e os parentes do meu pai morávamos em duas cidades diferentes. Por muito tempo, isso me pareceu verdade. Nossa casa ficava na parte mais alta de Nápoles e, para ir a qualquer lugar, precisávamos descer. Meu pai e minha mãe desciam de bom grado só até o Vomero ou, já um pouco contrariados, até a casa dos meus avós no Museo. E tinham amigos, sobretudo, em Via Suarez, na Piazza degli Artisti, em Via Luca Giordano, em Via Scarlatti, em Via Cimarosa, ruas que eu conhecia bem porque ali também moravam muitos dos meus colegas de escola. Sem falar que todas essas ruas levavam ao parque de Villa Floridiana, um lugar que eu adorava, onde minha mãe me levava para tomar sol e ar desde quando eu era recém-nascida e no qual eu havia passado horas prazerosas com duas amigas da primeira infância, Angela e Ida. Só depois daqueles topônimos, todos alegremente coloridos por plantas, fragmentos de mar, jardins, flores, brincadeiras e boas maneiras, começava a verdadeira descida, aquela que meus pais consideravam incômoda. Para trabalhar, para fazer compras, para a necessidade que principalmente meu pai tinha de estudar, de encontrar pessoas e debater, eles desciam cotidianamente, na maioria das vezes de transporte funicular, até Chiaia, até Toledo, e de lá avançavam até a

Piazza Plebiscito, até a Biblioteca Nacional, Port'Alba, Via Ventaglieri, Via Foria e, no máximo, até a Piazza Carlo III, onde ficava a escola na qual minha mãe lecionava. Aqueles nomes eu também conhecia bem, meus pais os pronunciavam de maneira recorrente, mas não costumavam me levar com eles, e talvez por isso não me suscitassem a mesma felicidade. Fora do Vomero, eu me sentia pouco ou nada à vontade na cidade. Aliás, quanto mais nos deslocávamos na planície, menos eu a conhecia. Era natural, portanto, que as áreas onde moravam os parentes do meu pai tivessem, aos meus olhos, as características de mundos ainda selvagens e inexplorados. Para mim, não apenas faltava um nome a essas regiões, mas, pela maneira como meus pais as mencionavam, elas me pareciam de difícil acesso. Cada vez que tínhamos de ir até lá, meus pais, que geralmente eram enérgicos e bem-dispostos, pareciam especialmente cansados, ansiosos. Eu era pequena, mas a tensão e os diálogos entre eles — sempre os mesmos — me marcaram.

— André — dizia minha mãe com sua voz esgotada —, vista-se, temos que ir.

Mas ele continuava a ler e a sublinhar livros com o mesmo lápis que usava para escrever em um caderno ao seu lado.

— André, está ficando tarde, eles vão ficar irritados.
— Você está pronta?
— Estou.
— E a menina?
— A menina também.

Então meu pai largava os livros e cadernos abertos sobre a escrivaninha, vestia uma camisa limpa, o melhor terno.

Mas ficava silencioso, tenso, como se estivesse repetindo mentalmente as falas de um papel inevitável. Enquanto isso, minha mãe, que estava tudo menos pronta, não fazia outra coisa além de verificar o próprio aspecto, o meu, o do meu pai, como se só uma roupa adequada pudesse garantir que voltaríamos para casa todos os três sãos e salvos. Enfim, era evidente que, em todas aquelas ocasiões, eles julgavam ter que se defender de espaços e pessoas sobre as quais, para não me incomodar, não me diziam nada. Mas eu, de todo modo, percebia a ansiedade anômala daquela situação, aliás, eu a reconhecia, sempre existira, talvez fosse a única lembrança de angústia em uma infância feliz. O que me preocupava eram frases deste tipo, pronunciadas em um italiano que parecia — não sei como explicar — degradado:

— Por favor, se Vittoria disser alguma coisa, finja que não ouviu.

— Quer dizer, se ela bancar a louca, eu fico calado?

— Isso mesmo, lembre-se da Giovanna.

— Tudo bem.

— Não diga tudo bem se não é verdade. É um pequeno esforço. Ficamos lá meia hora e voltamos para casa.

Eu não lembrava quase nada daquelas saídas. Murmúrios, calor, beijos distraídos na testa, vozes dialetais, mau cheiro que provavelmente todos nós emanávamos por causa do medo. Esse clima me convenceu ao longo dos anos que os parentes do meu pai — silhuetas ululantes de repugnante descompostura, em especial aquela tia Vittoria, a mais sombria, a mais descomposta — constituíam um perigo, embora fosse difícil entender que perigo era aquele. A área em que moravam devia ser considerada arriscada? Avós, tios, primos também era perigosos, ou só tia Vittoria?

Os únicos informados pareciam ser meus pais, e agora que eu sentia a urgência de saber como era minha tia, que tipo de pessoa ela era, precisaria me dirigir a eles para resolver a questão. Mas, mesmo que os questionasse, o que eu obteria? Eles me liquidariam com uma frase de benévola negação — quer ver sua tia, quer ir à casa dela, para quê? — ou ficariam alarmados e procurariam nunca mais mencioná-la. Por isso pensei que, antes de qualquer coisa, eu devia procurar uma foto dela.

QUATRO

Em uma tarde em que os dois não estavam em casa, aproveitei para fuçar um móvel no quarto deles onde minha mãe guardava os álbuns nos quais mantinha em perfeita ordem as fotografias dela, do meu pai e as minhas. Eu conhecia aqueles álbuns de trás para a frente, já os havia folheado várias vezes: documentavam principalmente todo o relacionamento deles, os meus quase treze anos de vida. E eu já sabia que ali, misteriosamente, os parentes da minha mãe surgiam com frequência, já os do meu pai eram raríssimos e, sobretudo, dentre os poucos que apareciam, não estava tia Vittoria. Todavia, eu lembrava que em algum lugar, no móvel, havia também uma velha caixa de metal na qual ficavam guardadas em desordem as imagens de como os meus pais eram antes de se conhecerem. Como eu vira aquelas fotos poucas vezes, sempre na companhia da minha mãe, esperava encontrar lá no meio algumas fotos da minha tia.

Desenterrei a caixa do fundo do armário, mas antes decidi reexaminar cuidadosamente os álbuns que mostravam os dois no tempo em que eram namorados, depois noivos emburrados protagonistas de um casamento com poucos convidados, depois como um casal sempre feliz e, por fim, eu, filha deles, fotografada uma quantidade descabida de vezes, do nascimento até hoje. Detive-me, sobretudo, nas fotos do casamento. Meu pai vestia um terno escuro visivelmente amarrotado e, em cada enquadramento, estava carrancudo; minha mãe estava ao seu lado sem vestido de noiva, mas com um *tailleur* creme, um véu da mesma cor na cabeça, a expressão vagamente comovida. Entre os trinta convidados, talvez um pouco mais, eu já sabia que estavam alguns dos amigos do Vomero que eles ainda viam e os parentes do lado materno, os bons avós do Museo. Mas, mesmo assim, olhei várias vezes, esperando encontrar uma figura, ainda que ao fundo, que me lembrasse não sei como uma mulher da qual eu não tinha lembrança alguma. Nada. Então passei para a caixa e, depois de muitas tentativas, consegui abri-la.

Despejei o conteúdo sobre a cama, as fotos eram todas em preto e branco. As que retratavam as adolescências separadas deles não tinham ordem nenhuma — minha mãe alegre, com os colegas da escola, com amigas da sua idade, na praia, na rua, graciosa e bem-vestida — estavam misturadas com as de meu pai pensativo, sempre solitário, nunca de férias, com a calça esfolada nos joelhos e um paletó com mangas curtas demais. As fotos da infância e da primeira adolescência, por sua vez, estavam ordenadas em dois envelopes, as provenientes da família da minha mãe e as provenientes da família do meu pai. Nessas últimas — eu disse a mim mesma —, minha tia certamente deve aparecer, e comecei a olhá-las uma a uma. Não eram mais do que vinte, e logo me chamou a atenção que, em três ou quatro, meu pai, que nas outras imagens aparecia ainda criança, meninote, com os pais, com parentes que eu nunca vira, estava surpreendentemente ao lado de um retângulo preto desenhado com pincel atômico. Não foi preciso muito para que eu entendesse que aquele retângulo, extremamente preciso, era um trabalho tão obstinado quanto secreto realizado por ele. Imaginei-o fechando com a régua que mantinha sobre a escrivaninha uma parte da foto dentro daquela figura geométrica e depois passando cuidadosamente o pincel atômico em cima, tomando cuidado para não ultrapassar as margens preestabelecidas. Que trabalho paciente, não tive dúvida: os retângulos eram rasuras, e debaixo daquela tinta preta estava tia Vittoria.

Fiquei sem saber o que fazer por um bom tempo. Por fim decidi: peguei uma faca na cozinha e raspei com delicadeza um setor minúsculo da parte da foto que meu pai havia coberto. Logo percebi que só aparecia o branco do papel. Fiquei ansiosa, parei. Eu sabia que estava contrariando a vontade do meu pai e me assustavam as ações que podiam me privar ainda mais do seu afeto. A ansiedade cresceu quando encontrei no fundo do envelope a única foto em que ele não era criança ou adolescente, mas um jovem que — algo raríssimo nas fotos tiradas antes que ele conhecesse minha mãe — sorria. Ele estava de perfil, tinha o olhar alegre, os dentes retos e branquíssimos. Mas o sorriso, a alegria, não se dirigiam a ninguém. Ao lado, havia dois daqueles retângulos, extremamente precisos, dois caixões nos quais, em um tempo certamente diferente daquele momento cordial da foto, fechara o corpo da irmã e sabe-se lá de mais quem.

Concentrei-me naquela imagem por muito tempo. Meu pai estava na rua, vestia uma camisa quadriculada de mangas curtas, devia ser verão. Atrás dele, havia a entrada de uma loja, do letreiro lia-se apenas -RIA, via-se uma vitrine, mas não era possível entender o que estava exposto. Do lado da mancha escura, surgia um poste branquíssimo com os contornos marcados. E depois havia as sombras, sombras compridas, uma delas evidentemente de um corpo feminino. Meu pai, embora obstinado em apagar as pessoas que estavam ao seu lado, deixara a marca delas na calçada.

Empenhei-me outra vez em raspar aos poucos a tinta do retângulo, mas parei ao perceber que, também naquele caso, surgia o branco. Esperei um ou dois minutos e recomecei. Trabalhei com leveza, podia ouvir minha respiração no silêncio da casa. Parei definitivamente somente quando tudo o que consegui obter da área onde antigamente devia estar a cabeça de Vittoria foi uma manchinha que não dava para saber se era um resíduo de tinta ou um pouco dos seus lábios.

CINCO

Rearrumei tudo e guardei dentro de mim a ameaça de parecer com a irmã rasurada do meu pai. Nessa época, fui ficando cada vez mais distraída e cresceu minha rejeição pela escola, o que me assustou. Eu queria voltar a ser a boa aluna que havia sido até alguns meses antes, era muito importante para os meus pais; até pensei que, se conseguisse tirar novamente ótimas notas, voltaria a ser bonita e a ter um bom caráter. Mas não consegui, ficava aérea nas aulas, em casa jogava todo o meu tempo fora na frente do espelho. Aliás, olhar-me no espelho tornou-se uma obsessão. Eu queria entender se minha tia estava de fato aflorando em meu corpo, mas, como não sabia qual era seu aspecto, acabei por procurá-la em cada detalhe meu que mostrasse uma mudança. Assim, traços nos quais até então eu não havia reparado se tornaram evidentes: as sobrancelhas muito densas, os olhos pequenos demais e de um castanho sem luz, a testa exageradamente alta, os cabelos finos — nem um pouco bonitos, ou talvez não mais bonitos àquela altura — que se colavam ao crânio, as orelhas grandes com lobos pesados, o lábio superior curto com uma repugnante penugem escura, o inferior muito grande, os dentes que pareciam ainda ser de leite, o queixo pontudo e o nariz, ah, o nariz, como se esticava sem garbo para o espelho, como estava ficando largo, como eram tenebrosas as cavernas entre o septo e as asas. Aqueles eram elementos do rosto de tia Vittoria ou meus e apenas meus? Eu deveria esperar uma melhora ou piora? Meu corpo, aquele pescoço comprido que parecia prestes a se partir como o fio da teia de uma aranha, aqueles ombros retos e ossudos, aqueles seios com seus mamilos escuros que continuavam a inchar, aquelas pernas finas que subiam demais, quase chegando às minhas axilas, aquela era *eu* ou a vanguarda da minha tia, ela em todo o seu horror?

Estudei-me, observando ao mesmo tempo meus pais. Como eu era sortuda, não podia ter pais melhores. Eram lindos e se amavam desde a adolescência. O pouco que eu sabia da história deles tinha sido contado por meu pai e minha mãe, ele com sua distância divertida de sempre, ela de maneira amavelmente emocionada. Sempre sentiram tanto prazer em cuidar um do outro que a decisão de ter um filho fora tomada relativamente tarde, já que haviam se casado ainda muito jovens. Eu nasci quando minha mãe tinha trinta anos e meu pai pouco mais de trinta e dois. Fui concebida entre mil ansiedades, expressas por ela em voz alta, por ele consigo mesmo. A gravidez foi difícil; o parto — 3 de junho de 1979 —, um tormento infinito; meus primeiros dois anos de vida, a demonstração prática de que, a partir do momento em que vim ao mundo, a vida deles se complicou. Preocupado com o futuro, meu pai, professor de história e filosofia na escola de ensino fundamental e médio mais prestigiosa de Nápoles, intelectual bastante conhecido na cidade, amado pelos alunos aos quais dedicava não somente as manhãs, mas tardes inteiras, começou a dar aulas particulares por necessidade. Preocupada, por sua vez, com o presente de contínuos choros noturnos, assaduras que cobriam a pele, dores de barriga, caprichos ferozes, minha mãe, que lecionava latim e grego em uma escola na Piazza Carlo III e revisava romances melosos, passou por uma longa depressão, tornou-se uma professora ruim e uma revisora distraída. Essas foram as confusões que causei assim que nasci. Mas depois me tornei uma menina quieta e obediente, e eles aos poucos se recuperaram. Acabara a fase em que ambos passavam todo o tempo tentando inutilmente evitar que eu sofresse os males aos quais estão expostos todos os seres humanos. Encontraram um novo equilíbrio graças ao qual, embora o amor por mim ocupasse o primeiro lugar, em segundo lugar vinham outra vez os estudos do meu pai e os trabalhinhos da minha mãe. Então, o que dizer? Eles me amavam, eu os amava. Meu pai me parecia um homem extraordinário, minha mãe, uma mulher bastante gentil, e ambos eram as únicas figuras nítidas em um mundo, de resto, confuso.

Confusão da qual eu fazia parte. Em certos momentos, eu fantasiava que dentro de mim estava sendo travada uma luta violentíssima entre meu pai e sua irmã, e esperava que ele vencesse. Claro — eu pensava —, Vittoria já prevaleceu uma vez, no momento do meu nascimento, tanto que, por algum tempo, fui uma menina insuportável; mas depois — eu pensava com alívio —, tornei-me boa, portanto, é possível expulsá-la. Era assim que eu tentava me tranquilizar e, para me sentir forte, esforçava-me para reconhecer em mim os meus pais. Mas, especialmente à noite, antes de ir para a cama, eu me olhava pela enésima vez no espelho e achava que os tinha perdido há tempos. Eu deveria ter um rosto que os resumisse da melhor maneira, mas era o rosto de Vittoria que surgia. Eu deveria ter uma vida feliz, mas estava começando um período infeliz, sem jamais vivenciar a alegria de me sentir como eles haviam se sentido e se sentiam.

SEIS

A certa altura, tentei entender se as duas irmãs, Angela e Ida, minhas amigas mais próximas, haviam notado alguma piora e se Angela, sobretudo, que tinha a mesma idade que eu (Ida era dois anos mais nova), também estava mudando para pior. Eu precisava de um olhar que me avaliasse e achava que podia contar com elas. Fomos criadas da mesma maneira por pais que eram amigos havia décadas e tinham as mesmas opiniões. Nós três, por exemplo, não havíamos sido batizadas e não sabíamos rezar, nós três fomos precocemente informadas sobre o funcionamento do nosso organismo (livros ilustrados, vídeos didáticos com desenhos animados), nós três sabíamos que devíamos nos sentir orgulhosas por termos nascido mulher, nós três entramos para a primeira série não aos seis anos, mas aos cinco, nós três nos comportávamos sempre de maneira ajuizada, nós três tínhamos na cabeça uma densa retícula de conselhos úteis para fugir das armadilhas de Nápoles e do mundo, nós três podíamos nos dirigir aos nossos pais a qualquer momento para satisfazer nossas curiosidades, nós três líamos muitíssimo, nós três, enfim, sentíamos um ponderado desprezo pelo consumo e pelos gostos das meninas da nossa idade, embora, encorajadas pelos nossos próprios educadores, fôssemos muito bem-informadas sobre músicas, filmes, programas de televisão, cantores, atores e, em segredo, quiséssemos nos tornar atrizes de grande fama, com namorados fascinantes com quem trocaríamos longos beijos e contatos entre o nosso sexo e o deles. Claro, a amizade entre mim e Angela era mais próxima, Ida era a menor, mas sabia nos surpreender, lia até mais do que nós e escrevia poesias e contos. De maneira que, pelo que me lembro, entre mim e elas não havia dissabores e, mesmo quando ocorriam, sabíamos conversar com franqueza e fazer as pazes. Portanto, como testemunhas confiáveis, interroguei-as algumas vezes cautelosamente. Mas elas não disseram nada de desagradável, ao contrário, demonstraram que me apreciavam muito e eu, de minha parte, sempre as achei graciosas. Eram bem proporcionadas, cinzeladas com tamanho cuidado que só de vê-las eu sentia a necessidade do seu calor e as abraçava e beijava como se quisesse fundi-las comigo. Mas, em uma noite em que eu me sentia especialmente deprimida, elas subiram para jantar em San Giacomo dei Capri com os pais e as coisas se complicaram. Eu não estava bem-disposta. Sentia-me especialmente deslocada, comprida, magra, pálida, grosseira em cada palavra ou gesto e, por isso, pronta para captar alusões à minha degradação mesmo quando elas não existiam. Ida, por exemplo, perguntou, apontando para os meus sapatos:

— São novos?
— Não, já tenho há um tempão.
— Não me lembro deles.
— Algum problema?
— Não, nada.
— Se você os notou agora, quer dizer que *agora* tem algum problema.
— Nada disso.

— Acha que as minhas pernas são finas demais?

Continuamos assim por um tempo, elas me tranquilizando, eu escavando as tranquilizações delas para entender se falavam a verdade ou escondiam por trás dos bons modos a péssima impressão que eu havia causado. Minha mãe interveio com seu tom fraco dizendo: Giovanna, chega, suas pernas não são finas; e eu fiquei com vergonha, calei-me logo, enquanto Costanza, a mãe de Angela e Ida, reforçava: você tem tornozelos lindos, e Mariano, o pai delas, exclamava rindo: coxas ótimas, no forno com batatas ficariam uma delícia. Não parou por aí, continuou a zombar de mim, brincava sem parar, era uma pessoa que alegava saber levar alegria até a um funeral.

— O que essa menina tem esta noite?

Balancei a cabeça para dizer que não tinha nada e tentei sorrir, mas não consegui, sua maneira de ser divertida me deixava nervosa.

— Que bela cabeleira, o que é, uma vassoura de sorgo?

Fiz novamente um sinal negativo com a cabeça e, daquela vez, não consegui esconder o incômodo, ele me tratava como se eu ainda tivesse seis anos.

— É um elogio, minha querida: o sorgo é uma planta gordinha, um pouco verde, um pouco vermelha e um pouco preta.

Murmurei de cara amarrada:

— Não sou gordinha nem verde, nem vermelha, nem preta.

Ele me olhou perplexo, sorriu, e disse para as filhas:

— Por que Giovanna está tão ranzinza esta noite?

Eu disse com a cara ainda mais amarrada:

— Não estou ranzinza.

— Ranzinza não é um insulto, é a manifestação de um estado de espírito. Você sabe o que significa?

Fiquei calada. Ele se dirigiu novamente às filhas fingindo desânimo:

— Ela não sabe. Ida, diga para ela.

Ida disse de má vontade:

— Significa que você está de cara amarrada. Ele diz a mesma coisa para mim.

Mariano era uma pessoa assim. Ele e meu pai se conheciam desde a época da universidade e, como nunca haviam se perdido de vista, ele estava presente na minha vida desde sempre. Um pouco pesado, totalmente calvo, com olhos azuis, me impressionara desde pequena por causa do rosto pálido demais e um pouco inchado. Quando aparecia na nossa casa, algo que acontecia com muita frequência, era para ficar falando horas e horas com seu amigo, pondo em cada frase um descontentamento amargo que me deixava nervosa. Ensinava história na universidade e colaborava constantemente com uma revista napolitana de prestígio. Ele e papai discutiam o tempo todo e, embora nós, as três meninas, entendêssemos pouco ou nada do que diziam, crescemos com a ideia de que haviam atribuído a si mesmos uma tarefa muito difícil, que exigia estudo e concentração. Mas Mariano não se limitava, como meu pai, a estudar dia e noite; ele atacava, em voz bastante alta, vários inimigos — gente de Nápoles, de Roma e de outras cidades — que queriam impedir que ambos realizassem bem o próprio trabalho. Angela, Ida e eu, embora não fôssemos capazes de tomar posição, ficávamos sempre do lado dos nossos pais e contra quem queria mal a eles. Mas, no fim das contas, de todos aqueles discursos que eles faziam, nos interessavam apenas os xingamentos em dialeto que Mariano pronunciava contra pessoas famosas da época. Isso acontecia porque nós três — eu em especial —

estávamos proibidas não apenas de dizer palavrões, mas também, de maneira mais geral, de pronunciar uma sílaba sequer em napolitano. Proibição inútil. Nossos pais, que nunca nos proibiam nada, até quando nos proibiam alguma coisa eram indulgentes. Então, falando baixinho, de brincadeira, repetíamos entre nós os nomes e sobrenomes dos inimigos de Mariano acompanhados dos epítetos obscenos que havíamos ouvido. Mas, enquanto Angela e Ida achavam aquele vocabulário do pai apenas divertido, eu não conseguia separá-lo de uma impressão de maldade.

Não havia sempre uma malevolência nas suas brincadeiras? Ela não estava presente também ali, naquela noite? Eu era ranzinza, eu estava de cara amarrada, eu era uma vassoura de sorgo? Mariano limitara-se a brincar ou, brincando, dissera ferozmente a verdade? Sentamo-nos à mesa. Os adultos iniciaram conversas chatas sobre não sei quais amigos que planejavam se mudar para Roma, nós ficamos entediadas em silêncio, esperando que o jantar acabasse logo para nos refugiarmos no meu quarto. Durante todo o tempo, tive a impressão de que meu pai não ria nunca, minha mãe mal sorria, Mariano ria muitíssimo, e Costanza, sua mulher, ria pouco, mas com gosto. Talvez meus pais não estivessem se divertindo como os pais de Angela e Ida porque eu os havia entristecido. Os amigos deles estavam contentes com as filhas, enquanto eles não estavam mais contentes comigo. Eu era ranzinza, ranzinza, ranzinza, e o simples fato de me ver ali à mesa os impedia de ficar alegres. Como minha mãe era séria, e como era bonita e feliz a mãe de Angela e Ida. Meu pai agora estava servindo vinho para ela, dirigia-lhe a palavra com gentileza distante. Costanza lecionava italiano e latim, seus pais, riquíssimos, deram-lhe uma ótima educação. Tal era a sua fineza que, às vezes, parecia que minha mãe a estudava para imitá-la, e eu, quase sem perceber, fazia o mesmo. Como era possível que aquela mulher tivesse escolhido um marido como Mariano? O fulgor dos ornamentos, as cores das roupas que sempre lhe caíam bem me deslumbravam. Justo na noite anterior, eu havia sonhado que ela lambia com a ponta da língua uma das minhas orelhas como uma gata. E o sonho me proporcionara conforto, uma espécie de bem-estar físico que, por algumas horas, ao acordar, me fez sentir segura.

Agora, sentada à mesa ao lado dela, tive esperança de que sua boa influência tirasse da minha cabeça as palavras do marido. No entanto, elas perduraram por todo o jantar — meus cabelos me fazem parecer uma vassoura de sorgo, minha cara é ranzinza —, acentuando meu nervosismo. Oscilei o tempo todo entre a vontade de me divertir dizendo frases obscenas no ouvido de Angela e um mal-estar que não cessava. Assim que terminamos a sobremesa, deixamos nossos pais e suas conversas e nos fechamos no meu quarto. Ali perguntei a Ida sem rodeios:

— Minha cara é amarrada? Vocês acham que estou ficando feia?

Elas se olharam e responderam quase ao mesmo tempo:

— Claro que não.

— Digam a verdade.

Percebi que hesitavam. Angela acabou dizendo:

— Um pouquinho, mas não fisicamente.

— Fisicamente você é bonita — reforçou Ida —, você só fica um pouco feia por causa das preocupações.

— Acontece comigo também: quando me preocupo, fico feia, mas depois passa — disse Angela, me beijando.

SETE

Aquela correspondência entre preocupação e feiura inesperadamente me consolou. Há uma feiura que depende das ansiedades — disseram Angela e Ida —, se as ansiedades passam, você volta a ser bonita. Quis acreditar naquilo e me esforcei para ter dias despreocupados. Mas me obrigar a manter serenidade não funcionou, a cabeça de repente embaçava e aquela obsessão recomeçava. Cresceu uma hostilidade em relação a tudo, difícil de refrear com uma falsa benevolência. E logo concluí que as preocupações não eram por nada passageiras, talvez nem fossem preocupações, mas sentimentos ruins que se alastravam pelas minhas veias.

Não que Angela e Ida tivessem mentido sobre aquela questão, elas não eram capazes disso, havíamos sido educadas para nunca mentir. Elas, com aquela correspondência entre feiura e ansiedade, haviam provavelmente falado de si mesmas, da experiência delas, repetindo as palavras usadas por Mariano — nas nossas cabeças havia muitos conceitos que ouvíamos dos nossos pais — para aquietá-las em alguma ocasião. Mas Angela e Ida não eram eu. Angela e Ida não tinham na família uma tia Vittoria com a qual o pai delas — *o pai delas* — as comparara. Uma manhã, na escola, senti de repente que eu nunca mais voltaria a ser como meus pais queriam, e o cruel Mariano perceberia, e minhas amigas fariam amizades mais adequadas, e eu ficaria sozinha.

Fiquei deprimida, nos dias seguintes o mal-estar ganhou força novamente e a única coisa que me dava um pouco de alívio era me esfregar continuamente entre as pernas para me sentir atordoada de prazer. Mas como era humilhante esquecer de mim mesma daquela maneira, depois eu ficava mais descontente do que antes, às vezes enojada. Eu tinha uma lembrança muito agradável das brincadeiras com Angela, no sofá da minha casa, quando, diante do televisor ligado, deitávamos uma na frente da outra, entrelaçávamos as pernas e, sem tratativas, sem regras, em silêncio, posicionávamos uma bonequinha entre o gancho da minha calcinha e a dela, então nos esfregávamos, nos retorcíamos sem constrangimento, pressionando com força entre nós a boneca que parecia vivíssima e feliz. Outros tempos. O prazer agora não me parecia mais uma brincadeira alegre. Depois eu ficava toda suada, sentia-me cada vez mais disforme. Tanto que, dia após dia, fui novamente tomada pela ânsia de examinar meu rosto e voltei com maior obstinação a passar muito tempo diante do espelho.

A coisa teve uma evolução surpreendente: de tanto olhar o que me parecia defeituoso, senti o desejo de cuidar daquilo. Eu examinava minhas feições e pensava, esticando o rosto: pronto, era só ter um nariz assim, os olhos assim, as orelhas assim e eu seria perfeita. Eram leves imperfeições que me deixavam melancólica e me enterneciam. Coitada, eu pensava, como você é azarada. E eu sentia um arrebatamento repentino pela minha própria imagem, tanto que, uma vez, cheguei a beijar minha boca justamente enquanto pensava desolada que ninguém jamais me beijaria. Foi assim que comecei a reagir. Passei aos poucos do aturdimento dos dias passados a me estudar à necessidade de me ajeitar como se eu fosse um pedaço de algum material de boa qualidade avariado por um operário canhestro. Aquilo era eu — fosse qual fosse esse eu —, e eu precisava cuidar daquele rosto, daquele corpo, daqueles pensamentos.

Em uma manhã de domingo, tentei dar um jeito em mim mesma com maquiagens da minha mãe. Mas, quando ela entrou no meu quarto, disse rindo: está parecendo uma máscara de carnaval, precisa melhorar. Não protestei, não me defendi, pedi da maneira mais submissa possível:

— Você me ensina a me maquiar do seu jeito?
— Cada rosto tem sua maquiagem.
— Quero ser como você.

Ela ficou com pena, fez vários elogios e começou a me maquiar com extremo cuidado. Passamos horas maravilhosas, brincamos, rimos. Em geral, ela era silenciosa, muito composta, mas comigo — só comigo — estava sempre pronta a voltar a ser uma menina.

A certa altura, meu pai apareceu com seus jornais, nos viu brincando daquela maneira e ficou contente.

— Como vocês estão bonitas — disse.
— Sério? — perguntei.
— Seríssimo, nunca vi mulheres tão esplêndidas.

E foi se fechar no quarto. Aos domingos, lia os jornais e depois estudava. Mas assim que eu e minha mãe ficamos sozinhas, ela, como se aqueles poucos minutos tivessem sido um sinal, perguntou com sua voz sempre cansada, mas que parecia desconhecer incômodo e apreensão:

— Por que você mexeu na caixa de fotos?

Silêncio. Então ela havia percebido que eu remexera em suas coisas. Havia percebido que eu tentara raspar a tinta preta do pincel atômico. Havia quanto tempo? Comecei a chorar, embora tenha resistido às lágrimas com todas as minhas forças. Mamãe, eu disse entre soluços, eu quis, eu acreditei, eu achei — mas não consegui dizer nada do que eu queria, acreditava, achava. Fiquei agitada, lágrimas e mais lágrimas, e ela não conseguia me acalmar, pelo contrário, assim que soltava algumas frases com sorrisos compreensivos — não precisa chorar, é só pedir para mim, para o seu pai; seja como for, você pode olhar as fotos quando quiser, por que está chorando, calma —, eu soluçava ainda mais. No fim, ela pegou minhas mãos e então disse com calma:

— O que você estava procurando? Uma foto da tia Vittoria?

OITO

Entendi que, àquela altura, meus pais haviam percebido que eu escutara suas palavras. Deviam ter falado muito a respeito, talvez até tivessem consultado os amigos. Meu pai certamente estava muito chateado e, muito provavelmente, encarregara minha mãe de me convencer que a frase que eu havia entreouvido tivera um sentido diferente daquele que podia ter me ferido. Essa certamente era a situação, a voz da minha mãe era muito eficiente em operações de remendo. Ela nunca tinha rompantes de ira, nem de embaraço. Quando Costanza, por exemplo, zombava dela por todo o tempo gasto para preparar as aulas, corrigir as provas dos romances sem graça e às vezes até reescrever páginas inteiras, ela sempre retrucava baixinho, com uma limpidez sem acrimônia. E também nas vezes em que dizia: Costanza, você tem muito dinheiro, pode fazer o que quiser, já eu preciso ralar, conseguia usar poucas palavras suaves, sem um ressentimento evidente. Então, quem melhor do que ela para remediar o erro? Depois que me aquietei, ela disse com aquela sua voz: nós amamos você, e repetiu a frase uma ou duas vezes. Depois começou um discurso inédito para mim até então. Disse que tanto ela quanto meu pai se sacrificaram muito para se tornarem o que eram. Murmurou: eu não me queixo, meus pais me deram o que podiam, você sabe como eram gentis e afetuosos. Na época, esta casa foi comprada com a ajuda deles; mas a infância do seu pai, a adolescência, a juventude foram de fato muito difíceis porque ele não tinha absolutamente nada, teve de escalar uma montanha com as mãos nuas e os pés descalços, e não acabou, nunca acaba, tem sempre alguma tempestade que o derruba e tudo volta à estaca zero. Por fim chegou em Vittoria e me revelou, falando abertamente, que a tempestade que queria derrubá-lo da montanha era ela.

— Ela?

— Sim. A irmã do seu pai é uma mulher invejosa. Não invejosa como qualquer pessoa pode ser, mas invejosa de uma maneira muito feia.

— O que ela fez?

— Tudo. Porém, mais do que qualquer outra coisa, nunca quis aceitar o sucesso do seu pai.

— Como assim?

— O sucesso na vida. Como ele se empenhou na escola e na universidade. A sua inteligência. O que ele construiu. O diploma universitário. O trabalho, nosso casamento, as coisas que ele estuda, a estima que o cerca, os amigos que nós temos, você.

— Eu também?

— Também. Não existe coisa ou pessoa que não seja uma ofensa pessoal para Vittoria. Mas o que mais a ofende é a existência do seu pai.

— Em que ela trabalha?

— É empregada doméstica, o que você queria que ela fizesse, parou de estudar na quinta série. Não há nada de errado em ser empregada, você sabe que a senhora que aju-

da Costanza nas tarefas domésticas é uma ótima pessoa. O problema é que ela também culpa o irmão por isso.
— Por quê?
— Não existe um porquê. Especialmente se você pensar que seu pai, muito pelo contrário, a salvou. Ela podia ter se arruinado ainda mais. Tinha se apaixonado por um homem casado que já tinha três filhos, um marginal. Bem, seu pai, como irmão mais velho, interveio. Mas ela também pôs isso na lista das coisas que nunca perdoou.
— Talvez papai devesse cuidar da própria vida.
— Ninguém deve cuidar da própria vida se uma pessoa está em apuros.
— É.
— Mas mesmo ajudá-la sempre foi difícil, ela nos retribuiu com todo o mal possível.
— Tia Vittoria quer que o papai morra?
— É feio de se dizer, mas é isso mesmo.
— E não existe possibilidade de eles fazerem as pazes?
— Não. Para fazer as pazes, seu pai, aos olhos da tia Vittoria, deveria se tornar um homem medíocre como todos os que ela conhece. Mas, como isso não é possível, ela jogou a família contra nós. Por culpa dela, depois que seus avós morreram, não pudemos mais ter relações de verdade com nenhum parente.

Não respondi de maneira substanciosa, pronunciei somente poucas frases prudentes ou monossílabos. Mas, enquanto isso, pensei com asco: então estou ficando parecida com uma pessoa que deseja a morte do meu pai, a ruína da minha família, e lágrimas brotaram novamente. Minha mãe percebeu e tentou refreá-las. Abraçou-me, murmurou: não precisa ficar chateada, ficou clara agora aquela frase do seu pai? Fiz um sinal enérgico de negação com os olhos abaixados. Então ela me explicou devagar, com uma entonação de repente divertida: para nós, há muito tempo, tia Vittoria não é mais uma pessoa, mas somente um modo de falar; pense que, certas vezes, quando seu pai está sendo antipático, eu grito em tom de piada: cuidado, André, você está ficando a cara de Vittoria. Então ela me sacudiu afetuosamente e repetiu: é uma frase de brincadeira.

Eu murmurei soturna:

— Não acredito, mamãe, nunca vi vocês falando assim.

— Talvez não na sua presença, mas a sós, sim. É como um sinal vermelho que usamos para dizer: atenção, falta pouco para perdermos tudo o que desejamos para a nossa vida.

— Eu também?

— Não, claro que não, nunca perderemos você. Para nós, você é a pessoa mais importante do mundo, desejamos para a sua vida toda a felicidade possível. Por isso, eu e papai insistimos tanto nos estudos. Agora você está tendo umas pequenas dificuldades, mas vai passar. Você vai ver quantas coisas boas vão acontecer na sua vida.

Funguei, ela quis assoar meu nariz com um lenço como se eu ainda fosse pequena, e talvez eu fosse, mas me afastei e disse:

— E se eu não estudasse mais?

— Você se tornaria ignorante.

— E daí?

— Daí que a ignorância é um obstáculo. Mas você já voltou a estudar, não? É um pecado não cultivar a própria inteligência.

— Não quero ser inteligente, mamãe, quero ser bonita como vocês dois — exclamei.

— Você ainda vai ser muito mais bonita.
— Não, porque estou ficando a cara da tia Vittoria.
— Você é muito diferente dela, isso não vai acontecer.
— Como você sabe? Com quem posso falar para saber se está acontecendo ou não?
— Eu estou aqui, sempre estarei.
— Não é suficiente.
— O que você propõe?
Quase sussurrei:
— Preciso ver minha tia.
Ela ficou calada um instante, depois disse:
— Neste caso é melhor conversar com seu pai.

NOVE

Não interpretei aquelas palavras ao pé da letra. Eu tinha certeza de que ela tocaria no assunto com ele antes e, já no dia seguinte, meu pai diria com a voz que eu mais amava: aqui estamos, às ordens, se a princesa decidiu que precisamos encontrar tia Vittoria, este seu pobre pai, embora com a corda no pescoço, vai acompanhá-la. Ele ligaria então para a irmã para marcar um encontro, ou talvez pedisse a minha mãe para fazê-lo, ele nunca se ocupava pessoalmente daquilo que o incomodava ou aborrecia ou magoava. Depois me levaria de carro até a casa dela.

Mas não foi o que aconteceu. Passaram-se horas, dias, e meu pai aparecia pouco, sempre às pressas, dividindo-se entre a escola, algumas aulas particulares e um ensaio complexo que estava escrevendo com Mariano. Saía de manhã e voltava à noite, naqueles dias chovia sempre, eu tinha medo que ele se resfriasse, tivesse febre e fosse obrigado a ficar na cama sabe-se lá até quando. Como é possível — eu pensava — que um homem tão miúdo, tão delicado, tenha combatido a vida toda a maldade de tia Vittoria? E me parecia ainda mais inverossímil que ele tivesse enfrentado e afastado o marginal casado e pai de três filhos que pretendia ser a ruína da irmã. Perguntei a Angela:

— Se Ida se apaixona por um marginal casado e pai de três filhos, você, como irmã mais velha, faz o quê?

Angela respondeu sem hesitar:
— Conto para o papai.
Mas Ida não gostou daquela resposta e disse à irmã:
— Você é uma dedo-duro, e papai diz que os dedos-duros são a pior coisa que existe.
Angela, mordida, respondeu:
— Não sou dedo-duro, eu só faria isso pelo seu bem.
Intervim com circunspecção, dirigindo-me a Ida:
— Então, se Angela se apaixonar por um marginal casado e pai de três filhos, você não vai contar para o seu pai?
Ida, leitora inveterada de romances, pensou e disse:
— Só conto se o marginal for feio e malvado.
Aí está, pensei, a feiura e a maldade têm mais peso do que tudo. E, numa tarde em que meu pai havia saído para uma reunião, voltei cautelosamente ao ataque com minha mãe:
— Você disse que veríamos tia Vittoria.
— Eu disse que era melhor você falar a respeito com seu pai.
— Achei que você fosse falar com ele.
— Ele anda muito ocupado.
— Vamos nós duas.
— É melhor ele cuidar dessa questão. Além disso, estamos quase no final do ano letivo, você precisa estudar.
— Vocês não querem me levar. Já decidiram que não vão fazer.
Minha mãe assumiu um tom semelhante ao que usava até alguns anos antes, quando, para que eu a deixasse um pouco em paz, propunha alguma brincadeira solitária.
— Vamos fazer o seguinte: você conhece Via Miraglia?
— Não.
— E Via della Stadera?

— Não.
— E Pianto?
— Não.
— E Poggioreale?
— Não.
— E a Piazza Nazionale?
— Não.
— E Arenaccia?
— Não.
— E toda a região que se chama Zona Industrial?
— Não, mamãe, não.
— Bem, você precisa aprender, esta é a sua cidade. Vou pegar o guia de ruas e, depois de fazer os deveres, você estuda o percurso. Se é tão urgente, você pode ir sozinha até a casa da tia Vittoria um dia desses.

Aquela última frase me desorientou, me magoou, talvez. Meus pais não me mandavam sozinha nem comprar pão a duzentos metros de casa. E, quando eu tinha de encontrar Angela e Ida, meu pai, ou mais frequentemente minha mãe, me acompanhava até a casa de Mariano e Costanza de carro, depois ia me buscar. Agora, de repente, estavam dispostos a me mandar a lugares desconhecidos para onde eles mesmos iam de má vontade? Não, não, simplesmente estavam cheios daquela minha lamúria, julgavam irrelevante o que para mim era urgente, em poucas palavras, não me levavam a sério. Talvez, naquele momento, tenha se rompido algo em alguma parte do meu corpo, talvez eu devesse situar ali o fim da infância. Certamente me senti como um recipiente de pequenos grãos que, de maneira imperceptível, caíam para fora de mim por uma fissura minúscula. E não tive dúvidas, minha mãe já havia consultado meu pai e, em um pacto com ele, estava prestes a me separar deles e vice-versa, a deixar claro que eu teria de me virar sozinha com os meus devaneios e caprichos. Por trás dos seus tons fracos e gentis, ela acabara de me dizer: você se tornou uma chata, está complicando minha vida, não estuda, os professores se queixam e você não para de falar na tia Vittoria, ah, que drama, Giovanna, como posso explicar que a frase do seu pai era carinhosa, chega, vá brincar com o guia das ruas e não me perturbe mais.

Estando minha interpretação certa ou não, aquela, de qualquer maneira, foi minha primeira experiência de privação. Senti o vazio doloroso que em geral surge quando de repente nos é tirado algo do qual nada aparentemente poderia nos separar. Permaneci em silêncio. E, como ela acrescentou "feche a porta, por favor", saí do quarto.

Fiquei algum tempo parada diante da porta fechada, atordoada, esperando que minha mãe me entregasse de fato o guia de ruas. Não aconteceu, então me afastei quase nas pontas dos pés até meu quarto para estudar. Mas, naturalmente, não abri um livro sequer, a cabeça começou a martelar propósitos até então inconcebíveis. Não preciso que minha mãe me dê o guia de ruas, eu vou pegá-lo, vou estudá-lo e irei até a casa de tia Vittoria a pé. Vou andar dias a fio, meses. Aquela ideia me seduzia. Sol, calor, chuva, vento, frio, e eu andando, andando entre mil perigos até encontrar meu próprio futuro de mulher feia e pérfida. Farei isso. Ficaram na minha cabeça boa parte daqueles nomes desconhecidos de ruas que minha mãe havia listado, eu podia procurar logo pelo menos um. Fiquei pensando, sobretudo, em Pianto. Com aquele nome que aludia a pranto, devia ser um lugar de muita tristeza, minha tia, então, morava em uma área em que as pessoas sentiam dor ou onde talvez causassem sofrimento. Uma rua de tormentos, uma escada, arbustos cheios de espinhos que arranhavam as pernas, cães vira-latas sujos de lama com bocas enormes e cheias de baba. Pensei em procurar primeiro aquele lugar no guia de ruas e fui para o corredor, onde ficava o telefone. Tentei puxar o fascículo, imprensado entre as maciças listas telefônicas. Mas, enquanto fazia isso, notei em cima dos volumes a caderneta na qual estavam escritos todos os números de telefone a que meus pais recorriam. Como eu não havia pensado naquilo. Provavelmente o número de tia Vittoria estava na caderneta e, se estava ali, por que esperar que meus pais ligassem? Eu mesma poderia ligar. Peguei a caderneta, fui até a letra V, não encontrei nenhuma Vittoria. Então pensei: ela tem o meu sobrenome, o sobrenome do meu pai, Trada, e logo procurei na letra T, estava lá: Trada Vittoria. A caligrafia um pouco desbotada era a do meu pai, seu nome estava entre muitos outros como o de uma estranha.

Foram instantes de apreensão, exultei, parecia que eu estava diante da entrada de uma passagem secreta que me levaria sem mais obstáculos até ela. Pensei: vou ligar. Agora. Digo: sou sua sobrinha Giovanna, preciso me encontrar com você. Talvez ela mesma venha me pegar. Marcaremos um dia, uma hora e nos veremos aqui embaixo de casa, ou lá embaixo na Piazza Vanvitelli. Verifiquei se a porta da minha mãe estava fechada, voltei até o telefone, tirei do gancho. Mas justamente no momento em que acabei de discar o número e ouvi a linha livre, tive medo. Pensando bem, depois das fotografias, era a primeira iniciativa concreta que eu tomava. O que estou fazendo? Devo contar, se não a minha mãe, ao meu pai, porque um deles precisa me autorizar. Prudência, prudência, prudência. Mas eu havia hesitado demais e uma voz grossa como a dos fumantes que iam lá em casa para longas reuniões disse: alô. E falou com tamanha determinação, com um tom tão grosseiro, com uma pronúncia napolitana tão agressiva que bastou aquele alô para que eu ficasse aterrorizada e desligasse. Foi por um triz. Ouvi a chave que girava na fechadura, meu pai estava chegando em casa.

DEZ

Afastei-me alguns passos do telefone no momento em que ele entrava após deixar o guarda-chuva gotejante do lado de fora da porta, esfregando com cuidado as solas no capacho. Cumprimentou-me, mas sem jeito, sem a alegria de sempre, aliás, praguejando por causa do mau tempo. Só depois de se livrar do impermeável é que se ocupou de mim.
— O que você está fazendo?
— Nada.
— Mamãe?
— Está trabalhando.
— Você fez os deveres?
— Fiz.
— Tem alguma coisa que você não entendeu e quer que eu explique?
Quando parou ao lado do telefone para acionar, com um gesto costumeiro, a secretária eletrônica, percebi que eu havia deixado a caderneta aberta na letra T. Ele a viu, passou um dedo por cima, fechou-a, desistiu de ouvir as mensagens. Esperei que ele recorresse a alguma frase brincalhona, se o tivesse feito, teria me tranquilizado. Mas ele acariciou minha cabeça com a ponta dos dedos e foi até minha mãe. Ao contrário do que costumava fazer, fechou com cuidado a porta atrás de si.

Esperei, ouvi-os discutir em voz baixa, um zumbido com picos repentinos de sílabas únicas: tu, não, mas. Voltei para o meu quarto, mas deixei a porta aberta, torci para que não brigassem. Passaram-se pelo menos dez minutos, enfim os passos do meu pai voltaram pelo corredor, mas não na direção do meu quarto. Foi para o aposento dele, onde havia outro telefone, ouvi que ele falava em voz baixa, poucas palavras indistinguíveis e longas pausas. Pensei — esperei — que estivesse com problemas graves com Mariano e precisasse discutir os assuntos de sempre que os interessavam, palavras que eu ouvia desde sempre, como política, valor, marxismo, crise, Estado. Quando o telefonema terminou, ouvi-o novamente no corredor, daquela vez foi até o meu quarto. Em geral fazia mil cerimônias irônicas antes de entrar: posso entrar, onde me sento, estou incomodando, desculpe; mas, daquela vez, sentou-se na cama e, sem preâmbulos, disse com sua voz mais gélida:

— Sua mãe explicou que eu não estava falando sério, que não queria ofender você, que você não se parece em nada com a minha irmã.

Recomecei logo a chorar, balbuciando: não é isso, papai, eu sei, acredito em você, mas. Ele não me pareceu comovido com minhas lágrimas, interrompeu-me, disse:

— Você não precisa se justificar. A culpa é minha, e não sua, então cabe a mim remediar. Liguei agora para sua tia e domingo levo você à casa dela. Está bem?

— Se você não quiser, não precisamos ir — solucei.

— Claro que não quero, mas você quer e nós iremos. Vou deixar você na porta da casa dela, fique lá quanto tempo quiser, e eu ficarei esperando do lado de fora, no carro.

Tentei me acalmar, sufoquei as lágrimas.

— Tem certeza?
— Tenho.

Ficamos em silêncio por um instante, depois ele se esforçou para sorrir, enxugou minhas lágrimas com os dedos. Mas não conseguiu agir com naturalidade, descambou para um daqueles seus discursos compridos, agitados, misturando tons altos e baixos. Mas disse: lembre-se disto, Giovanna. Sua tia gosta de me ferir. Tentei argumentar de todas as maneiras, a ajudei, a favoreci, dei a ela todo o dinheiro que eu podia. Nada adiantou. Ela entendeu todas as minhas palavras como uma forma de opressão, considerou uma afronta toda a minha ajuda. É orgulhosa, é ingrata, é cruel. Então vou logo avisar: ela vai tentar me roubar o seu afeto, vai usar você para me ferir. Já usou nossos pais, nossos irmãos, nossos tios e primos com esse objetivo. Da minha família de origem, por culpa dela, ninguém me ama mais. E você vai ver que ela vai tentar conquistar você também. Essa possibilidade — disse, tenso como eu quase nunca o vira — é intolerável para mim. — E suplicou, realmente suplicou, unindo as mãos em prece e as fazendo-as oscilar para a frente e para trás, que eu acalmasse minhas aflições, porque eram sem fundamento algum, mas que eu não desse atenção a ela, que eu pusesse cera nos ouvidos como Ulisses.

Dei nele um abraço bem apertado, como não acontecia havia dois anos, desde quando desejei me sentir grande. Mas, com surpresa, com incômodo, senti em seu corpo um cheiro que não me parecia o dele, um cheiro ao qual eu não estava acostumada. Aquilo me suscitou um sentimento de estranheza que me causou um misto incongruente de sofrimento e satisfação. Senti com clareza que, se até aquele momento eu havia esperado que sua proteção durasse para sempre, agora, por outro lado, eu sentia prazer com a ideia de que ele havia se tornado um estranho. Fiquei eufórica como se a eventualidade do mal — o modo como ele e minha mãe em seu jargão de casal diziam se chamar Vittoria — me desse uma efervescência inesperada.

ONZE

Afastei aquele sentimento, eu não tolerava aquela culpa. Contei os dias que me separavam do domingo. Minha mãe foi solícita, quis me ajudar a antecipar, no limite do possível, os deveres para segunda-feira, a fim de que eu pudesse enfrentar o encontro sem a preocupação de precisar estudar. E não se limitou a isso. Uma tarde, entrou no meu quarto com o guia de ruas, sentou-se ao meu lado, mostrou-me Via San Giacomo dei Capri e, página a página, todo o percurso até a casa de tia Vittoria. Queria mostrar que me amava e que ela, assim como meu pai, só desejava minha serenidade.

Mas eu não me dei por satisfeita com aquela pequena lição de topografia e, nos dias seguintes, dediquei-me em segredo aos mapas da cidade. Corria o indicador por Via San Giacomo dei Capri, chegava na Piazza Medaglie d'Oro, descia Via Suarez e Via Salvator Rosa, alcançava o Museo, percorria toda a Via Foria até a Piazza Carlo III, virava em Corso Garibaldi, entrava em Via Casanova, alcançava a Piazza Nazionale, enveredava por Via Poggioreale, depois Via della Stadera e, na altura do cemitério de Pianto, descia Via Miraglia, Via del Macello, Via del Pascone etc., com o dedo que resvalava na Zona Industrial, cor de terra queimada. Todos esses nomes de ruas, e muitos outros, tornaram-

-se naquelas horas uma mania silenciosa. Decorei-os como se fosse para a escola, mas não de má vontade, e esperei o domingo com uma agitação crescente. Se meu pai não mudasse de ideia, eu finalmente encontraria tia Vittoria.

Mas eu não havia acertado as contas com o emaranhado dos meus sentimentos. Quanto mais os dias passavam cansativamente, mais eu me surpreendia esperando — em especial à noite, na cama — que por algum motivo aquela visita fosse adiada. Comecei a me perguntar por que eu havia forçado daquela maneira os meus pais, por que quis desagradá-los, por que não me importara com as preocupações deles. Como as respostas eram todas vagas, a ansiedade começou a perder força, e encontrar tia Vittoria logo me pareceu um pedido tão exagerado quanto inútil. De que adiantaria conhecer com antecedência a forma física e moral que eu provavelmente assumiria. De qualquer forma, eu não podia, e talvez nem quisesse, arrancá-la do meu rosto, do meu peito; eu sempre seria eu mesma, melancólica, azarada, mas eu. Aquela vontade de conhecer minha tia devia provavelmente ser inserida na categoria dos pequenos desafios. No fim das contas, era apenas a enésima maneira de testar a paciência dos meus pais, como eu fazia quando íamos ao restaurante com Mariano e Costanza e eu acabava pedindo sempre, com ares de mulher experiente, entre sorrisinhos cativantes dirigidos, sobretudo, a Costanza, o que minha mãe sugerira que eu não pedisse porque era caro demais. Então fiquei ainda mais descontente comigo mesma, talvez daquela vez eu tivesse exagerado. Lembrei-me das palavras que minha mãe usara para falar do ódio da cunhada, pensei outra vez no discurso preocupado do meu pai. No escuro, a aversão deles por aquela mulher somou-se ao medo que eu sentira da sua voz ao telefone, aquele seu *alô* feroz com cadência dialetal. Por isso, no sábado à noite, disse à minha mãe: não quero mais ir, esta manhã passaram muitos deveres para segunda-feira. Mas ela respondeu: agora o encontro já foi marcado, você não imagina como sua tia ficaria chateada se você não fosse, culparia seu pai. E como eu não me convencia, disse que minha cabeça havia fantasiado demais e que, embora eu estivesse dando para trás naquele momento, no dia seguinte eu mudaria de ideia e voltaríamos à estaca zero. Concluiu rindo: vá ver como é e quem é tia Vittoria, assim você fará de tudo para não se parecer com ela.

Depois de dias de chuva, o domingo se revelou lindo, de céu azul, com raras e pequenas nuvens brancas. Meu pai se esforçou para voltar ao nosso alegre relacionamento de sempre, mas, quando deu a partida no automóvel, tornou-se silencioso. Ele odiava a perimetral e logo tomou outro rumo. Disse que preferia as velhas estradas e, à medida que adentrávamos outra cidade feita de fileiras de sobrados miseráveis, de paredes desbotadas, de galpões industriais e barracas e vendinhas, de retalhos verdes emporcalhados por lixo de todo tipo, de buracos profundos cheios de água da chuva que caíra recentemente, de ar podre, ele foi se tornando cada vez mais sombrio. Mas depois pareceu decidir que não podia me deixar no silêncio como se tivesse se esquecido de mim e, pela primeira vez, aludiu às suas origens. Nasci e cresci nesta região aqui — disse com um gesto amplo que abarcava, para além do para-brisa, muros de turfa, sobradinhos cinza, amarelos e rosa, ruas grandes e desoladas até no dia de folga —, minha família não tinha onde cair morta. Então embrenhou-se em uma área ainda mais miserável, parou, suspirou incomodado, indicou-me um edifício cor de tijolo no qual faltavam grandes pedaços do reboco. Eu morava aqui, disse, e aqui ainda mora sua tia Vittoria, o portão é aquele, pode ir, eu fico esperando. Olhei para ele assustadíssima, ele percebeu:

— O que foi?
— Não vá embora.
— Não vou sair daqui.
— E se ela me fizer demorar?
— Quando você estiver cansada, diga: agora preciso ir embora.
— E se ela não me deixar ir embora?
— Eu vou pegar você.
— Não, não saia daqui, eu venho.
— Tudo bem.

Saí do carro, entrei no portão. Havia um cheiro forte de lixo misturado com o perfume dos molhos dominicais. Não vi nenhum elevador. Subi escadas com degraus desconexos, as paredes mostravam amplas feridas brancas, uma delas tão profunda que parecia um buraco escavado para esconder alguma coisa. Evitei decifrar escritas e desenhos obscenos, eu tinha outras urgências. Meu pai havia sido menino e jovem neste edifício? Contei os andares, no terceiro, parei, havia três portas. A que ficava à minha direita era a única que mostrava um sobrenome, sobre a madeira estava colada uma faixinha de papel onde se lia escrito a caneta: Trada. Toquei a campainha, prendi a respiração. Nada. Contei lentamente até quarenta, meu pai dissera alguns anos antes que, toda vez que você está em uma condição de incerteza, deve fazer assim. Quando cheguei a quarenta e um, toquei novamente, a segunda descarga elétrica pareceu exageradamente forte. Ouvi um grito em dialeto, uma explosão de sons roucos, mas que merda, está com pressa, já vou. Depois passos resolutos, uma chave que girava quatro vezes na fechadura. A porta se abriu, surgiu uma mulher toda vestida de azul-celeste, alta, uma grande massa de cabelos muito negros presos na nuca, magra como uma anchova salgada apesar dos ombros largos e do peito grande. Segurava entre os dedos um cigarro aceso, tossiu, disse oscilando entre italiano e dialeto:

— O que foi, está se sentindo mal, precisa mijar?
— Não.
— Então por que tocou duas vezes?
— Sou Giovanna, tia — murmurei.
— Eu sei que você é a Giovanna, mas, se você me chamar de tia mais uma vez, é melhor dar meia-volta e cair fora.

Assenti, aterrorizada. Olhei por poucos segundos seu rosto sem maquiagem, depois para o chão. Vittoria me pareceu de uma beleza tão insuportável que considerá-la feia se tornava uma necessidade.

PARTE DOIS

PARTE DOIS

UM

Aprendi a mentir cada vez mais para os meus pais. No início, eu não dizia de fato mentiras, mas, como não tinha força para me opor ao mundo sempre bem conectado deles, fingia acolhê-lo e, enquanto isso, recortava para mim uma estradinha que devia ser abandonada às pressas ao primeiro sinal de cara fechada. Eu me comportava assim, sobretudo, com meu pai, embora todas as suas palavras tivessem aos meus olhos uma credibilidade que me ofuscava e fosse enervante e doloroso tentar enganá-lo.

Foi ele, mais ainda do que minha mãe, que martelou na minha cabeça a ideia de que nunca devemos mentir. Mas, depois daquela visita a Vittoria, pareceu-me inevitável. No momento em que saí pelo portão, decidi fingir alívio e corri até o carro como se tivesse escapado de um perigo. Meu pai, assim que fechei a porta, girou a chave lançando olhares sombrios ao edifício da sua infância e partiu com um tranco para a frente que o induziu a instintivamente esticar um braço para evitar que eu batesse a testa no para-brisa. Esperou um pouco que eu dissesse alguma coisa tranquilizadora, e parte de mim não desejava nada diferente, eu sofria ao vê-lo agitado; todavia, forcei-me a ficar calada, temia que uma palavra errada desencadeasse sua raiva. Depois de alguns minutos, dividido entre manter os olhos na estrada e olhar para mim, foi ele que me perguntou como havia sido. Eu disse que a tia havia me perguntado da escola, me oferecido um copo d'água, quisera saber se eu tinha amigas, me pedira para falar de Angela e Ida.

— Só isso?
— Só.
— Ela perguntou de mim?
— Não.
— Nem uma vez?
— Nem uma vez.
— E da sua mãe?
— Também não.
— Por uma hora, vocês só falaram das suas amigas?
— Da escola também.
— Que música era aquela?
— Qual música?
— Uma música a todo o volume.
— Não ouvi música nenhuma.
— Ela foi gentil?
— Um pouquinho grosseira.
— Falou coisas feias?
— Não, mas ela tem um jeito antipático.
— Eu avisei.
— Sim.

— Agora a curiosidade passou? Percebeu que ela não se parece em nada com você?
— Sim.
— Vem cá, me dá um beijo, você é linda. Você me perdoa pela bobagem que eu disse?

Falei que nunca sentira raiva dele e deixei que ele me desse um beijo no rosto embora estivesse dirigindo. Mas logo depois o afastei, rindo, e reclamei: você me arranhou com a barba. Embora não tivesse nenhuma vontade de fazer nossas brincadeiras, eu esperava que começássemos a rir e que ele se esquecesse de Vittoria. Mas ele replicou: imagine como arranha o bigode da sua tia, e logo pensei não na leve penugem escura sobre o lábio de Vittoria, mas naquela sobre o meu lábio. Murmurei baixinho:
— Ela não tem bigode.
— Tem sim.
— Não tem.
— Tudo bem, não tem. Agora só o que faltava era você querer voltar para conferir se ela tem bigode.

Eu disse séria:
— Não quero mais vê-la.

DOIS

Aquela também não foi exatamente uma mentira, assustava-me encontrar Vittoria outra vez. Mas, enquanto pronunciava aquela frase, eu já sabia o dia, a hora e o lugar em que voltaria a vê-la. Aliás, não me separei dela de forma alguma, mantinha na cabeça todas as suas palavras, cada um dos seus gestos, expressões do rosto, e não me pareciam fatos que haviam acabado de acontecer, era como se tudo ainda estivesse acontecendo. Meu pai não parava de falar para que eu entendesse quanto ele me amava e eu, enquanto isso, via e ouvia sua irmã; agora também a vejo e a ouço. Vejo quando ela apareceu na minha frente vestida de azul-celeste, vejo quando ela me disse naquele seu dialeto estridente: feche a porta, já me dando as costas como se eu não pudesse fazer outra coisa além de segui-la. Na voz de Vittoria, mas talvez em todo o seu corpo, havia uma intolerância sem filtros que me atingiu como uma centelha, igual a quando eu acendia o gás com os fósforos e sentia na mão a chama que esguichava dos furos do fogão. Fechei a porta atrás de mim, fui atrás dela como se me puxasse por uma coleira.

Demos poucos passos em um ambiente que fedia a cigarro, sem janelas, a única luz vinha de uma porta escancarada. Sua figura se perdeu além da porta, eu a segui, entrei em uma pequena cozinha na qual me chamou imediatamente a atenção a extrema organização e o cheiro de guimbas apagadas e sujeira.

— Quer um suco de laranja?
— Não quero incomodar.
— Quer ou não?
— Quero, obrigada.

Impôs-me uma cadeira, mudou de ideia, disse que estava quebrada, impôs-me outra. Depois, para a minha surpresa, não tirou da geladeira — uma geladeira branca-amarelada — um suco de laranja de latinha ou engarrafado, mas pegou de uma cesta duas laranjas, cortou-as e começou a espremê-las dentro de um copo, sem um espremedor, com a mão, usando um garfo para ajudar. Enquanto isso, disse sem me olhar:

— Você não pôs a pulseira.

Fiquei agitada.

— Que pulseira?
— A que eu dei de presente quando você nasceu.

Pelo que me lembrava, eu jamais tivera pulseiras. Mas senti que, para ela, era um objeto importante e não o ter colocado podia ser uma afronta. Então eu disse:

— Talvez minha mãe a tenha colocado em mim quando eu era pequena, até um ano ou dois, depois cresci e não cabia mais.

Ela se virou para me olhar, mostrei o pulso para demonstrar que era grande demais para uma pulseirinha de recém-nascida e, de repente, ela começou a rir. Tinha uma boca grande, com dentes grandes, ao rir descobria as gengivas.

— Você é inteligente — disse ela.
— Falei a verdade.

— Você tem medo de mim?
— Um pouquinho.
— Você faz bem em ter medo. É preciso sentir medo mesmo quando não é necessário, para nos manter em alerta.

Pôs na minha frente o copo marcado pelas gotas do suco, na superfície cor de laranja boiavam pedaços de polpa e sementes brancas. Olhei para seus cabelos, que estavam arrumados com cuidado, eu só vira penteados daquele tipo nos velhos filmes na televisão e nas fotos de quando minha mãe era jovem, uma amiga dela usava os cabelos daquela maneira. Vittoria tinha sobrancelhas muito espessas, varinhas de alcaçuz, segmentos corvinos sob a testa grande e as cavidades profundas onde escondia os olhos. Beba, disse ela. Peguei imediatamente o copo para não desagradá-la, mas beber aquilo me dava nojo, eu vira o suco escorrer pela palma da sua mão, além disso, teria exigido que minha mãe coasse a polpa e as sementes. Beba, repetiu ela, faz bem. Tomei um gole enquanto ela se sentava na cadeira que poucos minutos antes havia julgado pouco sólida. Elogiou-me, embora mantivesse seu tom carrancudo: sim, você é inteligente, arrumou logo uma desculpa para proteger seus pais, muito bem. Mas me explicou que eu havia tomado o caminho errado, porque ela não me dera uma pulseira para uma menina pequena, mas para uma menina grande, uma da qual ela gostava muito. Porque, destacou, eu não sou como seu pai, que é apegado a dinheiro, a coisas; eu não dou a mínima para objetos, eu amo as pessoas e, quando você nasceu, pensei: vou dar a pulseira para a menina, ela vai usar quando crescer, até escrevi no bilhete para os seus pais — para quando ela for grande —, e deixei tudo na caixa de correio de vocês, imagine se eu ia subir, seu pai e sua mãe são animais, teriam me expulsado.

— Talvez os ladrões tenham roubado, você não devia ter deixado na caixa de correio — falei.

Ela balançou a cabeça, os olhos negríssimos cintilaram.

— Que ladrões? De quem você está falando, se não sabe de nada: beba o suco de laranja. Sua mãe espreme laranjas para você?

Assenti, mas ela não deu atenção. Falou de como era bom o suco de laranja e eu notei a extrema mobilidade do seu rosto. Ela conseguiu desfazer em um instante as rugas entre o nariz e a boca que a tornavam ranzinza (isso mesmo: ranzinza) e as feições que até um segundo antes me pareceram compridas sob as maçãs do rosto altas — uma tela cinza esticada entre as têmporas e o maxilar — ganharam cor, suavizaram-se. Minha finada mãe, disse, quando era o dia da santa padroeira do meu nome, levava para mim, na cama, um chocolate quente que era como um creme, espumoso como se ela tivesse soprado dentro dele. Eles fazem isso para você? Fiquei tentada a dizer que sim, embora nunca tivéssemos celebrado aquela festividade na minha casa, ninguém jamais me levara chocolate quente na cama. Mas temi que ela fosse perceber e por isso fiz um sinal negativo. Ela balançou a cabeça descontente:

— Seu pai e sua mãe não respeitam as tradições, acham que são sei lá o quê, não se rebaixam a fazer chocolate quente.

— Meu pai faz café com leite.

— Seu pai é um babaca, imagina se sabe fazer café com leite. Sua avó sabia fazer café com leite. E punha duas colheres de ovo batido. Ele contou como tomávamos café, leite e *zabaione* quando éramos pequenos?

— Não.

— Está vendo? Seu pai é assim mesmo. Só ele faz coisas boas, não aceita que os outros também façam. E se você diz que não é verdade, é eliminada.

Balançou a cabeça amuada, falou com tom distante, mas sem frieza. Eliminou meu Enzo, disse, a pessoa de quem eu mais gostava. Seu pai elimina tudo o que pode ser melhor do que ele, sempre fez isso, desde pequeno. Ele acha que é inteligente, mas nunca foi inteligente: *eu* sou inteligente, ele só é esperto. Sabe instintivamente se tornar uma pessoa indispensável. Quando eu era pequena, o sol desaparecia se ele não estivesse. Eu achava que, se não me comportasse como ele queria, ele me deixaria sozinha e eu morreria. Assim ele me forçava a fazer tudo o que queria, decidia o que era bom e o que era ruim para mim. Só para dar um exemplo, eu nasci com a música no corpo, queria ser bailarina. Eu sabia que meu destino era aquele e só ele seria capaz de convencer nossos pais a me dar permissão. Mas, para o seu pai, ser bailarina era algo ruim, e ele não me deixou seguir minha vocação. Na opinião dele, só quem está sempre com um livro na mão merece habitar a Terra, para ele, se você não estudou, não é ninguém. Ele me dizia: que bailarina que nada, Vittoria, você nem sabe o que é uma bailarina, volte a estudar e cale a boca. Naquela época, ele já ganhava um dinheirinho dando aulas particulares e poderia pagar uma escola de dança para mim em vez de só ficar comprando livros para si mesmo. Mas não pagou, ele gostava de tirar o significado de tudo e de todos, menos de si mesmo e das suas coisas. Com o meu Enzo — minha tia concluiu de repente —, primeiro se fez de amigo, depois tirou, arrancou sua alma e a rasgou em mil pedacinhos.

Disse palavras desse tipo, porém mais vulgares, com uma intimidade que me desnorteou. Seu rosto, em pouquíssimo tempo, se desemaranhou e se emaranhou, agitado por vários sentimentos: arrependimento, aversão, raiva, melancolia. Cobriu meu pai de obscenidades que eu nunca ouvira. Mas, quando mencionou o tal Enzo, parou por causa da emoção e, cabisbaixa, escondendo claramente os olhos de mim com uma das mãos, saiu às pressas da cozinha.

Eu não me mexi, estava muito agitada. Aproveitei sua ausência para cuspir no copo os caroços de laranja que havia segurado na boca. Passou um minuto, passaram dois, eu sentia vergonha por não ter reagido quando ela insultou meu pai. Preciso dizer que não está certo falar daquela maneira de uma pessoa que todos estimam, pensei. Enquanto isso, começou uma música incidental que em poucos segundos explodiu em altíssimo volume. Ela gritou para mim: venha, Giannì, o que você está fazendo, dormindo? Levantei-me com um salto, saí da cozinha e entrei no corredor escuro.

Em poucos passos fui dar em um quartinho com uma poltrona velha, um acordeão largado a um canto do chão, uma mesa sobre a qual estava o televisor e um banco com o toca-discos. Vittoria estava em pé na frente da janela, olhava para fora. Dali certamente via o carro em que meu pai me aguardava. De fato, disse em dialeto sem se virar, referindo-se à música: aquele merda precisa ouvir, assim vai se lembrar. Percebi que estava mexendo o corpo ritmicamente, pequenos movimentos dos pés, dos quadris, dos ombros. Perplexa, observei suas costas.

— A primeira vez que vi Enzo foi em uma festa, e dançamos esta música aqui — ouvi-a dizer.

— Quanto tempo tem isso?

— No próximo 23 de maio vai fazer dezessete anos.
— Passou muito tempo.
— Não passou um minuto sequer.
— Você gostava dele?
Ela se virou.
— Seu pai não contou nada?

Hesitei, ela parecia ter se enrijecido, pela primeira vez me pareceu mais velha do que meus pais, embora eu soubesse que tinha alguns anos a menos.

— Só sei que ele era casado e tinha três filhos — respondi.
— Nada mais? Seu pai não disse que ele era má pessoa?

Hesitei.
— Um pouco malvado.
— E o que mais?
— Marginal.
— Má pessoa é seu pai, ele é o marginal — explodiu ela. — Enzo era sargento da segurança pública e até com os marginais era bom, domingo sempre ia à missa. Imagine que eu não acreditava em Deus, seu pai tinha me convencido que Deus não existe. Mas assim que vi Enzo mudei de ideia. Nunca houve um homem melhor, mais justo e mais sensível na face da Terra. Que linda voz ele tinha, como cantava bem, me ensinou a tocar acordeão. Antes dele, os homens me davam ânsia de vômito, depois dele, afastei com asco qualquer um que se aproximou. Seus pais só disseram falsidades.

Olhei incomodada para o chão, não respondi.
— Você não acredita, não é? — insistiu ela.
— Não sei.
— Não sabe porque acredita mais em mentiras do que na verdade. Giannì, você não está crescendo bem. Olha só

como está ridícula, toda de rosa, sapatinhos rosa, casaco rosa, prendedor de cabelos rosa. Aposto que você nem sabe dançar.

— Eu e minhas amigas treinamos sempre que nos encontramos.

— Como se chamam suas amigas?

— Angela e Ida.

— E são como você?

— São.

Fez uma careta de desaprovação, inclinou-se para reposicionar o disco no início mais uma vez.

— Você sabe esta dança?

— É uma dança antiga.

Ela deu um salto, agarrou minha cintura, apertou-me contra seu corpo. Seus grandes seios emanavam um cheiro de agulhas de pinheiro ao sol.

— Suba nos meus pés.

— Vou machucar você.

— Suba.

Subi nos pés da minha tia e ela me fez rodopiar pelo cômodo com grande precisão e elegância até a música acabar. Àquela altura, parou, mas não me soltou, continuou a me apertar, disse:

— Diga ao seu pai que nós dançamos a mesma dança da primeira vez que dancei com Enzo. Diga exatamente assim, palavra por palavra.

— Está bem.

— E agora chega.

Afastou-me dela com força e eu, privada do seu calor por um instante, sufoquei um grito, como se tivesse sentido uma pontada de dor em algum lugar, mas sentisse vergonha de me mostrar fraca. Achei tão bonito que, depois daquela dança com Enzo, nenhum homem a agradasse. E pensei que ela devia ter guardado cada detalhe daquele seu amor irrepetível, tanto que, ao dançar comigo, talvez tivesse relembrado cada momento em sequência. Aquilo me pareceu emocionante, desejei amar também, logo, daquela maneira absoluta. Ela por certo tinha uma lembrança tão intensa de Enzo que seu organismo ossudo, seu peito, seu hálito me transmitiram um pouco de amor.

— Como era Enzo? Você tem uma foto dele? — murmurei atordoada.

Seus olhos se alegraram.

— Muito bem, fico contente que você o queira ver. Vamos marcar um encontro no dia 23 de maio para ir visitá-lo: ele está no cemitério.

TRÊS

Nos dias seguintes, minha mãe tentou com afinco levar a cabo a missão que meu pai lhe confiara: entender se o encontro com Vittoria fora bem-sucedido em curar a ferida involuntária que eles mesmos me causaram. Aquilo me manteve alarmada o tempo todo. Eu não queria que nenhum dos dois percebessem que Vittoria não me desagradara. Portanto, esforcei-me para esconder que, embora continuasse a acreditar na versão deles dos fatos, eu também acreditava um pouco na versão da minha tia. Evitei com cuidado dizer que o rosto de Vittoria me parecera, para minha grande surpresa, um rosto tão marcadamente atrevido a ponto de ser feiíssimo e lindíssimo ao mesmo tempo, deixando-me suspensa entre os dois superlativos, perplexa. Minha esperança, sobretudo, era que nenhum sinal incontrolável, um brilho nos olhos, um rubor, revelasse o encontro de maio. Mas eu não tinha experiência como mentirosa, era uma menina bem-educada, e segui em frente tateando, ora respondendo as perguntas da minha mãe com prudência excessiva, ora mostrando-me desenvolta demais e no fim dizendo coisas impulsivas.

Já naquele domingo à noite, errei quando ela me perguntou:
— O que você achou da sua tia?
— Velha.
— Ela é cinco anos mais jovem do que eu.

— Você parece ser filha dela.

— Não tente me enrolar.

— É verdade, mamãe. Vocês são pessoas muito distantes uma da outra.

— Sem dúvida. Eu e Vittoria nunca fomos amigas, apesar de eu ter feito tudo para gostar dela. É difícil ter boas relações com ela.

— Eu percebi.

— Ela disse coisas desagradáveis?

— Foi seca.

— O que mais?

— Ficou um pouco irritada porque eu não estava usando a pulseira que ela me deu quando nasci.

Assim que disse aquilo, me arrependi. Mas aconteceu, senti o calor subir pelo rosto, logo tentei entender se a menção daquela joia havia causado algum constrangimento. Minha mãe reagiu de maneira totalmente natural.

— Uma pulseira de recém-nascida?

— Uma pulseira de menina.

— Presente dela?

— Sim.

— Não me recordo. Tia Vittoria nunca nos deu nada de presente, nem sequer uma flor. Mas, se você tem algum interesse nisso, vou perguntar ao seu pai.

Isso me inquietou. Agora minha mãe contaria aquela história e ele diria: então não é verdade que falaram só da escola, de Ida e de Angela, falaram de outras coisas também, de muitas outras coisas que Giovanna quer esconder de nós. Como eu havia sido tola. Disse que não me importava a pulseira e acrescentei com tom de repulsa: tia Vittoria não se maquia, não se depila, tem sobrancelhas grossas assim e, quando eu a vi, não estava usando brincos nem colar; portanto, se é que me deu mesmo uma pulseira, certamente deve ser horrenda. Mas eu sabia que qualquer frase para minimizar a questão era inútil: a partir daquele momento, não importava o que eu dissesse, minha mãe falaria com meu pai e não me diria sua resposta verdadeira, e sim a que eles haviam combinado.

Dormi pouco e mal, na escola, chamaram várias vezes minha atenção porque eu estava distraída. Voltamos a falar da pulseira quando eu já tinha certeza de que meus pais haviam esquecido o assunto.

— Seu pai também não sabe de nada.
— Do quê?
— Da pulseira que tia Vittoria disse ter dado de presente.
— Acho que foi uma mentira.
— Certamente. De qualquer maneira, se você quiser usar uma pulseira, dê uma olhada nas minhas coisas.

Fui remexer nas suas joias apesar de eu as conhecer de cor e salteado, eu brincava com elas desde os três ou quatro anos. Eram objetos sem grande valor, especialmente as duas únicas pulseiras que ela possuía: uma folheada a ouro com berloques que representavam anjinhos, a outra de prata com folhas azuis e pérolas. Quando pequena, eu adorava a das folhas azuis, uma vez até Costanza elogiou o trabalho esmerado. Então, para mostrar que não estava interessada no presente de Vittoria, comecei a usar a pulseira de prata em casa, na escola ou quando me encontrava com Angela e Ida.

— Que linda — exclamou Ida uma vez.
— É da minha mãe. Mas ela disse que posso usar quando quiser.
— Minha mãe não nos deixa usar as joias dela — disse Angela.

— E isso? — perguntei, referindo-me a uma correntinha de ouro que ela estava usando.
— Foi um presente da minha avó.
— A minha — disse Ida — foi um presente de uma prima do meu pai.
Elas costumavam falar de parentes generosos e, em relação a alguns, demonstravam muito afeto. Eu só tivera os avós gentis do Museo, mas já haviam morrido e mal me lembrava deles, portanto, costumava sentir inveja daquelas relações familiares. Mas agora que havia estabelecido uma relação com tia Vittoria, acabei dizendo:
— Uma tia me deu de presente uma pulseira muito mais bonita do que esta.
— E por que você nunca a usa?
— É preciosa demais, minha mãe não deixa.
— Mostre para nós.
— Sim, quando minha mãe não estiver em casa. Alguém faz chocolate quente para vocês?
— Meu pai me deixou experimentar vinho — disse Angela.
— A mim, também — disse Ida.
Expliquei com orgulho:
— Minha avó fazia chocolate quente para mim quando eu era pequena, fez até pouco antes de morrer: não era um chocolate normal, o da minha avó era um creme todo espumoso, uma delícia.
Eu nunca havia mentido para Angela e Ida, aquela foi a primeira vez. Descobri que mentir para os meus pais me deixava ansiosa, mas mentir para elas era legal. Elas sempre tiveram brinquedos mais atraentes do que os meus, roupas mais coloridas, histórias de família mais surpreendentes. A mãe delas, Costanza, descendente de uma família de ourives de Toledo,

tinha estojos cheios de joias de grande valor, numerosíssimos colares de ouro e de pérolas, muitíssimos brincos e vários braceletes e pulseiras, em uns dois as filhas não podiam tocar, um deles era seu xodó, usava-o com muita frequência, mas sempre permitiu às filhas, e até a mim, brincar com o restante das joias. Por isso, assim que Angela parou de se interessar por chocolate quente — ou seja, quase imediatamente — e quis saber mais detalhes da joia preciosíssima de tia Vittoria, eu a descrevi em detalhes. É de ouro puríssimo com rubis e esmeraldas, brilha — eu disse — como as joias que vemos no cinema ou na televisão. E ainda enquanto eu falava da verdade daquela pulseira, não resisti e também inventei que uma vez me olhei no espelho sem nenhuma roupa, só com os brincos da minha mãe, o colar e a pulseira maravilhosa. Angela me olhou encantada, Ida perguntou se eu fiquei pelo menos de calcinha. Respondi que não, e a mentira me causou tal alívio que, imaginei, se eu de fato tivesse feito aquilo, teria saboreado um momento de felicidade absoluta.

Então, para testar, em uma tarde transformei a mentira em realidade. Despi-me, coloquei algumas joias da minha mãe, olhei-me no espelho. Mas foi um espetáculo doloroso, eu me vi como uma plantinha de um tom verde sem graça, estragada por sol em excesso, triste. Embora tivesse me maquiado com cuidado, que rosto insignificante eu tinha, o batom era uma mancha vermelha e feia em um rosto semelhante ao fundo cinza de uma frigideira. Tentei entender, agora que conhecia Vittoria, se havia realmente pontos de contato entre nós duas, mas foi um empenho tão forçado quanto inútil. Ela era uma mulher velha — pelo menos para mim aos treze anos —, eu era uma menina: desproporção demais entre os corpos, intervalo de tempo excessivo entre meu rosto e o seu.

E onde estava em mim aquela sua energia, aquele calor que acendia seus olhos? Se eu estava mesmo ficando parecida com Vittoria, ao meu rosto faltava o essencial: sua força. Foi então que, na onda daquele pensamento, enquanto eu comparava suas sobrancelhas e as minhas, sua testa e a minha, percebi que desejava que ela realmente tivesse me dado de presente uma pulseira e senti que, se eu a tivesse naquele momento, teria me sentido mais poderosa.

Aquela ideia me causou de imediato uma tepidez que me reanimou, como se meu corpo abatido tivesse encontrado de repente o remédio certo. Voltaram-me à mente algumas palavras que Vittoria dissera antes de nos separarmos, ao me acompanhar até a porta. Seu pai — disse com raiva — privou você de uma família grande, de todos nós, avós, tios, primos, que não somos inteligentes e educados como ele; nos eliminou com um corte seco, fez você crescer isolada, com medo que nós a estragássemos. Ela emanava rancor; todavia, naquele momento, essas palavras me causavam alívio, eu as repeti na minha cabeça. Afirmavam a existência de um laço forte e positivo, exigiam-no. Minha tia não dissera: você tem meu rosto ou pelo menos se parece um pouco comigo; minha tia dissera: você não é apenas do seu pai e da sua mãe, você também é minha, você é de toda a família da qual ele veio, e quem fica do nosso lado nunca fica sozinho, se recarrega de força. Não foi por causa daquelas palavras que, após um pouco de hesitação, prometi que, em 23 de maio, eu faltaria à escola e a acompanharia ao cemitério? Então, ao imaginar que ela, às nove da manhã daquele dia, me esperaria na Piazza Medaglie d'Oro ao lado do seu velho Fiat Cinquecento verde-escuro — foi o que ela me disse imperativamente ao se despedir — comecei a chorar, a rir, a fazer caretas horríveis para o espelho.

QUATRO

Toda manhã, nós três íamos para a escola, os meus pais para lecionar, eu para aprender. Minha mãe em geral era a primeira a se levantar, precisava de tempo para preparar o café da manhã, para se arrumar. Meu pai, por sua vez, só se levantava quando o café da manhã estava pronto porque, assim que acordava, começava a ler, anotava coisas nos seus cadernos, continuava assim até no banheiro. Eu era a última a sair da cama, embora — desde o início daquela história — quisesse fazer como minha mãe: lavar com muita frequência a cabeça, maquiar-me, escolher com cuidado tudo o que vestia. O resultado é que os dois ficavam me apressando o tempo todo: Giovanna, já se aprontou? Giovanna, você vai se atrasar e nós também. Enquanto isso, também se apressavam entre si. Meu pai pressionava: Nella, vamos logo, preciso usar o banheiro, minha mãe respondia tranquila: está livre há meia hora, você ainda não foi? De qualquer maneira, aquelas não eram as manhãs que eu preferia. Eu adorava os dias em que meu pai entrava na escola para a primeira aula e minha mãe para a segunda ou terceira, ou, no caso dela, melhor ainda, quando tinha o dia livre. Então ela se limitava a preparar o café da manhã e de vez em quando gritava: Giovanna, ande logo, e se dedicava com calma aos seus vários afazeres domésticos e às histórias que corrigia e muitas vezes reescrevia. Naquelas ocasiões, tudo para mim era mais fácil: minha mãe era a última a tomar banho e eu tinha mais tempo à disposição no banheiro; meu pai estava sempre atrasado e, fora as brincadeiras de sempre para me alegrar, vivia afobado, me deixava na frente da escola e ia embora sem a mesma vigilância demorada da minha mãe, como se eu já fosse grande e pudesse enfrentar a cidade sozinha.

Fiz alguns cálculos e descobri com alívio que a manhã do dia 23 seria daquele segundo tipo: era a vez do meu pai me levar à escola. Na noite anterior, arrumei as roupas para o dia seguinte (eliminei o cor-de-rosa), algo que minha mãe sempre me recomendava, mas que eu nunca fazia. E, de manhã, acordei bem cedo, tomada por grande agitação. Corri para o banheiro, me maquiei com extrema atenção, coloquei depois de um pouco de hesitação a pulseira com as folhas azuis e pérolas, entrei na cozinha quando minha mãe acabara de se levantar. Por que você já está de pé, perguntou ela. Não quero me atrasar, eu disse, tenho prova de italiano, e ela, ao me ver inquieta, foi apressar meu pai.

O café da manhã transcorreu sem problemas, brincaram entre si como se eu não estivesse ali e pudessem falar mal de mim livremente. Disseram que, se eu não estava dormindo e não via a hora de correr para a escola, certamente estava apaixonada, eu abri uns sorrisinhos que não diziam nem sim nem não. Depois meu pai desapareceu no banheiro e daquela vez fui eu que gritei vamos logo. Ele — devo dizer — não perdeu tempo, exceto pelo fato de não encontrar meias limpas ou ter esquecido livros de que precisaria e voltar correndo até o escritório. Enfim, lembro que eram exatamente sete e vinte, meu pai estava no fim do corredor com a bolsa cheia, eu acabara de dar o beijo obrigatório em minha mãe, quando a campainha tocou com violência.

Era surpreendente que alguém aparecesse àquela hora. Minha mãe estava com pressa para se fechar no banheiro, fez uma careta contrariada, disse: atenda, veja quem é. Abri, e diante de mim estava Vittoria.

— Oi — disse ela. — Ainda bem que você já está pronta, vamos logo, ou vamos nos atrasar.

Meu coração afundou no peito. Minha mãe viu a cunhada no vão da porta e gritou — sim, foi de fato um grito: André, venha, sua irmã está aqui. Ele, ao ver Vittoria, arregalou os olhos de surpresa, a boca incrédula exclamou: o que você está fazendo aqui? Eu, com medo do que aconteceria dali a um instante, dali a um minuto, me senti fraca, fiquei banhada de suor, não sabia o que responder a minha tia, não sabia como me justificar com meus pais, achei que fosse morrer. Mas tudo se esgotou em pouco tempo e de uma maneira tão surpreendente quanto esclarecedora.

Vittoria disse em dialeto:

— Vim pegar Giannina, hoje faz dezessete anos que conheci Enzo.

Não disse mais nada, como se meus pais devessem entender imediatamente os bons motivos daquela sua aparição e fossem obrigados a me deixar ir sem reclamar. Minha mãe, no entanto, objetou, em italiano:

— Giovanna tem que ir para a escola.

Meu pai, por sua vez, sem se dirigir nem à mulher nem à irmã, me perguntou com seu tom gélido:

— Você sabia disso?

Fiquei cabisbaixa olhando para o chão e ele insistiu, sem mudar de tom:

— Vocês tinham um encontro marcado, quer ir com a sua tia?

Minha mãe disse devagar:

— Que perguntas, André, claro que ela quer ir, claro que elas tinham um encontro marcado ou sua irmã não estaria aqui.

Àquela altura, ele me disse: se é assim, vá, e com a ponta dos dedos fez sinal para a irmã sair da frente. Vittoria se afastou — era uma máscara de impassibilidade sobre a mancha amarela de uma roupa leve — e meu pai, olhando ostensivamente para o relógio, evitou o elevador, enveredou pela escada sem cumprimentar ninguém, nem mesmo a mim.

— Quando você a traz de volta? — perguntou minha mãe à cunhada.

— Quando ela tiver se cansado.

Negociaram friamente o horário e combinaram às 13h30. Vittoria esticou a mão para mim, eu a segurei como se fosse uma menininha, estava fria. Apertou minha mão com força, como se tivesse medo que eu escapasse e voltasse correndo para casa. Enquanto isso, com a mão livre, chamou o elevador sob o olhar da minha mãe que, parada na soleira, não se decidia a fechar a porta.

Foi mais ou menos assim que aconteceu.

CINCO

Aquele segundo encontro me marcou ainda mais do que o primeiro. Descobri, para começo de conversa, que eu tinha um vazio dentro de mim capaz de engolir qualquer sentimento em pouquíssimo tempo. O peso da mentira revelada, a infâmia da traição, toda a aflição por causa da dor que eu certamente causara aos meus pais duraram até o momento em que, da grade de ferro do elevador, das portas envidraçadas, vi minha mãe fechar a porta de casa. Mas, assim que me vi no átrio e depois no automóvel de Vittoria, sentada ao lado dela, que logo acendeu um cigarro com as mãos visivelmente trêmulas, ocorreu o que depois me sucedeu frequentemente na vida, ora me causando alívio, ora me abatendo. A conexão com os espaços conhecidos, com os afetos certeiros, cedeu à curiosidade por aquilo que aconteceria comigo. A proximidade daquela mulher ameaçadora e envolvente me capturou e lá estava eu, já vigiando cada um de seus gestos. Ela dirigia um veículo imundo, que fedia a cigarro, não da maneira firme e decidida do meu pai, nem com a serenidade da minha mãe, mas de modo ou distraído ou ansioso demais, feito de arranques, ruídos alarmantes, freadas bruscas, partidas erradas, fazendo com que o motor quase sempre morresse e chovessem insultos dos motoristas impacientes aos quais ela, com o cigarro entre os dedos ou entre os lábios, respondia recorrendo a obscenidades que eu jamais ouvira da boca de uma mulher. Enfim, meus pais foram parar sem esforço em um canto da minha mente e logo afastei do pensamento a afronta que lhes fizera ao me mancomunar com sua inimiga. Em poucos minutos, não me considerei mais culpada, nem mesmo me preocupei por como os enfrentaria à tarde, quando nós três estaríamos de volta na casa de Via San Giacomo dei Capri. Claro, a ansiedade continuou a escavar minha mente. Mas a certeza de que me amariam sempre, de qualquer maneira, a corrida perigosa do carro verde, a cidade cada vez menos conhecida que atravessávamos e as palavras desordenadas de Vittoria me obrigaram a uma atenção, a uma tensão, que funcionaram como um anestésico.

Continuamos por Doganella, estacionamos após uma briga violenta com um flanelinha que queria dinheiro. Minha tia comprou rosas vermelhas e margaridas brancas, reclamou do preço, depois de embrulhadas em um maço, mudou de ideia e obrigou a vendedora a desmanchá-lo para fazer dois. Disse-me: eu levo este e você o outro, ele vai ficar contente. Estava obviamente falando do seu Enzo, de quem, desde que entramos no carro, durante mil interrupções, continuava a falar com uma doçura que contrastava com o modo feroz com que enfrentava a cidade. Continuou a me falar dele até quando nos embrenhávamos por nichos e tumbas monumentais, velhas e novas, por aleias e escadas sempre em descida, como se estivéssemos no bairro alto dos mortos e, para encontrar a tumba de Enzo, tivéssemos de descer cada vez mais. Fiquei impressionada com o silêncio, o tom cinzento dos nichos estriados de ferrugem, o cheiro de terra podre, algumas fissuras escuras em forma de cruz que pareciam ter sido abertas nos mármores para deixar respirar quem não respirava mais.

Até então, eu nunca estivera em um cemitério. Meu pai e minha mãe nunca tinham me levado, e eu também não sabia se eles já haviam estado em um, certamente não o frequentavam no Dia de Finados. Vittoria logo percebeu e aproveitou para culpar meu pai também por aquilo. Tem medo, ela disse, sempre foi assim, tem medo de doenças e da morte: todas as pessoas arrogantes, Giannì, todas as pessoas que acham que são sabe-se lá quem fazem de conta que a morte não existe. Seu pai — quando sua avó, que sua alma descanse em paz, morreu — sequer apareceu no funeral. E fez a mesma coisa com o seu avô, ficou por dois minutos e fugiu, porque é covarde, não quis vê-los mortos para não sentir que ele também morreria.

Tentei retrucar, mas com prudência, que meu pai era muito corajoso e, para defendê-lo, recorri ao que ele me dissera uma vez, ou seja, que os mortos são objetos que se quebraram, como um televisor, um rádio, um liquidificador, e a melhor coisa é lembrar deles como eram quando funcionavam, pois a única tumba aceitável é a lembrança. Mas ela não gostou da resposta e, como não me tratava como uma menina com quem é preciso medir palavras, me deu uma bronca, disse que eu repetia como um papagaio as merdas que meu pai falava, que minha mãe também fazia isso, e ela também quando garota. Mas, desde que conhecera Enzo, ela havia apagado meu pai da mente. A-pa-ga-do, articulou, e finalmente parou diante de um muro de nichos, apontou um na parte de baixo que tinha um canteirinho cercado, uma luz acesa em forma de chama e dois retratos fechados em molduras ovais. Aqui está, disse, chegamos, Enzo é o da esquerda, a outra é a mãe dele. Porém, em vez de assumir um comportamento solene ou contrito como eu esperava, ficou com raiva porque havia alguns papéis e flores secas abandonados a poucos passos. Deu um longo suspiro descontente, me entregou suas flores e disse: espere aqui, não se mexa, neste lugar de merda, se você não dá um esporro nada funciona, e me deixou.

Fiquei com dois maços de flores na mão, olhando para a foto em preto e branco de Enzo. Não me pareceu bonito, o que me decepcionou. Tinha um rosto redondo, ria com dentes brancos de lobo. O nariz era grande, os olhos muito vivos, a testa bastante baixa e delimitada por cabelos negros ondulados. Deve ter sido um idiota, pensei. Na minha casa, a testa alta — a da minha mãe, a do meu pai e a minha eram assim — era considerada um sinal certeiro de inteligência e de sentimentos nobres, já a testa baixa — meu pai dizia — era uma prerrogativa dos imbecis. No entanto — disse a mim mesma —, os olhos também são significativos (isso era o que minha mãe dizia): quanto mais brilhantes, mais a pessoa é esperta, e os olhos de Enzo lançavam centelhas alegres, motivo pelo qual fiquei confusa, já que o olhar estava claramente em contradição com a testa.

Enquanto isso, no silêncio do cemitério, ouvia-se a voz alta de Vittoria em uma briga com alguém, o que me preocupou, pois eu tinha medo que batessem nela ou mandassem prendê-la, e eu, sozinha, não saberia sair daquele lugar todo igual, zumbidos, passarinhos, flores podres. Mas ela logo retornou com um senhor idoso que, abatido, abriu para ela uma cadeira de ferro e tecido listrado e começou a varrer a aleia. Ela o fiscalizou com hostilidade e, enquanto isso, me perguntou:

— O que você acha de Enzo? É bonito, não?
— É bonito — menti.
— É lindo — me corrigiu.

Assim que o senhor idoso se afastou, ela tirou as flores velhas dos vasos, jogou-as para um lado junto com a água podre, me mandou ir pegar água fresca em uma fonte que eu acharia assim que dobrasse a esquina. Como eu estava com medo de me perder, desconversei e ela me mandou seguir em frente agitando a mão: vai logo.

Fui, encontrei a fonte que escorria fraca. Imaginei com um calafrio que o fantasma de Enzo estivesse sussurrando palavras afetuosas para Vittoria das fissuras em forma de cruz. Como eu gostava daquele laço que nunca se rompera. A água sibilava, alongava lentamente seu fio nos vasos de metal. Se Enzo havia sido um homem feio, azar, sua feiura de repente me comoveu, ou melhor, a palavra perdeu sentido, se dissolveu no gorgolejo da água. O que importava mesmo era a capacidade de suscitar amor, ainda que você fosse feio, malvado, idiota. Senti ali uma grandeza e esperei que, a despeito da forma que meu rosto estivesse assumindo, eu fosse dotada daquela capacidade, como decerto foram dotados Enzo e Vittoria. Voltei à tumba com os dois vasos repletos de água e o desejo de que minha tia continuasse a falar comigo como se eu fosse grande e me contasse tintim por tintim, em sua despudorada língua semidialetal, sobre aquele amor absoluto.

Mas assim que dobrei na aleia levei um susto. Vittoria estava sentada com as pernas abertas na cadeirinha dobrável que o homem idoso trouxera e se curvara, o rosto entre as mãos, os cotovelos sobre as coxas. Falava — falava com Enzo, não era uma fantasia, ouvi sua voz, mas não o que ela dizia. Mantinha realmente uma relação com ele mesmo após a morte, aquele diálogo dos dois me emocionou. Avancei o mais lentamente possível, batendo as solas no chão de terra para fazer barulho. Mas ela pareceu não perceber minha presença até que eu estivesse ao seu lado. Àquela altura, tirou as mãos do rosto passando-as lentamente sobre a pele, o que me pareceu um movimento sofrido que buscava apagar as lágrimas e, ao mesmo tempo, mostrar de propósito sua dor para mim, sem constrangimento, aliás, como um atributo moral. Olhos vermelhos e brilhantes, úmidos nos cantos. Na minha casa, era uma obrigação esconder os sentimentos, mostrá-los parecia falta de educação. Ela, no entanto, depois de todos aqueles dezessete anos — pareceu-me uma eternidade — ainda se desesperava, chorava diante do nicho, falava com o mármore, dirigia-se a ossos que nem sequer via, a um homem que não existia mais. Pegou apenas um dos vasos, disse com voz fraca: você ajeita as suas flores e eu, as minhas. Obedeci, apoiei meu vaso no chão, desembrulhei as flores, enquanto ela, fungando, abrindo suas flores, resmungava:

— Você disse ao seu pai que eu te contei sobre Enzo? E ele falou com você a respeito? Disse a verdade? Disse que, primeiro, bancou o amigo, queria saber tudo de Enzo, conte, dizia a ele, e que depois, o fez sofrer, o arruinou? Contou como brigamos por aquela casa, a que era dos nossos pais, aquela porcaria de casa onde eu moro agora?

Fiz que não, e queria explicar que eu não tinha interesse algum pelas brigas deles, só queria que ela me falasse do amor, porque eu não conhecia ninguém que pudesse falar daquele assunto como Vittoria. Mas ela só queria falar mal do meu pai e exigia que eu ficasse ouvindo, queria que eu entendesse bem por que tinha raiva dele. Então — ela na cadeirinha arrumando as suas flores, eu fazendo a mesma coisa agachada a menos de um metro —, começou a contar a história da briga pela casa, o único bem deixado como herança pelos pais aos cinco filhos.

Foi uma história longa e que me fez mal. Seu pai — disse — não queria ceder. Insistia: esta é a casa de todos nós, irmãos, é a casa de papai e mamãe, eles a pagaram com o próprio dinheiro, e só eu os ajudei, e, para ajudá-los, coloquei dinheiro meu. Eu respondia: é verdade, André, mas todos vocês estão encaminhados, bem ou mal vocês têm um trabalho, eu não tenho nada, e os outros irmãos concordam em deixá-la para mim. Mas ele disse que era preciso vender a casa e dividir o valor entre nós cinco. Se os outros irmãos não queriam a parte deles, ótimo, mas ele queria a dele. A discussão durou meses: seu pai de um lado, eu e os outros irmãos do outro. A certa altura, como não chegávamos a uma solução, Enzo se intrometeu — olhe para ele, com aquele rosto, aqueles olhos, aquele sorriso. Ninguém sabia da nossa grande história de amor até então, só seu pai, que era amigo dele, meu irmão e nosso conselheiro. Enzo me defendeu, disse: André, sua irmã não pode ressarcir você, de onde ela vai tirar o dinheiro? E seu pai respondeu: fique calado, você não é ninguém, não sabe juntar quatro palavras, o que você tem a ver com os meus problemas e os da minha irmã. Enzo ficou muito magoado, disse: tudo bem, vamos mandar avaliar a casa e eu tiro do meu bolso a sua parte. Mas seu pai começou a xingar, gritou: o que você vai me dar, seu babaca, você não passa de um agente da segurança pública, se arrumar o dinheiro é porque é um ladrão, um ladrão de farda. E assim por diante, entendeu? Seu pai chegou a dizer — escute bem, ele parece um homem fino, mas é um grosseirão — que ele, Enzo, além de me comer, queria também comer a casa dos nossos pais. Então Enzo disse que, se ele continuasse a falar daquela maneira, sacaria o revólver e atiraria. Disse *atiro em você* de uma maneira tão resoluta que seu pai ficou branco de medo, calou-se, foi embora. Mas agora, Giannì — aqui minha tia assoou o nariz, enxugou os olhos úmidos, começou a torcer a boca para refrear comoção e fúria —, ouça bem o que seu pai fez: ele foi direto até a mulher de Enzo e, na frente dos três filhos, disse: Margherì, seu marido está trepando com a minha irmã. Foi isso o que ele fez, foi essa responsabilidade que ele assumiu, acabando com a minha vida, a de Enzo, a de Margherita e a daquelas três crianças pequenas.

Àquela altura, o sol estava batendo no canteiro e as flores brilhavam nos vasos muito mais do que a lâmpada em forma de chama: a luz do dia tornava tão vívidas as cores que a luz dos mortos me pareceu inútil, apagada. Fiquei triste, triste por Vittoria, por Enzo, por sua mulher Margherita, pelos três filhos pequenos. Era possível que meu pai tivesse se comportado daquela maneira? Eu não conseguia acreditar, ele sempre me dissera: a pior coisa, Giovanna, é ser dedo-duro. Era isso que ele, por sua vez, segundo Vittoria, havia sido, e, mesmo que tivesse tido bons motivos — eu tinha certeza —, aquilo não era do seu feitio, então não, achei impossível. Mas não ousei dizer a Vittoria porque me pareceu muito ofensivo alegar que, no décimo sétimo aniversário do amor deles, ela estava mentindo diante da tumba de Enzo. Então, fiquei calada, embora infeliz por mais uma vez não defender meu pai, e a olhei com incerteza, enquanto ela, tentando se acalmar, limpava com o lenço úmido de lágrimas os vidros ovais que protegiam as fotos. Naquele momento, o silêncio se tornou um peso para mim e perguntei:

— Do que Enzo morreu?
— De uma doença muito ruim.
— Quando?
— Poucos meses depois que nós terminamos.
— Morreu de desgosto?
— Sim, de desgosto. Adoeceu por causa do seu pai, que foi o motivo da nossa separação. Ele o matou.
— Então, por que você não adoeceu e morreu? Você não sentiu desgosto?

Ela me encarou, de maneira que logo abaixei o olhar.

— Eu, Giannì, sofri, ainda estou sofrendo. Mas o desgosto não me matou, primeiro, para que eu pudesse continuar a sempre pensar em Enzo; segundo, por amor aos filhos dele e também por Margherita, porque sou uma mulher boa e senti o dever de ajudá-la a criar aquelas três crianças, por causa delas, trabalhei e trabalho como empregada nas casas dos patrões de metade de Nápoles, de manhã até a noite; terceiro, por ódio, ódio do seu pai, um ódio que faz com que você viva mesmo quando não quer mais.

Eu a pressionei:

— E como é que Margherita, em vez de ficar com raiva quando você roubou o marido dela, deixou que você a ajudasse?

Ela acendeu um cigarro, aspirou com força. Se meu pai e minha mãe nem piscavam diante das minhas perguntas, mas em seguida desconversavam se ficavam constrangidos e às vezes se consultavam antes de me responder, Vittoria, por sua vez, ficava nervosa, dizia palavrões, manifestava sem problemas sua intolerância, mas respondia, de maneira explícita, como nenhum adulto fizera comigo até então. Está vendo como eu tenho razão, disse, você é inteligente, uma putinha inteligente como eu, mas muito escrota, você banca a santinha, mas gosta de torcer a faca dentro da ferida. Roubar o marido, exato, você tem razão, foi o que eu fiz. Roubei Enzo, tirei-o de Margherita e dos filhos e preferia morrer a devolvê-lo. Essa, exclamou, é uma coisa feia, mas, se o amor é muito forte, às vezes é necessária. Você não escolhe, se dá conta que, sem coisas feias, não existem coisas bonitas e age assim porque não consegue agir de outra maneira. Quanto a Margherita, sim, ela ficou com raiva, recuperou o marido entre gritos e bordoadas, mas, quando percebeu em seguida que Enzo estava sofrendo, sofrendo de uma doença que havia explodido dentro dele em poucas semanas de fúria, ficou deprimida, disse vá, volte para Vittoria, sinto muito, se eu soubesse que você ia adoecer teria mandado você de volta para ela antes. Mas já era tarde e enfrentamos a doença dele juntas, eu e ela, até o último minuto. Que pessoa é Margherita, uma mulher e tanto, sensível, quero que você a conheça. Assim que entendeu o quanto eu amava seu marido, e o quanto eu sofria, disse: tudo bem, amamos o mesmo homem, entendo você, como era possível não gostar de Enzo. Então, chega, tive esses filhos com Enzo, se você quiser gostar deles também, não tenho nada contra. Entendeu? Entendeu a generosidade? Seu pai, sua mãe, os amigos deles, pessoas tão importantes, têm essa grandeza, essa generosidade?

Não soube o que responder, apenas murmurei:

— Estraguei seu aniversário, sinto muito, não devia ter pedido para você contar.

— Você não estragou nada, pelo contrário, me deixou contente. Falei de Enzo e, toda vez que falo dele, não me lembro só da dor, mas também de como fomos felizes.

— Isso é o que eu mais quero saber.

— A felicidade?

— Sim.

— Você diz que sim, mas não sabe de nada. As pessoas trepam. Você conhece essa palavra?

Tive um sobressalto.

— Conheço.

— Eu e Enzo fizemos essa coisa onze vezes no total. Depois ele voltou para a mulher e eu nunca mais fiz com ninguém. Enzo me beijava e me tocava e me lambia por toda parte, e eu também o tocava, beijava até os dedos dos seus pés, o acariciava e lambia e chupava. Então ele enfiava o pau bem lá dentro e segurava minha bunda com as duas mãos, uma de um lado e a outra do outro, e me sacudia com tal força que eu gritava. Se você não fizer essa coisa em toda a sua vida como eu fiz, com a paixão que eu fiz, com o amor que eu fiz, e não digo onze vezes, mas pelo menos uma, é inútil viver. Diga isso ao seu pai: Vittoria me disse que, se eu não trepar como ela trepou com Enzo, é inútil que eu viva. Você deve dizer exatamente assim. Ele acha que me privou de alguma coisa com o que fez. Mas não me privou de nada, eu tive tudo, eu *tenho* tudo. É seu pai que não tem nada.

Não consegui mais apagar essas suas palavras. Foram inesperadas, nunca imaginei que ela as pudesse dizer para mim. Claro, ela me tratava como adulta, e eu ficava contente que desde o primeiro momento tivesse deixado de lado a maneira de falar que se usa com uma garotinha de treze anos. Mas, mesmo assim, as frases foram tão surpreendentes que fiquei tentada a tapar os ouvidos com as mãos. Não tapei, fiquei imóvel e não consegui nem mesmo desviar do seu olhar que procurava no meu rosto o efeito das palavras. Em suma, foi fisicamente — sim, fisicamente — perturbador ela ter me falado daquela maneira, ali, no cemitério, diante do retrato de Enzo, sem se preocupar que alguém pudesse ouvi-la. Ah, que história, ah, aprender a falar daquela maneira, fora de todas as convenções da minha casa. Até aquele momento, ninguém manifestara para mim — logo para mim — uma adesão ao prazer tão desesperadamente carnal, eu estava estarrecida. Senti um calor na barriga muito maior do que o que sentira quando Vittoria me fez dançar. Nem se comparava à tepidez de certas conversas secretas com Angela, com a languidez causada por alguns de nossos abraços recentes, quando nos fechávamos juntas no banheiro da casa dela ou da minha. Eu, ao ouvir Vittoria, desejei não somente o gozo que ela dizia ter vivenciado, mas me pareceu que aquele gozo não teria sido possível se não fosse seguido logo depois pela dor que ela ainda sentia e pela sua infalível fidelidade. Como eu não dizia nada, ela me lançou olhares inquietos e murmurou:

— Vamos, está tarde. Mas lembre-se destas coisas: você gostou?

— Gostei.

— Eu sabia: eu e você somos iguais.

Levantou-se revigorada, dobrou a cadeirinha, depois olhou por um instante a pulseira com as folhas azuis.

— A que eu te dei era muito mais bonita — disse.

SEIS

Ver Vittoria logo se tornou um hábito. Meus pais, surpreendendo-me — mas, talvez, pensando bem, de maneira totalmente coerente com suas escolhas de vida e com a educação que me deram —, não brigaram comigo, nem juntos nem separados. Evitaram me dizer: você devia ter nos avisado que tinha um encontro marcado com tia Vittoria. Evitaram me dizer: você planejou faltar à escola sem nos dizer, é uma coisa péssima, comportou-se de maneira tola. Evitaram me dizer: a cidade é perigosíssima, você não pode circular por aí dessa maneira, na sua idade, tudo pode acontecer. Sobretudo, evitaram me dizer: esqueça aquela mulher, você sabe que ela nos odeia, nunca mais vai vê-la. Fizeram o contrário, especialmente minha mãe. Quiseram saber se a manhã havia sido interessante. Perguntaram-me que impressão eu tivera do cemitério. Sorriram divertidos assim que eu comecei a contar como tia Vittoria dirigia mal. Até quando meu pai me perguntou — mas quase distraidamente — sobre o que havíamos conversado e eu mencionei — mas quase sem intenção — a briga pela herança da casa e Enzo, ele não ficou inquieto, respondeu de maneira sintética: sim, nós brigamos, eu não concordava com as escolhas dela, estava claro que o tal Enzo queria se apoderar do apartamento dos nossos pais, por baixo da farda era um marginal, chegou a me ameaçar com o revólver, então, para tentar impedir a ruína da minha irmã, tive de contar tudo à mulher dele. Já minha mãe só acrescentou que a cunhada, apesar de ter uma personalidade difícil, era uma mulher ingênua e, mais do que ficar com raiva, precisávamos ter pena dela, pois arruinara a própria vida por causa dessa ingenuidade. De qualquer maneira — disse-me em seguida, em particular —, seu pai e eu confiamos em você e no seu bom senso, não nos decepcione. Como eu acabara de dizer que também queria conhecer os outros tios, que Vittoria havia mencionado, e se possível os primos, que deviam ter a minha idade, minha mãe me pôs sobre os joelhos, disse estar contente pela minha curiosidade e concluiu: se você ainda quiser ver Vittoria, tudo bem, o importante é que nos conte tudo.

Àquela altura, enfrentamos a questão de possíveis outros encontros e eu logo assumi um tom ajuizado. Disse que precisava estudar, que faltar à escola havia sido um erro, que, se realmente fosse necessário, eu encontraria minha tia aos domingos. Obviamente nunca toquei no assunto de como Vittoria me falara do seu amor por Enzo. Intuí que, se eu tivesse mencionado alguma daquelas palavras, eles teriam ficado com raiva.

Começou assim um período menos ansioso. Na escola, as coisas, na fase final do ano, melhoraram, fui aprovada com média sete, começaram as férias. Seguindo um velho hábito, passamos quinze dias de julho na praia, na Calábria, com Mariano, Costanza, Angela e Ida. Sempre na companhia deles, passamos também os primeiros dez dias de agosto em Villetta Barrea, nos Abruzos. O tempo voou, o novo ano letivo teve início, entrei no quarto ano do ensino fundamental, não na escola onde meu pai lecionava nem na escola onde minha mãe dava aulas, mas em uma escola no Vomero. Enquanto isso, a relação com Vittoria não esmoreceu, pelo contrário, se consolidou. Já antes das férias de verão, comecei a telefonar para ela, sentia a necessidade daquele seu tom áspero, gostava de ser tratada como se tivesse sua idade. Durante a estadia no mar e na montanha, não fiz outra coisa além de mencioná-la assim que Angela e Ida se vangloriavam de avós ricos e outros parentes abastados. E, em setembro, com a permissão do meu pai e da minha mãe, encontrei-me com ela duas vezes. Por fim, no outono, como não houve tensões especiais na minha casa, nossos encontros se tornaram costumeiros.

Em um primeiro momento, achei que, por mérito meu, aconteceria uma reaproximação entre os dois irmãos, cheguei a me convencer de que meu dever era levá-los a uma reconciliação. Mas não foi o que aconteceu. Surgiu, isso sim, um ritual de máxima frieza. Minha mãe me acompanhava até a casa da cunhada, mas levava consigo algo para ler ou corrigir e esperava no carro; ou então Vittoria ia me pegar em San Giacomo dei Capri, mas não batia à nossa porta de surpresa como fizera da primeira vez, era eu que ia encontrá-la na rua. Minha tia nunca disse: pergunte se sua mãe quer subir, vou fazer um café. Meu pai absteve-se de sugerir: diga para ela subir, sentar-se um pouco, batemos um papo e depois vocês saem. O ódio recíproco deles permaneceu intacto, e eu mesma logo abri mão de qualquer tentativa de mediação. Comecei, então, a dizer explicitamente a mim mesma que aquele sentimento era benéfico para mim: se meu pai e sua irmã fizessem as pazes, meus encontros com Vittoria não seriam mais exclusivos, talvez eu fosse rebaixada à sobrinha, certamente perderia o papel de amiga, confidente, cúmplice. Às vezes, eu sentia que, se eles resolvessem parar de se odiar, eu mesma faria com que recomeçassem.

SETE

Uma vez, sem aviso algum, minha tia me levou para conhecer os outros irmãos dela e do meu pai. Fomos à casa do tio Nicola, que era operário na ferrovia. Vittoria o chamava de irmão mais velho, como se meu pai, que era o primogênito, nunca tivesse nascido. Visitamos tia Anna e tia Rosetta, donas de casa. A primeira era casada com um tipógrafo do *Il Mattino*; a segunda, com um funcionário dos correios. Foi uma espécie de exploração da consanguinidade, como a própria Vittoria, em dialeto, chamara aquela perambulação: vamos conhecer seu sangue. Fomos nos deslocando por Nápoles no Fiat Cinquecento verde, primeiro até Cavone, onde vivia tia Anna, depois a Campi Flegrei, onde morava tio Nicola, e por fim a Pozzuoli, onde residia tia Rosetta.

Percebi que eu mal me lembrava daqueles parentes, talvez nunca nem tivesse ouvido o nome deles. Tentei ocultar esse fato, mas tia Vittoria percebeu e logo começou a falar mal do meu pai, que havia me privado do afeto de pessoas certamente sem estudo, sem papas na língua, mas com grande coração. Quanta importância ela dava ao coração, que em seus gestos coincidia com suas grandes mamas, nas quais ela batia com a mão larga de dedos nodosos. Foi naquelas circunstâncias que ela começou a me sugerir: observe bem como somos nós e como são seu pai e sua mãe, depois me diga. Insistiu muito nessa questão da observação. Dizia que eu tinha antolhos como os cavalos, que eu olhava, mas não via tudo o que podia me perturbar. Veja, veja, veja, martelou.

De fato, não deixei escapar nada. Aquelas pessoas, seus filhos, pouco maiores ou da mesma idade que eu, foram uma novidade agradável. Vittoria me atirou na casa deles sem avisar; no entanto, tios, sobrinhos me acolheram com grande familiaridade, como se me conhecessem bem e não tivessem feito outra coisa ao longo dos anos a não ser esperar por minha visita. Os apartamentos eram pequenos, cinzentos, decorados com objetos que eu havia sido educada para considerar grosseiros ou até mesmo vulgares. Nenhum livro, só na casa da tia Anna vi romances policiais. Todos falaram comigo em um dialeto cordial misturado a italiano e eu me esforcei para fazer o mesmo, ou pelo menos abri espaço no meu italiano hipercorreto para um pouco de cadência napolitana. Ninguém mencionou meu pai, ninguém perguntou como ele estava, ninguém mandou lembranças, sinais evidentes de hostilidade, mas tentaram de todas as maneiras me fazer entender que não tinham raiva de mim. Chamaram-me de Giannina, como me chamava Vittoria e como meus pais jamais me chamaram. Amei todos eles, nunca me sentira tão disposta ao afeto como naquela circunstância. E fui tão desembaraçada e divertida que comecei a achar que aquele nome dado por Vittoria — Giannina — tivesse feito nascer milagrosamente do meu próprio corpo outra pessoa, mais agradável ou, de qualquer maneira, diferente da Giovanna que meus pais, Angela e Ida e meus amigos da escola conheciam. Foram ocasiões felizes para mim e acho que também para Vittoria, que, em vez de ostentar os lados agressivos do seu caráter, comportou-se durante aquelas visitas de maneira benévola. Percebi, sobretudo, que irmãos, irmãs, cunhados, sobrinhos a tratavam com ternura, como fazemos com uma pessoa sem sorte a quem queremos muito bem. Tio Nicola, sobretudo, a encheu de gentilezas, lembrou que ela gostava de sorvete de morango e, assim que descobriu que eu também gostava, mandou um dos filhos ir comprar para todos. Quando fomos embora, ele beijou minha testa e disse:

— Ainda bem que você não puxou em nada seu pai.

Enquanto isso, aprendi a esconder cada vez mais dos meus pais o que estava acontecendo comigo. Ou melhor, aperfeiçoei minha maneira de mentir dizendo a verdade. Naturalmente, eu não fazia aquilo com leviandade, sofria. Quando eu estava em casa e os ouvia ir de um cômodo a outro com o passo de sempre que eu adorava, quando tomávamos café da manhã juntos, almoçávamos, jantávamos, meu amor por eles prevalecia, eu estava sempre prestes a gritar: papai, mamãe, vocês têm razão, Vittoria detesta vocês, é vingativa, quer me tirar de vocês para magoá-los, me segurem, me proíbam de encontrá-la. Mas, assim que eles começavam com suas frases hipercorretas, com aquele tom contido, como se cada palavra realmente escondesse outras mais verdadeiras das quais eu era excluída, eu ligava às escondidas para Vittoria, marcava encontros.

Àquela altura, só minha mãe me perguntava com educação o que estava acontecendo comigo:

— Aonde vocês foram?
— À casa do tio Nicola, ele mandou lembranças.
— O que você achou dele?
— Meio bobo.

— Não fale assim do seu tio.
— Ele vive rindo sem motivo.
— Sim, lembro que ele faz isso.
— Não parece nada com o papai.
— É verdade.

Logo fui envolvida em outra visita importante. Minha tia me levou — sempre sem avisar antes — à casa de Margherita, que não ficava muito longe da sua. Toda aquela área reavivava as angústias da minha infância. Inquietavam-me as paredes descascadas, os edifícios baixos que pareciam vazios, as cores cinza-azuladas ou amareladas, o cheiro de gás, os cães ferozes seguindo nosso carro por um trecho, latindo. Vittoria estacionou, dirigiu-se a um amplo pátio circundado por sobrados de um azul-celeste pálido, passou por um portãozinho e, quando começou a subir a escada, virou-se para me dizer: aqui mora a mulher de Enzo com os filhos.

Chegamos ao terceiro andar e, em vez de tocar a campainha — primeira surpresa —, Vittoria abriu com a própria chave. Disse em voz alta: somos nós, e logo se ouviu um grito entusiasta em dialeto — *ah, como estou contente* — que anunciou o aparecimento de uma mulher pequena, roliça, toda vestida de preto, com um rosto bonito que, com os olhos azuis, parecia afogado dentro de um círculo de gordura rósea. Acomodou-nos em uma cozinha escura, apresentou-me aos filhos, dois rapazes com mais de vinte anos, Tonino e Corrado, e uma garota, Giuliana, que podia ter uns dezoito. Era alta, linda, morena, olhos muito maquiados, a mãe devia ter sido assim quando jovem. Tonino, o mais velho, também era bonito, emanava força, mas me pareceu muito tímido, corou só de apertar minha mão e não me dirigiu a palavra quase nunca. Corrado, por sua vez, o único expansivo, me pareceu idêntico ao homem que eu vira na foto do cemitério: os mesmos cabelos ondulados, a mesma testa baixa, os mesmos olhos vívidos, o mesmo sorriso. Quando vi, na parede da cozinha, uma foto de Enzo com a farda de policial, com o revólver de lado, uma foto bem maior do que a do cemitério — estava pomposamente emoldurada e uma lamparina vermelha ardia à sua frente —, notei que ele havia sido um homem de tórax comprido e pernas curtas, e aquele seu filho me pareceu um fantasma travesso. De maneira pacata, envolvente, fez mil brincadeiras, uma rajada de elogios irônicos, e eu me diverti, estava contente que ele me pusesse no centro das atenções. Mas Margherita achou grosseiro, murmurou várias vezes: Currà, que falta de educação, deixe a menina em paz, e ordenou em dialeto que ele parasse. Corrado calou-se, observando-me com olhos acesos, enquanto a mãe me enchia de doces, a bela Giuliana com suas formas abundantes, suas cores vivas, me fazia mil louvores com voz aguda, Tonino me enchia de gentilezas mudas.

Durante aquela visita, muitas vezes Margherita e Vittoria lançaram olhares ao homem emoldurado. Com a mesma frequência, falaram dele, meias frases como: imagine como Enzo teria se divertido, imagine como ele teria ficado com raiva, imagine como ele teria gostado. Provavelmente se comportavam daquela maneira havia quase vinte anos, uma dupla de mulheres que recordavam o mesmo homem. Olhei-as, estudei-as. Imaginei Margherita jovem, com o aspecto de Giuliana, e Enzo com o aspecto de Corrado, e Vittoria com o meu rosto, e meu pai — ele também — como na foto que estava fechada na caixa de metal, aquela em que no fundo estava escrito -RIA. Naquelas ruas certamente havia uma confeitaria, uma rotisseria, uma sapataria, sei lá, e eles iam e voltavam por ali e até tinham tirado uma foto, talvez antes que a jovem e ávida Vittoria roubasse da linda Margherita o marido com dentes de lobo, ou talvez até depois, durante a relação secreta dos dois, e nunca mais em seguida, quando meu pai agiu como dedo-duro e só houve dor e fúria. Mas o tempo foi passando. Naquele momento, minha tia e Margherita tinham um tom plácido, calmo. No entanto, não consegui deixar de pensar que o homem da foto devia ter apertado as nádegas de Margherita exatamente como apertara as da minha tia quando ela o roubou, com a mesma força hábil. O pensamento me fez corar tanto que Corrado disse: você está pensando em uma coisa boa, e eu quase gritei: não, mas não consegui me livrar daquelas visões e continuei a fantasiar que ali, na cozinha escura, as duas mulheres tinham contado uma para a outra sabe-se lá quantas vezes, em detalhes, atos e palavras do homem que haviam dividido, e que deviam ter tido dificuldade para encontrar um equilíbrio entre sentimentos bons e ruins.

Aquele compartilhamento dos filhos também não podia ter sido de todo tranquilo. Provavelmente ainda não era. De fato, logo percebi pelo menos três coisas: primeiro, Corrado era o preferido de Vittoria e os outros dois se incomodavam com isso; segundo, Margherita era dominada pela minha tia, falava e ao mesmo tempo a espiava para ver se ela concordava, e, se não concordava, logo voltava atrás; terceiro, os três filhos amavam a mãe, às vezes pareciam protegê-la de Vittoria, todavia, sentiam pela minha tia uma espécie de devoção assustada, respeitavam-na como se fosse a divindade que tomava conta de suas existências e a temiam. A natureza daquelas relações ficou totalmente clara para mim quando, não sei como, a conversa girou em torno de um amigo de Tonino, um tal de Roberto, que crescera ali no Pascone e, por volta dos quinze anos, havia se mudado para Milão com a família. Mas aquele rapaz chegaria à noite e Tonino o convidara para dormir na casa deles. Isso irritou Margherita.

— Como assim, onde vamos colocá-lo?
— Eu não podia dizer que não.
— Por quê? Você deve alguma coisa a ele? Que favor ele te fez?
— Nenhum.
— Por quê, então?

Brigaram por um tempo: Giuliana ficou do lado de Tonino, Corrado, com a mãe. Todos — entendi — conheciam havia muito tempo o rapaz, ele e Tonino tinham sido colegas de escola, Giuliana destacou com ardor que ele era uma pessoa boa, modesta, bastante inteligente. Só Corrado o detestava. Dirigiu-se a mim, corrigindo a irmã:

— Não caia nessa, ele é um pé no saco.
— Lave a boca para falar dele — irritou-se Giuliana.
— Ele é bem melhor do que os seus amigos — disse Tonino, agressivo.
— Meus amigos acabam com a raça dele se ele repetir o que disse da última vez — reagiu Corrado.

Fez-se silêncio por um instante. Margherita, Tonino, Giuliana se viraram para Vittoria, e Corrado interrompeu o que estava dizendo como se quisesse apagar as próprias palavras. Minha tia esperou mais um instante, depois interveio com um tom que eu ainda não conhecia, ameaçador e ao mesmo tempo sofrido como se ela estivesse com dor de estômago:

— Quem são esses seus amigos, diga.
— Ninguém — disse Corrado com um risinho nervoso.
— Está falando do filho do advogado Sargente?
— Não.
— Está falando de Rosario Sargente?
— Já disse que não estou falando de ninguém.
— Currà, você sabe que quebro seus ossos se você se atrever a dizer só bom dia a esse "ninguém".

Criou-se tamanha tensão que Margherita, Tonino e Giuliana me pareceram prestes a minimizar eles mesmos o conflito com Corrado para evitar a raiva da minha tia. Mas foi Corrado que não se rendeu, voltou a falar mal de Roberto.

— De qualquer maneira, ele foi para Milão e não tem direito de dizer como nós devemos nos comportar aqui.

Àquela altura, vendo que o irmão não cedia e afrontava também minha tia, Giuliana voltou a ficar irritada:

— É você que deve ficar calado, eu sempre daria ouvidos a Roberto.

— Porque você é idiota.

— Chega, Currà — reprovou a mãe —, Roberto é um rapaz de ouro. Mas, Tonì, por que ele precisa dormir logo aqui?

— Porque eu o convidei — respondeu Tonino.

— E daí? Diga que se enganou, que a casa é pequena e não tem lugar.

— Aliás — Corrado voltou a se intrometer —, diga que ele não deve dar as caras no bairro, é melhor para ele.

Então Tonino e Giuliana, exasperados, se viraram ao mesmo tempo para Vittoria, como se coubesse a ela resolver a questão por bem ou por mal. E chamou minha atenção o fato de a própria Margherita se dirigir a ela como se quisesse dizer: Vittò, o que eu faço? Vittoria disse em um tom baixo: a mãe de vocês tem razão, não tem espaço, Corrado vai dormir na minha casa. Poucas palavras, e os olhos de Margherita, de Tonino, de Giuliana se iluminaram de gratidão. Corrado, por sua vez, bufou, ainda tentou dizer alguma coisa contra o hóspede, mas minha tia sibilou: calado. O rapaz fez menção de levantar os braços em sinal de rendição, mas de má vontade. Depois, como se entendesse que devia a Vittoria um ato mais evidente de submissão, ficou atrás dela e a beijou várias vezes, ruidosamente, no pescoço e em um lado do rosto. Ela, sentada ao lado da mesa da cozinha, fingiu estar entediada, disse em dialeto: minha Nossa Senhora, Corrà, como você é grudento. De alguma maneira, aqueles três jovens também eram sangue seu, e, portanto, meu? Gostei de Tonino, Giuliana, Corrado, também gostei de Margherita. Que pena eu ter chegado por último, não ter a mesma linguagem deles, não ter nenhuma intimidade verdadeira.

OITO

Vittoria, como se tivesse percebido aquela sensação de estranhamento, em certos momentos parecia querer me ajudar a superá-la, em outros ela mesma a acentuava de propósito. Nossa, exclamava, veja, nossas mãos são iguais, e as encostava nas minhas, polegar contra polegar, seu toque me emocionava, eu sentia vontade de abraçá-la apertado ou recostar-me ao seu lado, com a cabeça sobre seu ombro, sentir sua respiração, sua voz bruta. Mas, na maioria das vezes, assim que eu dizia algo que ela achava errado, Vittoria me dava uma bronca, exclamava: tal pai, tal filha; ou zombava da maneira como minha mãe me vestia: você é grande, olha só esses peitos, você não pode sair de casa vestida de bonequinha, precisa se rebelar, Giannì, eles estão estragando você. Então recomeçava a ladainha de sempre: olhe bem para eles, olhe bem para os seus pais, não se deixe enganar.

Era algo muito importante para ela e, toda vez que nos encontrávamos, insistia para que eu lhe contasse como eles viviam. Contudo, como eu me limitava a informações genéricas, logo ficava emburrada, zombava de mim com maldade, ou ria de maneira ruidosa, escancarando aquela boca grande. Ela ficava exasperada quando eu me limitava a contar o quanto meu pai estudava, como era respeitado, que haviam publicado um artigo seu em uma revista famosa, e que minha mãe o adorava porque o achava bonito e inteligente, e que os dois eram talentosos, ela revisava e muitas vezes reescrevia histórias de amor escritas especialmente para mulheres, sabia tudo, era muito gentil. Você gosta deles, Vittoria dizia roxa de rancor, porque são seus pais, mas, se não conseguir perceber que são gentalha de merda, vai virar merda que nem eles, e eu não vou mais querer ver você.

Para deixá-la contente, uma vez eu disse que meu pai tinha muitas vozes e as modulava de acordo com as circunstâncias. Ele tinha a voz do afeto, a voz imperiosa, a voz do gelo, todas em um lindo italiano, mas também tinha a voz do desprezo, igualmente em italiano, embora às vezes também em dialeto, e a usava com todos os que o incomodavam, em especial com os comerciantes trapaceiros, com os motoristas que não sabiam dirigir, com as pessoas mal-educadas. Já da minha mãe, contei que ela era um pouco submissa à sua amiga chamada Costanza e às vezes se exasperava com o marido dela, Mariano, um amigo fraterno do meu pai, que fazia brincadeiras cruéis. Mas Vittoria não apreciou nem mesmo aquelas confidências mais específicas, pelo contrário, disse que eram fofocas sem substância. Descobri que ela se lembrava de Mariano, disse que ele era um idiota, amigo fraterno coisa nenhuma. Ficou com raiva por causa daquele adjetivo. Andrea, disse com um tom muito amargo, não sabe o que quer dizer fraterno. Lembro que estávamos na casa dela, na cozinha, e lá fora, na rua miserável, chovia. Devo ter feito uma cara desolada, fiquei com os olhos cheios d'água, e isso, para minha surpresa, para meu prazer, a enterneceu como jamais ocorrera. Ela sorriu para mim, puxou-me para si, sentou-me sobre seus joelhos, beijou com força e mordiscou minha bochecha. Depois sussurrou em dialeto: desculpe, não estou com raiva de você, mas do seu pai; então enfiou uma mão por debaixo da minha saia e bateu levemente, várias vezes, com a palma da mão entre a coxa e a nádega. Disse no meu ouvido, mais uma vez: observe bem os seus pais, ou você não vai se salvar.

NOVE

Aquelas explosões repentinas de afeto em meio a um tom quase sempre de desagrado aumentaram e a tornaram cada vez mais necessária para mim. O tempo vazio entre os nossos encontros passava com uma lentidão insuportável e, no intervalo em que não a via ou não conseguia telefonar, eu sentia a necessidade de falar a seu respeito. Acabei, por isso, me abrindo cada vez mais com Angela e Ida, após ter exigido juras de extremo segredo. Eram as únicas pessoas com as quais eu podia me vangloriar da relação com minha tia, mas, no início, elas me ouviam pouco, queriam logo contar historinhas e casos de seus parentes excêntricos. Mas logo tiveram de ceder, os parentes dos quais falavam não se comparavam a Vittoria, que — como eu a descrevia — vinha de um mundo totalmente diferente. As tias e primas e avós delas eram senhoras abastadas do Vomero, de Posillipo, de Via Manzoni, de Via Tasso. Eu, por outro lado, situava fantasiosamente a irmã do meu pai em uma região de cemitérios, de riachos, de cães ferozes, de chamas de gás, de esqueletos de edifícios abandonados, e dizia: ela teve um amor infeliz e único, ele morreu de desgosto, mas ela vai amá-lo para sempre.

Certa vez, contei para elas em voz muito baixa: quando tia Vittoria fala de como eles se amavam, usa "trepar", me disse quanto e como ela e Enzo treparam. Angela ficou impressionada, sobretudo, com esse último ponto, me interrogou demoradamente e talvez eu tenha exagerado nas respostas, coloquei na boca de Vittoria coisas sobre as quais eu fantasiava havia tempo. Mas não me senti culpada, o sentido geral era aquele, minha tia havia falado daquela maneira. Vocês não imaginam — disse comovida — que linda amizade nós temos: somos muito próximas, ela me abraça, me beija, costuma me dizer que somos idênticas. Evidentemente não falei nada das brigas que ela tivera com meu pai, das discussões sobre a herança de um casebre miserável, de como ele a dedurou, tudo aquilo me parecia pouco digno. Mas falei de como Margherita e Vittoria viveram após a morte de Enzo em um espírito de admirável colaboração e cuidaram dos filhos como se os tivessem parido alternadamente, um pouco cada uma. Aquela imagem, devo confessar, surgiu na minha mente por acaso, mas a aprimorei nas histórias sucessivas, até eu mesma acreditar que as duas haviam por milagre feito Tonino, Giuliana e Corrado. Especialmente com Ida, quase sem perceber, faltou pouco para que eu não atribuísse às duas mulheres a capacidade de voar pelo céu noturno ou inventar poções mágicas colhendo ervas encantadas do bosque de Capodimonte. Certamente contei que Vittoria conversava com Enzo no cemitério e ele a aconselhava.

— Eles conversam como nós duas estamos conversando aqui? — perguntou Ida.

— Conversam.

— Então foi ele que quis que sua tia também fosse mãe dos seus filhos.

— Sem dúvida. Ele era policial, podia fazer o que quisesse, tinha até um revólver.

— Quer dizer, é como se minha mãe e a sua fossem mães de nós três?
— Isso.
Ida ficou muito perturbada, mas Angela também se deixou levar. Quanto mais eu contava, recontava e floreava aquelas histórias, mais elas exclamavam: que lindo, estou com lágrimas nos olhos. De qualquer forma, o interesse delas cresceu especialmente quando comecei a falar de como Corrado era divertido, de como Giuliana era bonita, do fascínio de Tonino. Eu mesma me surpreendi com o calor que usei para descrever esse último. Foi uma descoberta para mim também o fato de gostar dele, para ser honesta, ele não havia me impressionado muito, pelo contrário, me parecera o mais inconsistente dos três irmãos. Mas falei tanto dele, inventei-o tão bem que, quando Ida, especialista em romances, afirmou: você se apaixonou, eu admiti — especialmente para ver como Angela reagiria — que era verdade, eu o amava.

Criou-se assim uma situação na qual minhas amigas pediam o tempo todo novos detalhes sobre Vittoria, sobre Tonino, sobre Corrado, sobre Giuliana e sobre a mãe deles, e eu não me fazia de rogada. Até certo ponto, tudo correu bem. Depois elas começaram a me pedir para conhecer pelo menos tia Vittoria e Tonino. Eu disse que não, era uma coisa minha, uma fantasia que me fazia bem enquanto durava: eu havia ido longe demais, a realidade teria destoado. E eu intuía que a boa vontade dos meus pais acabara, para mim já era uma grande dificuldade manter tudo em equilíbrio. Bastaria um movimento errado — mamãe, papai, posso levar Angela e Ida à casa da tia Vittoria? — e, em um piscar de olhos, se deflagrariam os sentimentos negativos.

Mas Angela e Ida estavam curiosas, insistiam. Passei um outono desnorteado, encurralada entre as pressões das minhas amigas e as de Vittoria. A primeira queria verificar se o mundo do qual eu estava me aproximando era de fato mais emocionante do que o mundo em que vivíamos; a segunda parecia prestes a me afastar daquele mundo, de si mesma, se eu não admitisse que estava do seu lado e não do lado dos meus pais. Então eu já me sentia esmaecida com meus pais, esmaecida com Vittoria, sem uma fisionomia verdadeira com as minhas amigas. Foi nesse clima que, quase sem me dar conta, comecei realmente a espiar meus pais.

DEZ

Tudo o que apurei sobre meu pai foi seu indiscutível apego ao dinheiro. Captei-o várias vezes, em voz baixa, mas de maneira premente, acusando minha mãe de gastar demais e em coisas inúteis. De resto, sua vida era a de sempre: a escola de manhã, o estudo à tarde, as reuniões à noite, na nossa casa ou na casa de outros. Quanto à minha mãe, na questão de dinheiro, eu a ouvi retrucar várias vezes, sempre em voz baixa: é dinheiro que eu ganho, será que posso gastar um pouco comigo? Mas o fato novo foi que, embora sempre ironizasse brandamente, para zombar de Mariano, sobretudo, as reuniões do meu pai — que apelidara de "complôs para dar uma endireitada no mundo" —, ela de repente começou a participar daqueles encontros. E não apenas quando aconteciam na nossa casa, mas, apesar do incômodo explícito do meu pai, também quando eram organizadas na casa de outras pessoas, tanto que com frequência eu passava as noites pendurada no telefone com Angela ou Vittoria.

    Por Angela, eu soube que Costanza não tinha a mesma curiosidade da minha mãe em relação às reuniões e que, mesmo quando aconteciam em sua casa, ela preferia sair ou no máximo ver televisão, ler. Acabei falando para Vittoria — embora com alguma incerteza — sobre as brigas por causa de dinheiro e sobre aquela curiosidade repentina da minha mãe pelas atividades noturnas do meu pai. Ela me elogiou inesperadamente:

— Enfim você percebeu como seu pai é apegado ao dinheiro.

— Percebi.

— Foi por causa de dinheiro que ele arruinou a minha vida.

Não respondi, já estava contente de ter enfim encontrado uma informação que a satisfazia.

— O que sua mãe compra? — pressionou ela.

— Roupas, calcinhas. E muitos cremes.

— Que idiota — exclamou, contente.

Entendi que Vittoria exigia eventos e comportamentos daquele tipo, não apenas para confirmar que ela estava do lado certo e meus pais, do lado errado, mas também como sinal de que eu mesma estava aprendendo a olhar além das aparências, entendendo.

O fato de ela se dar por satisfeita com relatos daquele tipo me revigorou. Eu não queria deixar de ser filha deles, como ela parecia desejar, o laço com meus pais era forte e eu descartava a possibilidade de deixar de amá-los por causa da avidez do meu pai pelo dinheiro e dos pequenos esbanjamentos da minha mãe. O risco era que, tendo pouco ou nada a contar, eu começasse quase inadvertidamente a inventar para agradar Vittoria e reforçar a confiança entre nós. Mas, ainda bem, as mentiras que passavam pela minha cabeça eram exageradas, eu atribuía crimes tão romanescos à minha família que me refreava, tinha medo que Vittoria dissesse: você é uma mentirosa. Por isso, acabei procurando algumas pequenas anomalias reais e exagerando-as um pouquinho. Mas mesmo assim eu me sentia inquieta. Eu nem era uma filha realmente afeiçoada nem uma espiã realmente dedicada.

Uma noite, fomos jantar na casa de Mariano e Costanza. Ao descer Via Cimarosa, uma massa de nuvens negras que parecia alongar dedos desgastados chamou minha atenção como um mau presságio. No grande apartamento das minhas amigas, logo senti frio, a calefação ainda não havia sido ligada, então fiquei com um paletó de lã que minha mãe considerava muito elegante. Embora na casa dos nossos anfitriões a comida sempre fosse boa — eles tinham uma empregada silenciosa que cozinhava muito bem, eu a observava e pensava em Vittoria que trabalhava em apartamentos como aquele —, saboreei pouco o jantar com medo de sujar o paletó, minha mãe me aconselhara a tirá-lo. Ida, Angela e eu estávamos entediadas, a sobremesa demorou uma eternidade para chegar e Mariano não parava de falar. Enfim chegou o momento de perguntar se podíamos nos levantar da mesa e Costanza nos deu permissão. Fomos para o corredor, sentamos no chão, Ida começou a jogar uma bolinha de borracha vermelha para perturbar a mim e a Angela, que, enquanto isso, havia começado a me perguntar quando eu enfim decidiria apresentar minha tia a ela. Estava sendo particularmente insistente, disse:

— Quer saber de uma coisa?
— O quê?
— Para mim, sua tia não existe.
— Claro que existe.
— Então, se existe, não é como você conta. Por isso você não nos apresenta.
— É até melhor do que eu conto.
— Então nos leve até ela — disse Ida e jogou a bolinha em mim com força.

Eu, para me esquivar, me joguei para trás no chão e me vi deitada entre a parede e a porta escancarada da sala de jantar. A mesa em torno da qual nossos pais ainda se delongavam era retangular, colocada no centro da sala. De onde eu estava, via os quatro de perfil. Minha mãe estava sentada na frente de Mariano, Costanza, na frente do meu pai, estavam conversando não sei bem sobre o quê. Meu pai disse alguma coisa, Costanza riu, Mariano respondeu. Eu estava deitada no chão e, mais do que seus rostos, via seus pés. Os de Mariano estavam bem esticados embaixo da mesa, falava com meu pai e, enquanto isso, apertava entre os tornozelos um tornozelo da minha mãe.

Levantei correndo, com uma sensação obscura de vergonha, e atirei a bolinha para Ida com força. Mas só resisti alguns minutos, depois voltei a me deitar no chão. Mariano continuava a manter as pernas esticadas embaixo da mesa, mas minha mãe havia retraído as suas e se virara com todo o corpo na direção do meu pai. Estava dizendo: é novembro, mas ainda está quente.

O que você está fazendo, perguntou Angela e, enquanto isso, deitou-se com cautela sobre o meu corpo, dizendo: até pouco tempo atrás, coincidíamos perfeitamente, agora, está vendo, você está mais alta do que eu.

ONZE

Pelo resto da noite, não perdi minha mãe e Mariano de vista. Ela participou pouco da conversa, não trocou com ele um olhar sequer, observou sempre Costanza ou meu pai, mas era como se tivesse pensamentos urgentes e não os visse. Mariano, por sua vez, não conseguia tirar os olhos de cima dela. Olhava ora para seus pés, ora para um joelho, ora para uma orelha com a expressão amuada, melancólica, que contrastava com o tom costumeiro do seu falatório invasivo. Nas raras vezes em que se dirigiram a palavra, minha mãe respondeu com monossílabos, Mariano falou sem motivo em voz baixa e de uma maneira carinhosa que eu nunca havia ouvido sair da sua boca. Depois de um tempo, Angela começou a insistir para que eu dormisse na casa deles, era algo que ela sempre fazia naquelas ocasiões, e, em geral, minha mãe permitia depois de algumas frases sobre o transtorno que eu teria causado enquanto meu pai era sempre implicitamente favorável. Mas, daquela vez, o pedido não foi concedido de imediato, minha mãe mudou de assunto. Então Mariano interveio. Depois de destacar que o dia seguinte era domingo, que não havia escola, garantiu que ele mesmo me levaria a San Giacomo dei Capri antes do almoço. Ouvi-os dialogar inutilmente, era certo que eu dormiria lá, e suspeitei que, naquela discussão — nas palavras de minha mãe havia uma resistência fraca, nas palavras de Mariano, um pedido insistente —, estivessem dizendo um ao outro algo que estava claro para eles e que não era entendido por nós. Quando minha mãe concordou que eu dormisse com Angela, Mariano assumiu um ar sério, quase comovido, como se daquele meu pernoite dependesse, sei lá, sua carreira universitária ou a solução dos graves problemas de que ele e meu pai se ocupavam havia décadas.

Pouco antes das vinte e três horas, depois de muita hesitação, meus pais resolveram ir embora.

— Você não trouxe pijama — disse minha mãe.
— Ela pode usar um dos meus — garantiu Angela.
— E a escova de dentes?
— Ela deixou uma aqui da última vez e eu guardei.

Costanza se intrometeu com uma pitada de ironia por causa daquela resistência anômala em relação a algo totalmente costumeiro. Quando Angela fica na casa de vocês, disse, não usa um pijama de Giovanna, não tem a própria escova? Sim, claro, capitulou minha mãe, pouco à vontade, e disse: Andrea, vamos, está tarde. Meu pai levantou do sofá com ar um pouco entediado, quis meu beijo de boa noite. Minha mãe estava distraída e não me pediu um beijo, mas deu um beijo de cada lado do rosto de Costanza com estalos que nunca costumava fazer e que me pareceram ditados pela necessidade de destacar o velho pacto de amizade entre elas. Seus olhos estavam inquietos, pensei: o que ela tem, não está se sentindo bem. Fez menção de ir na direção da porta, mas, como se tivesse lembrado de repente que Mariano estava bem atrás dela e não o havia cumprimentado, quase jogou as costas sobre o peito dele como se estivesse desmaiando, e, naquela posição — enquanto meu pai cumprimentava Costanza elogiando pela enésima vez o jantar —, virou a cabeça oferecendo-lhe a boca. Foi um instante e, eu, com o coração na boca, achei que se beijariam como no cinema. Mas ele encostou os lábios em seu rosto e ela fez o mesmo.

Assim que meus pais saíram do apartamento, Mariano e Costanza começaram a tirar a mesa e nos obrigaram a nos preparar para a noite. Mas eu não conseguia me concentrar. O que havia acontecido diante dos meus olhos, o que eu vira: uma brincadeira inocente de Mariano, um ato ilícito premeditado por parte dele, um ato ilícito premeditado de ambos? Minha mãe era sempre muito límpida: como pôde tolerar aquele contato embaixo da mesa, e com um homem muito menos atraente do que meu pai? Ela não tinha simpatia por Mariano — como ele é tolo, dissera algumas vezes na minha presença —, nem com Costanza conseguira se conter, havia perguntado com frequência, em tom de brincadeira, como ela conseguia suportar uma pessoa que nunca ficava calada. Portanto, que significado tinha aquele seu tornozelo entre os dele? Quanto tempo tinham ficado naquela posição? Alguns segundos, um minuto, dez? Por que minha mãe não havia retraído imediatamente a perna? E aquela distração em seguida? Eu me sentia confusa.

Escovei os dentes por tempo demais, tanto que Ida disse com hostilidade: chega, vai gastá-los. Era o que sempre acontecia, assim que nos fechávamos no quarto dela e de Angela, Ida se tornava agressiva. Na verdade, receava que nós duas, mais velhas, a isolássemos e, portanto, amarrava preventivamente a cara. Foi por isso que logo anunciou, em tom combativo, que também queria dormir na cama de Angela, e não sozinha na sua. As duas irmãs discutiram por um tempo — estamos apertadas, vá embora, não, estamos ótimas —, mas Ida não cedeu, nunca cedia naquelas ocasiões. Então Angela piscou para mim e disse para a irmã: mas, assim que você pegar no sono, *eu* vou dormir na sua cama. Ótimo, exultou Ida, e, satisfeita não tanto porque teria dormido a noite inteira comigo, mas porque a irmã não teria, tentou iniciar uma batalha de travesseiros. Nós contra-atacamos sem muita vontade, ela parou, se ajeitou entre nós duas e apagou a luz. No escuro, disse com alegria: está chovendo, adoro que nós estejamos juntas, estou sem sono, por favor, vamos conversar a noite toda. Mas Angela a calou, disse que estava com sono e, depois de algumas risadinhas, restou apenas o barulho da chuva batendo nos vidros.

Logo voltou à minha mente o tornozelo da minha mãe entre os de Mariano. Tentei tirar a nitidez da imagem, quis me convencer de que não significava nada, de que era apenas uma brincadeira entre amigos. Não consegui. Se não significa nada, disse a mim mesma, conte para Vittoria. Minha tia decerto saberia me dizer que peso eu devia atribuir àquela cena, não fora ela a me convencer a espiar meus pais? Olhe, olhe bem, dissera. Eu olhara e vira alguma coisa. Bastaria fazer isso com mais assiduidade para saber se era uma bobagem ou não. Mas logo percebi que eu nunca nunca nunca teria contado a ela o que vira. Mesmo que não houvesse nada errado, Vittoria teria encontrado algum mal. Eu vira em ação — ela teria me explicado — o desejo de trepar, e não o desejo de trepar dos livrinhos educativos que meus pais me deram de presente, com ilustrações coloridas, legendas elementares e claras, mas algo repugnante e ao mesmo tempo ridículo, como um gargarejo quando temos dor de garganta. Isso eu não conseguiria tolerar. Mas, enquanto isso, minha tia, só pelo fato de eu tê-la evocado, já estava invadindo minha mente com seu léxico excitante e desagradável e vi com nitidez, no escuro, Mariano e minha mãe emaranhados da maneira que seu vocabulário sugeria. Era possível que juntos os dois tivessem a capacidade de sentir aquele prazer extraordinário que Vittoria dizia ter conhecido e que, aliás, esperava que eu sentisse como a única dádiva que a vida podia me reservar? Bastou a ideia de que, se eu agisse como espiã, Vittoria usaria as palavras às quais recorrera para falar de si mesma e de Enzo, mas degradando-as para degradar minha mãe e, através dela, também meu pai, para me convencer ainda mais que a melhor coisa era jamais falar daquela cena com Vittoria.

— Ela está dormindo — murmurou Angela.
— Vamos dormir também.
— Sim, mas na cama dela.

Eu a ouvi se mexer cautelosamente no escuro. Apareceu ao meu lado, pegou minha mão, eu me esgueirei para fora da cama com prudência, acompanhei-a até a outra caminha. Puxamos as cobertas sobre nossos corpos, estava frio. Pensei em Mariano e em minha mãe, pensei em meu pai quando descobrisse o segredo deles. Soube com clareza que tudo teria piorado lá em casa, em breve. Disse a mim mesma: ainda que eu não conte, Vittoria vai descobrir; ou talvez até já saiba e só tenha me incitado a ver com meus próprios olhos.

— Fale de Tonino — sussurrou Angela.
— Ele é alto.
— Que mais?
— Tem olhos bem negros e profundos.

— Ele quer mesmo namorar com você?
— Quer.
— Se vocês namorarem, vão se beijar?
— Vamos.
— De língua?
— Sim.

Ela me abraçou apertado e eu a abracei como costumávamos fazer quando dormíamos juntas. Ficamos daquela maneira, esforçando-nos para ficar o mais grudadas possível, eu com os braços em volta do pescoço de Angela, ela abraçando meus quadris. Aos poucos, comecei a sentir um cheiro seu que eu conhecia bem, era intenso e doce ao mesmo tempo, emanava calor. Você está me apertando demais, murmurei, e ela, sufocando uma risadinha contra o meu peito, me chamou de Tonino. Suspirei, disse: Angela. Ela repetiu, daquela vez sem rir: Tonino, Tonino, Tonino, e acrescentou: jure que você vai me apresentar a ele, ou não somos mais amigas. Jurei e trocamos beijos longos, acariciando-nos. Mesmo com sono, não conseguíamos parar. Era um prazer sereno, afastava a angústia, e, por isso, não parecia haver motivo para abrir mão dele.

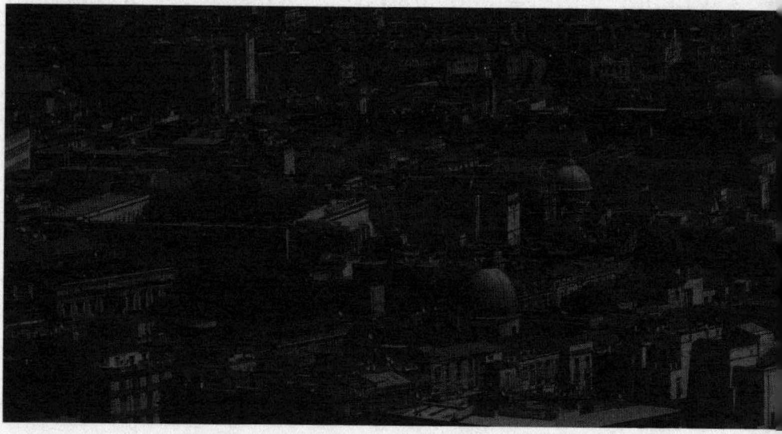

PARTE TRÊS

PARTE TRES

UM

Vigiei minha mãe dias a fio. Se o telefone tocava e ela corria para atender com prontidão excessiva e a voz, a princípio alta, logo se tornava um cochicho, eu suspeitava de que o interlocutor fosse Mariano. Se passava tempo demais cuidando da aparência e descartava uma roupa atrás da outra, e até me chamava para saber minha opinião sobre qual ficava melhor, eu tinha certeza absoluta de que estava indo a um encontro secreto com o amante, palavreado esse que aprendi correndo os olhos às vezes pelas provas dos romances açucarados.

Descobri naquela ocasião que eu podia me tornar irremediavelmente ciumenta. Até aquele momento, eu tinha certeza de que minha mãe me pertencia e de que o direito de tê-la sempre à minha disposição era indiscutível. No teatrinho dentro da minha cabeça, meu pai era meu e, legitimamente, também dela. Dormiam juntos, trocavam beijos, conceberam-me segundo as modalidades explicadas quando eu tinha por volta de seis anos. Para mim, a relação deles era um ponto pacífico e, exatamente por isso, nunca me perturbara de forma consciente. Mas, fora daquela relação, de maneira incongruente, eu sentia minha mãe indivisível e inviolável, pertencia só a mim. Considerava seu corpo meu, e também seu perfume, até os seus pensamentos, que só podiam — uma certeza que eu tinha desde que me entendia por gente — se ocupar de mim. Porém, de repente, tornara-se plausível — e aqui eu utilizava outra vez fórmulas aprendidas nos longos romances em que ela trabalhava — que minha mãe se entregasse a outro homem fora das convenções familiares, às escondidas. Esse outro homem se julgava autorizado a prender o tornozelo dela entre os seus sob a mesa, e sabe-se lá em quais lugares punha saliva na sua boca, chupava os mamilos que eu havia sugado e — como dizia Vittoria com uma cadência dialetal que eu não tinha, mas que, naquele momento mais do que nunca, por desespero, queria ter — apertava uma de suas nádegas, depois a outra. Quando voltava esbaforida, atormentada pelos mil afazeres do trabalho e da casa, eu via seus olhos cheios de luz, sentia sob suas roupas os sinais das mãos de Mariano, percebia por toda parte nela, que não fumava, o cheiro de cigarro dos dedos dele, amarelos de nicotina. O simples fato de tocá-la logo começou a me enojar, e, no entanto, eu não suportava o fato de ter perdido o prazer de me sentar sobre seus joelhos, de brincar com os lobos das suas orelhas para incomodá-la e ouvi-la dizer pare, você está deixando minhas orelhas vermelhas, e de rir com ela. Por que ela está fazendo isso, eu me atormentava. Eu não via sequer um bom motivo que justificasse sua traição e, por isso, procurava entender o que fazer para levá-la de volta a antes daquele contato sob a mesa de jantar e reavê-la da maneira como ela era na época em que eu nem percebia quanto a amava e me parecia óbvio que ela estava ali para mim, pronta para atender minhas necessidades, e que estaria ali para sempre.

DOIS

Naquela fase, evitei telefonar para Vittoria, vê-la. Eu me justificava pensando: assim é mais fácil dizer a Angela e Ida que ela está ocupada e não tem tempo nem para se encontrar comigo. Mas o motivo era outro. Eu sentia vontade de chorar o tempo todo e já sabia que só ao lado da minha tia poderia fazê-lo em plena liberdade, gritando, soluçando. Ah, sim, eu queria um momento de desabafo, nenhuma palavra, nenhuma confidência, só uma expulsão da dor. Mas quem me garantia que, no momento em que caísse em prantos, eu não jogaria na sua cara suas responsabilidades, não gritaria com toda a fúria de que era capaz que sim, eu havia feito o que ela mandara, eu havia observado exatamente como ela dissera, e agora sabia que não deveria ter feito aquilo, não deveria de jeito nenhum, porque descobrira que o melhor amigo do meu pai — basicamente um homem nojento — prendia entre seus tornozelos, enquanto jantavam, o tornozelo da minha mãe, e que minha mãe não se levantava indignada com um salto, não gritava como você se dá o direito, mas deixava que ele a prendesse. Resumindo, eu temia que, ao dar vazão às lágrimas, também minha decisão de ficar calada cedesse de repente, e isso eu não queria de forma alguma. Eu sabia muito bem que, assim que eu me abrisse, Vittoria pegaria o telefone e contaria tudo ao meu pai pelo simples prazer de magoá-lo.

E o que era esse tudo afinal? Aos poucos, me acalmei. Reexaminei pela enésima vez o que vira realmente, expulsei à força as fantasias, dia após dia tentei afastar a impressão de que algo muito grave estivesse prestes a acontecer com a minha família. Eu sentia necessidade de companhia, queria me distrair. Por isso, fui visitar Angela e Ida ainda mais do que no passado, o que intensificou seus pedidos para encontrar minha tia. Por fim, pensei: o que me custa, o que tem de mal? Então, uma tarde decidi perguntar a minha mãe: e se um domingo eu levasse Angela e Ida à casa da tia Vittoria?

Para além de minhas obsessões, naquele período ela de fato estava muito atarefada. Corria para a escola, voltava para casa, saía outra vez, retornava, se fechava em seu quarto para trabalhar até tarde da noite. Dei como certo que ela teria respondido distraidamente: tudo bem. No entanto, ela não pareceu contente.

— O que Angela e Ida têm a ver com tia Vittoria?
— São minhas amigas, querem conhecê-la.
— Você sabe que tia Vittoria não vai causar boa impressão.
— Por quê?
— Porque ela não é uma mulher apresentável.
— Como assim?
— Chega, agora não tenho tempo para discutir. Por mim, você também deveria parar de vê-la.

Fiquei com raiva, disse que queria discutir o assunto com meu pai. Foi quando surgiu na minha cabeça, contra a minha vontade: *você* não é apresentável, e não tia Vittoria; agora vou dizer ao papai o que você faz com Mariano e você vai pagar caro. Então, sem esperar sua costumeira mediação, corri até o escritório do meu pai, sentindo — eu estava surpresa comigo mesma, aterrorizada, não conseguia me refrear — que era de fato capaz de despejar em cima dele o que eu havia visto e também o que havia intuído. Mas, quando entrei no cômodo e quase gritei como se fosse questão de vida ou morte que eu queria apresentar Angela e Ida a Vittoria, ele levantou o olhar dos seus papéis e me disse carinhoso: não precisa gritar, o que foi?

Logo me senti aliviada. Reprimi a fofoca que estava na ponta da língua, dei um beijo forte em seu rosto, falei do pedido de Angela e Ida, me queixei da posição intransigente da minha mãe. Ele manteve o tom conciliador e não me proibiu a iniciativa, mas reiterou a aversão pela irmã. Disse: Vittoria é um problema seu, uma curiosidade particular sua, e eu não quero me meter nisso, mas você vai ver que Angela e Ida não vão gostar dela.

Surpreendentemente, até Costanza, que nunca vira minha tia, manifestou a mesma hostilidade, como se tivesse consultado minha mãe. Suas filhas precisaram batalhar muito tempo para obter a permissão, disseram que a mãe havia sugerido: convidem-na para vir à nossa casa, ou então marquem um encontro, sei lá, em um bar na Piazza Vanvitelli, só o tempo de conhecê-la para satisfazer Giovanna e pronto. Mariano também não fez por menos: qual a necessidade de passar um domingo com essa senhora, além do mais, pelo amor de Deus, ir até lá embaixo, um lugar horroroso, não tem nada de interessante para se ver. Mas, aos meus olhos, ele não tinha o direito de dar um pio, por isso expliquei a Angela, mentindo, que minha tia dissera que ou íamos até ela, na sua casa, ou nada feito. Por fim, Costanza e Mariano capitularam, mas organizaram minuciosamente junto com meus pais os deslocamentos: Vittoria passaria para me pegar às nove e meia; depois iríamos juntas, às dez horas, pegar Angela e Ida; enfim, na volta, minhas amigas seriam deixadas em casa às duas horas, e eu, às duas e meia.

Àquela altura, telefonei para Vittoria, e fiz isso, devo dizer, com ansiedade, pois até aquele momento eu nem sequer a consultara. Ela foi brusca como de costume, me censurou porque eu não ligava havia tempos, mas, no geral, pareceu contente porque eu queria levar comigo minhas amigas. Disse: tudo o que faz você feliz também me faz, e aceitou os horários complicados que nos foram impostos, embora com o tom de quem pensa: sim, claro, eu faço o que me convém.

TRÊS

Foi assim que, em um domingo, quando nas vitrines já apareciam os enfeites de Natal, Vittoria passou pontualmente na minha casa. Eu, muito tensa, já a esperava havia quinze minutos no portão. Pareceu-me alegre, desceu com o Fiat Cinquecento em alta velocidade até Via Cimarosa cantarolando e me mandando cantar também. Lá encontramos Costanza à espera com as filhas, todas as três estavam lindas e impecáveis como em um comercial de TV. Logo percebi que minha tia, antes mesmo de encostar o carro no meio-fio, com o cigarro entre os lábios, já estava registrando a extrema elegância de Costanza com olhar gozador, por isso eu disse ansiosa:

— Não desça, vou falar para minhas amigas entrarem e vamos embora.

Mas ela nem me ouviu, riu, murmurou em dialeto:

— Ela dormiu assim ou vai a uma recepção logo de manhã cedo?

Então saiu do carro, cumprimentou Costanza com cordialidade tão exagerada que ficou evidente que era falsa. Tentei saltar também, mas a porta estava com defeito e, enquanto eu lutava para abri-la, observei com grande agitação Costanza sorrir gentilmente com Angela de um lado e Ida do outro ao passo que Vittoria dizia algo cortando o ar com gestos amplos. Torci para que não estivesse recorrendo a palavrões e, enquanto isso, consegui abrir a porta. Saltei correndo em tempo de ouvir que minha tia, meio em italiano, meio em dialeto, estava elogiando minhas amigas:

— Lindas, lindas, lindas. Como a mãe.
— Obrigada — disse Costanza.
— E esses brincos?

Começou a elogiar os brincos de Costanza — tocou-os com a ponta dos dedos —, depois passou para o colar, o vestido, tocou tudo por poucos segundos, como se estivesse diante de um manequim adornado. Temi, a certa altura, que fosse levantar a barra do vestido para examinar melhor a meia-calça, para olhar a calcinha, sem dúvida teria sido capaz. Todavia, sossegou de repente, como se um laço invisível tivesse apertado sua garganta para mostrar que devia ser mais composta, e se deteve com expressão seríssima na pulseira que Costanza usava, uma pulseira que eu conhecia bem, da qual a mãe de Angela e Ida gostava muito, de ouro branco, com uma flor com pétalas de brilhante e rubis, literalmente esplêndida; minha mãe também a invejava.

— Que linda — disse Vittoria segurando a mão de Costanza e tocando levemente a joia com a ponta dos dedos de uma maneira que me pareceu sinceramente admirada.
— Sim, eu também gosto.
— É muito apegada a ela?
— Tem valor afetivo, eu a tenho há muitos anos.
— Então tome cuidado, porque é tão bonita que um ladrão pode passar e roubar — disse Vittoria em dialeto.

Depois soltou sua mão como se os elogios tivessem sido substituídos repentinamente por uma sensação de repulsa, virou-se outra vez para Angela e Ida. Disse com falsidade que elas eram muito mais preciosas do que todas as pulseiras do mundo e nos fez entrar no carro enquanto Costanza aconselhava: meninas, comportem-se, não me deixem preocupada, espero vocês aqui às duas horas, e eu, já que minha tia não respondia, aliás, havia se sentado atrás do volante sem se despedir e com uma das suas expressões mais ressentidas, gritava da janela com falsa alegria: sim, Costanza, às duas horas, não se preocupe.

QUATRO

Partimos e Vittoria, com sua direção de sempre, inexperiente e, todavia, destemida, nos levou pela perimetral e depois desceu até o Pascone. Não foi gentil com as minhas amigas, durante o percurso censurou-as várias vezes porque falavam alto demais. Eu também gritava, o motor fazia uma barulheira e era natural levantar a voz, mas Vittoria ficou irritada só com elas. Tentamos nos controlar, ela ficou com raiva da mesma maneira, disse que estava com dor de cabeça, mandou que não déssemos um pio. Intuí que algo a desagradara, talvez não tivesse gostado das duas meninas, era difícil dizer. Percorremos um longo trecho sem dizer palavra, eu ao lado dela, Angela e Ida no desconfortável banco traseiro. Até que, do nada, foi a própria Vittoria que rompeu o silêncio, mas o que lhe saiu foi uma voz rouca, má. Perguntou às minhas amigas:

— Vocês também não são batizadas?

— Não — disse Ida prontamente.

— Mas — acrescentou Angela — papai disse que, se quisermos, podemos nos batizar quando formos grandes.

— E se vocês morrerem antes? Sabem que vão para o limbo?

— O limbo não existe — disse Ida.

— Nem o paraíso, o purgatório e o inferno — acrescentou Angela.

— Quem disse?
— Papai.
— E, segundo ele, onde Deus põe quem peca e quem não peca?
— Deus também não existe — disse Ida.
— E o pecado também não — esclareceu Angela.
— Isso também foi papai que disse?
— Foi.
— Papai é um babaca.
— Não se deve dizer palavrões — bronqueou Ida.

Intervim para evitar que Vittoria perdesse definitivamente a paciência:

— O pecado existe: é quando não existe amizade, não existe amor, e desperdiçamos uma coisa bonita.

— Estão vendo? — disse Vittoria — Giannina entende e vocês, não.

— Não é verdade, eu também entendo. — Ida se irritou. — O pecado é uma amargura. Nós dizemos *que pecado* quando uma coisa de que gostamos cai no chão e se quebra.

Esperou ser elogiada, mas o elogio não se materializou. Minha tia disse apenas: uma amargura, não é? E achei que ela estava sendo injusta em se comportar daquela maneira com a minha amiga, ela era mais nova, mas muito esperta, devorava livros importantes, eu havia gostado da observação. Por isso, repeti uma ou duas vezes que pecado, queria que Vittoria ouvisse bem, que pecado, que pecado. Enquanto isso, fui ficando mais angustiada, mas sem um motivo preciso. Talvez eu tenha pensado em como tudo se tornara frágil, já antes daquela frase horrível do meu pai sobre meu rosto, quando fiquei menstruada, quando meu peito cresceu, quem sabe. O que fazer. Eu dera importância demais às palavras que me feriram, peso demais àquela tia, ah, voltar a ser pequena, seis, sete, talvez oito anos, ou menor ainda, e apagar os episódios que me levaram aos tornozelos de Mariano e de minha mãe, a estar ali fechada naquele automóvel em péssimas condições, sempre com o risco de bater em outros carros, de sair da estrada, tanto que, dali a alguns minutos, eu talvez pudesse estar morta, ou gravemente ferida, sem um braço, uma perna ou cega pelo resto da existência.

— Aonde estamos indo? — perguntei, e sabia que era uma infração, no passado só me arriscara uma vez a fazer uma pergunta daquele tipo e Vittoria havia retrucado agastada: eu é que sei. Contudo, naquela ocasião, pareceu responder de bom grado. Não olhou para mim, olhou para Angela e Ida no retrovisor e disse:

— À igreja.

— Não conhecemos nenhuma oração — avisei.

— Muito mal, precisam aprender, são coisas úteis.

— Mas, por enquanto, não sabemos.

— Agora não importa. Agora não vamos rezar, vamos à feirinha da paróquia. Se vocês não sabem rezar, certamente sabem ajudar a vender.

— Sim — exclamou Ida, contente —, eu levo jeito.

Fiquei aliviada.

— Foi você que organizou? — perguntei a Vittoria.

— Toda a paróquia, mas, sobretudo, meus filhos.

Pela primeira vez na minha presença, definiu como *seus* os três filhos de Margherita e o fez com orgulho.

— Corrado também? — perguntei.

— Corrado é um merda, mas faz o que eu mando, senão quebro suas pernas.

— E Tonino?
— Tonino é um bom rapaz.
Angela não conseguiu se conter e soltou um gritinho de entusiasmo.

CINCO

Eu poucas vezes entrara em igrejas, e só quando meu pai queria me mostrar alguma que, a seu ver, era especialmente bonita. As igrejas de Nápoles, segundo ele, eram de fina estrutura, com ricas obras de arte, e não deviam ficar abandonadas como estavam. Em certa ocasião — acho que estávamos na igreja de São Lourenço, mas não tenho certeza —, chamou minha atenção porque eu havia começado a correr pelas naves e depois, como não o encontrava mais, chamei-o com um grito aterrorizado. Segundo ele, as pessoas que não acreditam em Deus, como eu e ele, devem, por respeito a quem acredita, comportar-se com educação: tudo bem não molhar os dedos na pia de água benta, tudo bem não fazer o sinal da cruz, mas é necessário tirar o chapéu mesmo no inverno, evitar falar em voz alta, não acender cigarros nem entrar fumando. Vittoria, por sua vez, com o cigarro aceso entre os lábios, nos arrastou para uma igreja com fachada cinza-esbranquiçada, tenebrosa por dentro, dizendo em voz alta: façam o sinal da cruz. Nós não o fizemos, ela percebeu. Por isso, pegou a mão de uma depois da outra — Ida em primeiro lugar, eu por último —, e a guiou até a testa, o peito e os ombros dizendo irritada: em nome do Pai, do Filho e do Espírito Santo. Depois, com o humor cada vez pior, nos arrastou ao longo de uma nave mal-iluminada, resmungando: vocês fizeram com que eu me atrasasse. Ao chegarmos diante de uma porta na qual brilhava de maneira excessiva uma maçaneta, abriu-a sem bater e fechou-a atrás de si deixando-nos sozinhas.

— Sua tia não é simpática e é muito feia — sussurrou Ida.
— Não é verdade.
— É verdade — disse Angela com um tom grave.

Senti que lágrimas brotavam nos meus olhos, lutei para reprimi-las.

— Ela diz que nós somos idênticas.
— Que nada — disse Angela —, você não é feia nem antipática.
— Só algumas vezes, mas pouco — especificou Ida.

Vittoria reapareceu na companhia de um homem jovem, de estatura baixa, com rosto bonito e cordial. Usava um pulôver preto, calça cinza e tinha uma cruz de madeira sem o corpo de Jesus pendurada no pescoço com uma cordinha de couro.

— Essa é Giannina e essas são duas amigas dela — disse minha tia.
— Giacomo — apresentou-se o jovem com voz elegante, sem dialeto.
— Dom Giacomo — Vittoria o corrigiu, aborrecida.
— Você é o padre? — perguntou Ida.
— Sou.
— Nós não fazemos orações.
— Não importa. Também é possível rezar sem fazer orações.

Fiquei curiosa.

— Como?
— É só ser sincero. Junte as mãos e diga: meu Deus, por favor, me proteja, me ajude etc.

— Só se reza na igreja?
— Em todo lugar.
— E Deus atende mesmo se você não souber nada a respeito dele, aliás, mesmo se acreditar que ele não existe?
— Deus escuta a todos — respondeu com gentileza o padre.
— Impossível — disse Ida —, seria uma tal barulheira que não daria para entender nada.

Minha tia deu-lhe um peteleco com a ponta dos dedos e chamou sua atenção porque não se podia dizer a Deus: é impossível; para ele, tudo era possível. Dom Giacomo captou o descontentamento nos olhos de Ida e a acariciou exatamente no lugar em que Vittoria a acertara, enquanto dizia em um sussurro que as crianças podem dizer e fazer o que quiserem, pois permanecem sempre inocentes. Então, surpreendendo-me, começou a falar de um tal de Roberto que — logo entendi — era o mesmo que havia sido mencionado tempos antes na casa de Margherita, ou seja, o rapaz nascido naquela região, mas que morava e estudava em Milão, o amigo de Tonino e Giuliana. Dom Giacomo o chamou de *o nosso Roberto* e o citou com afeto porque havia sido ele que o fizera notar que ser hostil com crianças não é uma coisa rara, até os santos apóstolos o fizeram, não entendiam que é necessário fazer-se pequeno para entrar no reino dos céus, e Jesus, de fato, os censurou, disse: o que estão fazendo, não afastem as crianças, deixem-nas vir para perto de mim. A essa altura, continuando a manter a mão sobre a cabeça de Ida, dirigiu-se significativamente para minha tia: nossa insatisfação nunca deve afetar as crianças, disse, e pensei que o padre também devia ter percebido em Vittoria um mal-estar diferente do usual. Depois disse algumas frases melancólicas sobre a infância, a inocência, a juventude, os perigos da rua.

— Você não concorda? — perguntou conciliador para minha tia e ela corou como se ele a tivesse pegado desprevenida.
— Com quem?
— Com Roberto.
— Falou bem, mas sem pensar nas consequências.
— Falamos bem justamente quando não pensamos nas consequências.

Angela, curiosa, sussurrou para mim:
— Quem é esse Roberto?

Eu nada sabia de Roberto. Queria ter dito: eu o conheço muito bem, é um bom rapaz; ou então deixar escapar com displicência, usando as palavras de Corrado: que nada, ele é um pé no saco. Mas fiz sinal para ela ficar calada, aborrecida como sempre ficava quando meu pertencimento ao mundo da minha tia se revelava superficial. Angela calou-se em obediência, mas Ida, não, perguntou ao padre:
— Como é esse Roberto?

Dom Giacomo riu, disse que Roberto tinha a beleza e a inteligência de quem tem fé. Da próxima vez que ele vier — nos prometeu —, vou apresentá-lo a vocês, mas agora vamos vender, vamos, senão os pobres se queixam. Então passamos por uma portinha e entramos em uma espécie de pátio onde, em um átrio em forma de L adornado com festões dourados e luzes natalinas multicoloridas, havia barraquinhas repletas de objetos usados, e, decorando e arrumando tudo, lá estavam Margherita, Giuliana, Corrado, Tonino e outros que eu desconhecia, acolhendo com alegria exibida os possíveis compradores beneficentes, gente — a meu ver — de aspecto um pouquinho menos pobre de como eu imaginava os pobres.

SEIS

Margherita elogiou minhas amigas, chamou-as de belas meninas e apresentou-as aos filhos, que as acolheram com cordialidade. Giuliana escolheu Ida como ajudante, Tonino quis Angela, eu fiquei ouvindo a conversa de Corrado, que tentava brincar com Vittoria, mas ela o tratava muito mal. De qualquer maneira, resisti pouco, eu me distraía, de modo que, com a desculpa de querer ver a mercadoria, caminhei entre as barraquinhas tocando sem atenção ora isso ora aquilo, muitos doces e docinhos feitos em casa, mas, sobretudo, óculos, maços de cartas, um velho aparelho telefônico, copos, xícaras, bandejas, livros, uma cafeteira, todos objetos muito usados, tocados ao longo dos anos por mãos que hoje provavelmente eram mãos de defuntos, miséria em liquidação para miseráveis.

Enquanto isso, as pessoas chegavam e ouvi que alguém usava com o padre a palavra viúva — a viúva está aí, diziam — e, como olhavam para as barraquinhas vigiadas por Margherita, por seus filhos, por minha tia, pensei por algum tempo que se referissem a Margherita. Mas, aos poucos, me dei conta de que chamavam Vittoria daquela maneira. A viúva está aí, diziam, hoje tem música e dança. E não entendi se diziam viúva com escárnio ou com respeito: claro, fiquei surpresa por associarem minha tia, que era solteira, tanto à viuvez quanto à diversão.

Olhei para ela com atenção, de longe. Ereta atrás de uma das bancadas, seu tronco estreito com grandes seios parecia saltar para fora das pilhas de objetos empoeirados. Não me pareceu feia, eu não queria que fosse, mas Angela e Ida tinham dito que ela era. Talvez seja porque hoje algo deu errado, pensei. Tinha olhos inquietos, gesticulava da sua maneira agressiva ou, de surpresa, lançava um grito e se mexia por alguns instantes seguindo o ritmo das músicas que saíam de um velho toca-discos. Disse a mim mesma: sim, está irritada por causa de algum motivo pessoal que eu desconheço, ou então está preocupada com Corrado. Nós duas somos assim, com bons pensamentos ficamos bonitas, mas enfeamos com os ruins, temos de arrancá-los da cabeça.

Perambulei sem ânimo pelo pátio. Queria eliminar a angústia daquela manhã, mas não conseguia. Minha mãe e Mariano eram um peso grande demais, meus ossos doíam como se eu estivesse gripada. Angela, vista de longe, parecia tomada de alegria, estava bonita, ria com Tonino. Todos, naquele momento, me pareciam lindos e bons e justos, dom Giacomo, sobretudo, que recebia os paroquianos com cordialidade, apertando mãos, não se furtando aos abraços, iluminado pelo sol. Será que as únicas pessoas sombrias, tensas, eram Vittoria e eu? Meus olhos também ardiam, minha boca estava amarga, eu temia que Corrado — eu voltara a ficar ao seu lado, um pouco para ajudá-lo a vender, um pouco para buscar alívio — sentisse meu mau hálito. Talvez o cheiro ácido e ao mesmo tempo adocicado não viesse do fundo da minha garganta, mas dos objetos das barraquinhas. Senti-me muito triste. E por todo o tempo que durou a feirinha natalina, foi deprimente espelhar-me em minha tia, que ora recebia os paroquianos com vivacidade artificial, ora fitava o vazio com olhos arregalados. Sim, ela estava no mínimo tão mal quanto eu. Corrado lhe disse: que foi, Vittò, você está doente, está com uma cara feia, e ela respondeu: sim, estou doente no coração, no peito, no ventre, estou com uma cara horrível. E se esforçou para sorrir com a boca larga, mas não conseguiu, tanto que, em dado momento, pediu-lhe: vá pegar um copo d'água para mim.

Enquanto Corrado ia pegar o copo d'água, pensei: está doente por dentro e eu sou exatamente como ela, é a pessoa de quem me sinto mais próxima. A manhã estava passando, eu voltaria para os meus pais, e não sabia por quanto tempo suportaria a desordem da casa. Então, como aconteceu quando minha mãe me contrariou e corri para meu pai para denunciá-la, surgiu de repente no meu peito uma necessidade urgente de desabafar. Era intolerável que Mariano abraçasse e apertasse minha mãe enquanto ela usava as roupas que eu conhecia, enquanto estava adornada com brincos e outras joias com as quais eu brincava quando criança e às vezes até usava. O ciúme cresceu, fabricando imagens repugnantes. Eu não suportava a intrusão daquele estranho malvado e, a certa altura, não resisti, tomei uma decisão sem perceber que a tomara, disse de repente, com uma voz que me soou como um vidro que se quebra: tia (embora ela tivesse mandado eu nunca chamá-la daquela maneira), tia, preciso contar uma coisa, mas é um segredo que você não deve revelar a ninguém, jure que não vai contar. Ela respondeu baixinho que não fazia juramentos, o único juramento que fizera era amar para sempre Enzo, e o manteria até a morte. Fiquei desesperada, disse que, se ela não jurasse, eu não poderia falar. Então foda-se, ela resmungou, as coisas feias que você não conta para ninguém se tornam cães que comem sua cabeça à noite enquanto você dorme. Então eu, assustada por aquela imagem, precisando de consolo, logo em seguida a puxei para um canto e falei de Mariano, da minha mãe, do que eu vira misturado a tudo o que havia imaginado. Depois supliquei:

— Por favor, não conte para o meu pai.

Ela ficou me encarando por um longuíssimo instante, depois retrucou em dialeto, malvada, incompreensivelmente gozadora:

— Seu pai? E você acha que seu pai dá a mínima para os tornozelos de Mariano e de Nella embaixo da mesa?

SETE

O tempo passou muito lentamente, fiquei olhando o relógio o tempo todo. Ida se divertia com Giuliana, Tonino parecia totalmente à vontade com Angela, senti-me fracassada como um bolo feito com ingredientes errados. O que eu tinha feito. O que aconteceria agora. Corrado voltou com a água para Vittoria, sem pressa, de má vontade. Eu o achava chato, mas, naquele momento, me sentia perdida e tive esperança de que continuasse a me dar um pouco de atenção. Não foi o que ele fez, pelo contrário, nem esperou que minha tia terminasse de beber e desapareceu entre os paroquianos. Vittoria o seguiu com o olhar, já esquecendo que eu estava ali ao lado à espera de esclarecimentos, de conselhos. Será que também havia considerado insignificante aquele fato tão grave que eu lhe contara? Observei-a, estava empenhada em exigir nervosamente de uma senhora gorda com uns cinquenta anos um valor excessivo por um par de óculos de sol, e enquanto isso, nunca perdia de vista Corrado, havia algo no comportamento do rapaz que — a meu ver — ela estava achando mais grave do que minha revelação. Olhe para ele, me disse, é sociável demais, exatamente como o pai. E o chamou de repente: Currà, e como o rapaz não ouvia ou fingia não ouvir, deixou a senhora gorda para quem embrulhava os óculos e, apertando as tesouras que usava para cortar a fita com que amarrava os pacotes, me agarrou com a mão esquerda, arrastando-me com ela pelo pátio.

Corrado conversava com três ou quatro jovens, um deles era comprido, seco, com dentes salientes que davam a impressão de que ele ria mesmo quando não havia motivo para risadas. Minha tia, aparentemente calma, intimou seu afilhado — hoje essa me parece a definição mais adequada para os três jovens — a voltar imediatamente para a barraca. Ele respondeu em tom de brincadeira: dois minutos e já vou, e o garoto com dentes salientes pareceu rir. Então minha tia se dirigiu de repente a esse último e disse que cortaria seu pinto se ele continuasse a rir — falou em dialeto, com a voz tranquila, brandindo as tesouras. Mas o rapaz parecia não querer parar e eu percebi toda a fúria que tomava conta de Vittoria, prestes a explodir. Fiquei preocupada, achava que ela não entendia que os dentes salientes demais impediam o rapaz de manter a boca fechada, não entendia que ele riria até durante um terremoto. De fato, ela gritou de repente:

— Está rindo, Rosà, acha que pode rir?

— Não.

— Sim, você está rindo porque acha que tem a proteção do seu pai, mas está enganado, ninguém protege você de mim. Você deve deixar Corrado em paz, entendeu?

— Entendi.

— Não, você não entendeu, está crente que eu não posso fazer nada, mas olha só.

Apontou a tesoura para ele e, diante dos meus olhos, diante de alguns paroquianos que ficaram curiosos com aquele vozerio repentinamente alto, espetou uma perna do rapaz, tanto que ele deu um pulo para trás e rompeu com o estupor aterrorizado dos olhos a máscara fixa do riso.

Minha tia o acossou, ameaçava espetá-lo novamente.

— Entendeu agora, Rosà — disse —, ou devo continuar? Não estou nem aí que você seja filho do advogado Sargente.

O jovem, que se chamava Rosario e era filho, evidentemente, daquele advogado que eu desconhecia, levantou a mão em sinal de rendição, retrocedeu, caiu fora com os amigos.

Àquela altura, Corrado, indignado, fez menção de segui-los, mas Vittoria se postou na sua frente dizendo:

— Não se mexa porque, se me emputecer, uso essa aqui com você também.

Puxei-a pelo braço.

— Aquele rapaz — falei assustada — não consegue fechar a boca.

— Teve a pachorra de rir da minha cara — respondeu Vittoria, agora arfando —, e da minha cara ninguém ri.

— Estava rindo, mas não de propósito.

— De propósito ou não, estava rindo.

Corrado bufou e disse:

— Esqueça, Giannì, não adianta falar com ela.

Minha tia deu um berro, gritou com o fôlego suspenso:

— Calado, não quero ouvir nem uma palavra.

Estava apertando a tesoura, percebi que tinha dificuldade para se controlar. A capacidade de afeto devia ter se esgotado há tempos, provavelmente com a morte de Enzo, mas sua capacidade de odiar — pareceu-me — não tinha limite. Eu acabara de ver como se comportara com o pobre Rosario Sargente, e poderia ter machucado Corrado também: imagine então o que faria com minha mãe, e, sobretudo, com meu pai, agora que eu havia falado de Mariano. Esse pensamento outra vez me deu vontade de chorar. Fui imprudente, as palavras saíram da minha boca sem querer. Ou talvez não, talvez, em alguma parte de mim, a decisão de contar a Vittoria o que eu vira fora tomada muito antes, quando cedi à pressão das minhas amigas e organizei aquele encontro. Eu não conseguia mais ser inocente, por trás dos pensamentos havia outros pensamentos, a infância tinha terminado. Eu me esforçava, mas a infância fugia, as lágrimas que eu sentia o tempo todo nos olhos eram o oposto de uma prova de inocência. Ainda bem que chegou dom Giacomo, conciliador, e aquilo me impediu de chorar. Pronto, disse a Corrado pondo um braço em volta dos seus ombros, não vamos irritar Vittoria, que hoje não está bem, ajude-a a trazer os doces. Minha tia suspirou de rancor, apoiou a tesoura na borda de uma das bancadas, olhou para a rua ao fim do pátio, talvez para verificar se Rosario e os outros ainda estavam ali, depois disse sombria: não quero ser ajudada, e desapareceu pela porta que dava na igreja.

OITO

Voltou pouco depois com duas grandes bandejas repletas de docinhos de amêndoa com listras azuis e rosa, e uma amêndoa confeitada prateada em cima de cada um. Os paroquianos os disputaram, mas me bastou comer um para ficar enjoada, eu estava com o estômago apertado, o coração queria sair pela boca. Enquanto isso, dom Giacomo trouxe um acordeão, segurava-o com ambos os braços como se fosse um menino branco e vermelho. Achei que soubesse tocá-lo, mas ele o entregou um pouco sem jeito para Vittoria, que o recebeu sem protestar — era o mesmo que eu vira em um canto da sua casa? —, sentou-se emburrada em uma cadeira e tocou de olhos fechados fazendo caretas.

Angela chegou por trás de mim e disse toda alegre: sua tia — está vendo — é muito feia. Naquele momento, era verdade, Vittoria, enquanto tocava, torcia o rosto como um diabo e, embora fosse talentosa e os paroquianos a aplaudissem, criava um espetáculo repugnante. Agitava os ombros, encrespava os lábios, enrugava a testa, esticava tanto o tronco para trás a ponto de fazê-lo parecer maior do que as pernas, que não deveriam ficar escancaradas daquela maneira. Ainda bem que, a certa altura, um homem de cabelos brancos a substituiu e começou a tocar. Minha tia, todavia, não se aquietou, foi até Tonino, agarrou-o pelo braço e o obrigou a dançar, afastando-o de Angela. Parecia alegre, mas talvez fosse apenas o excesso de ferocidade que tinha no corpo e ao qual queria dar vazão com a dança. Ao vê-la, outros também começaram a dançar, velhos e jovens, até dom Giacomo. Eu fechei os olhos para apagar tudo. Senti-me abandonada e, pela primeira vez na vida, em contraste com toda a educação que eu havia recebido, tentei rezar. Deus — falei —, Deus, por favor, se você pode mesmo tudo, faça com que minha tia não diga nada ao meu pai, e apertei os olhos com muita força, como se aquela compressão das pálpebras servisse para concentrar na prece a força necessária para lançá-la até o Senhor no reino dos céus. Depois rezei também para que minha tia parasse de dançar e nos levasse de volta para Costanza no horário, prece que foi por milagre atendida. Surpreendentemente, apesar dos doces, da música, dos cantos, das danças intermináveis, partimos em tempo de deixar para trás a tenebrosa Zona Industrial e chegar pontualmente ao Vomero, em Via Cimarosa, diante do prédio de Angela e Ida.

Costanza também foi pontual, apareceu com uma roupa ainda mais bonita do que a usada pela manhã. Vittoria saiu do carro, entregou Angela e Ida e a elogiou de novo, mais uma vez admirou todas as suas coisas. Admirou o vestido, o penteado, a maquiagem, os brincos, o colar, a pulseira, que tocou, quase acariciou, perguntando para mim: você gosta, Giannì?

Durante todo o tempo, pareceu-me que estivesse fazendo aqueles elogios para zombar dela ainda mais do que de manhã. A sintonia entre nós devia ter chegado a tal ponto que achei ter ouvido dentro da cabeça, com uma energia destrutiva, sua voz pérfida, suas palavras desbocadas: de que adianta, sua babaca, enfeitar-se tanto, seu marido está trepando com a mãe da minha sobrinha Giannina, ah, ah, ah. Por isso, voltei a rezar para o Senhor Deus, especialmente quando Vittoria entrou no carro e partimos outra vez. Rezei ao longo de todo o percurso até San Giacomo dei Capri, uma viagem interminável durante a qual Vittoria não pronunciou uma palavra e eu não ousei pedir novamente: não diga nada ao meu pai, por favor, se você quiser fazer algo por mim, repreenda minha mãe, mas não conte nada ao meu pai. Supliquei também a Deus, embora ele não existisse: Deus, faça com que Vittoria não diga: vou subir com você, preciso falar com seu pai.

Para minha grande surpresa, fui por milagre atendida mais uma vez. Como eram bonitos e resolutivos os milagres: Vittoria me deixou no portão de casa sem fazer menção à minha mãe, a Mariano, ao meu pai. Disse apenas, em dialeto: Giannì, lembre que você é minha sobrinha, que eu e você somos iguais e que, se você chamar, se disser: Vittoria, venha, eu saio correndo, nunca vou deixar você sozinha. Seu rosto, depois daquelas palavras, me pareceu mais sereno, e quis acreditar que, se Angela a visse ali, a acharia bonita exatamente como eu a achava naquele momento. Mas assim que fiquei sozinha, em casa — enquanto, fechada no quarto, eu me olhava no espelho do armário e constatava que nenhum milagre jamais conseguiria apagar o rosto no qual o meu estava se transformando —, cedi e finalmente chorei. Propus-me a não espiar mais meus pais, não ver nunca mais minha tia.

NOVE

Quando me esforço para atribuir fases ao fluxo contínuo de vida que me atravessou até hoje, convenço-me de que me tornei definitivamente outra em uma tarde em que Costanza veio nos visitar com as duas filhas e — vigiada por minha mãe que estava com os olhos inchados e o rosto vermelho havia dias por causa, segundo ela, do vento gélido que soprava do mar e fazia vibrar os vidros das janelas e as grades das varandas — entregou-me com rosto severo, amarelado, sua pulseira de ouro branco.

— Por que está me dando sua pulseira de presente? — perguntei perplexa.

— Não é um presente — disse minha mãe —, ela está devolvendo.

A bonita boca de Costanza tremeu por um longo segundo antes que ela conseguisse dizer:

— Achei que fosse minha, mas é sua.

Não entendi, não quis entender. Preferi agradecer e tentar colocá-la no braço, mas não consegui. Em silêncio absoluto, Costanza me ajudou com dedos trêmulos.

— Como ficou? — perguntei para minha mãe fingindo frivolidade.

— Bem — disse ela sem sorrir e saiu do cômodo, seguida por Costanza que, a partir daquele momento, nunca mais voltou à nossa casa.

Mariano também desapareceu de Via San Giacomo dei Capri e, por conseguinte, os encontros com Angela e Ida se tornaram menos frequentes. No início, telefonávamos, nenhuma de nós três entendia o que estava acontecendo. Dois dias antes da visita de Costanza, Angela me disse que meu pai e o seu, no apartamento de Via Cimarosa, haviam brigado. A discussão, a princípio, parecera muito semelhante às que costumavam ter sobre os temas de sempre, política, marxismo, fim da história, economia, Estado, mas depois havia se tornado surpreendentemente violenta. Mariano gritou: saia imediatamente da minha casa, não quero ver você nunca mais; e meu pai, dissolvendo repentinamente sua imagem de amigo paciente, começou a berrar, por sua vez, palavrões horríveis em dialeto. Angela e Ida se assustaram, mas ninguém lhes deu atenção, nem mesmo Costanza que, a certa altura, não aguentando mais ouvir os gritos, disse que ia sair para tomar um pouco de ar. Então Mariano, por sua vez, gritou em dialeto: sim, vá embora, vagabunda, e não volte mais, e Costanza bateu a porta com tal força que ela voltou a abrir, Mariano teve de fechá-la com um chute e meu pai a reabriu para correr atrás de Costanza.

Nos dias seguintes, não fizemos outra coisa a não ser falar ao telefone daquela briga. Nem Angela nem Ida nem eu conseguíamos entender por que o marxismo e as outras coisas que nossos pais discutiam com paixão desde antes do nosso nascimento de repente tinham causado tantos problemas. Na verdade, por motivos diferentes, tanto eu quanto elas entendíamos aquela cena muito mais do que admitíamos umas para as outras. Intuíamos, por exemplo, que, mais do que o marxismo, a discussão tinha a ver com sexo, mas não o sexo que nos causava curiosidade e nos divertia em todas as ocasiões; sentíamos que, de forma totalmente inesperada, estava entrando em nossas vidas um sexo não atraente, pelo contrário, que até mesmo nos enojava, porque percebíamos de maneira confusa que não dizia respeito aos nossos corpos, aos corpos da nossa faixa etária ou aos corpos de atores e cantores, mas aos corpos dos nossos pais. O sexo — imaginávamos — os envolvera de maneira viscosa, repugnante, totalmente diferente da que eles mesmos haviam propagandeado ao nos ensinar a respeito. As palavras que Mariano e meu pai gritaram um para o outro davam, segundo Ida, a ideia de escarradas febris, de filamentos de muco que lambuzavam tudo, especialmente nossos desejos mais secretos. Foi por isso, talvez, que minhas amigas — muito propensas a falar de Tonino, de Corrado e de como haviam gostado daqueles dois rapazes — se entristeceram e começaram a desconversar sobre aquele tipo de sexo. Quanto a mim, bem, eu sabia bem mais do que Angela e Ida sobre as confusões secretas das nossas famílias, portanto, o esforço para evitar entender o que estava acontecendo com meu pai, minha mãe, Mariano e Costanza foi muito maior e me esgotou. De fato, fui eu a primeira a me retrair angustiada e a abrir mão até das confidências telefônicas. Talvez eu sentisse mais do que Angela, mais do que Ida, que uma só palavra errada teria aberto um caminho perigoso até a realidade dos fatos.

Naquela fase, a mentira e a prece entraram estavelmente na minha vida cotidiana e de novo me ajudaram muito. As mentiras, em sua maioria, contei a mim mesma. Eu estava infeliz e fingia até demais estar alegre na escola e em casa. Via minha mãe de manhã com um rosto que parecia prestes a perder os traços, a face avermelhada em torno do nariz, deformada pelo desconforto, e dizia em um tom de alegre constatação: como você está bem hoje. A meu pai — que, do nada, havia parado de estudar assim que abria os olhos e que eu encontrava já pronto para sair de manhã cedo ou, com os olhos apagados, muito pálido, à noite —, eu apresentava o tempo todo exercícios a serem feitos para a escola, embora não fossem complicados, como se não estivesse evidente que ele estava com a cabeça em outro lugar e sem nenhuma vontade de me ajudar.

Ao mesmo tempo, embora continuasse a não acreditar em Deus, eu me dedicava às preces como se acreditasse. Deus — suplicava —, faça com que meu pai e Mariano tenham mesmo brigado por causa do marxismo e do fim da história, faça com que nada disso tenha acontecido porque Vittoria telefonou ao meu pai e contou o que eu lhe revelei. Em um primeiro momento, parecia que o Senhor estava me escutando mais uma vez. Pelo que eu sabia, havia sido Mariano a atacar meu pai, e não o contrário, como teria decerto acontecido se Vittoria tivesse usado minha delação para, por sua vez, agir como dedo-duro. Mas logo entendi que alguma coisa não se encaixava. Por que meu pai xingou Mariano em um dialeto que nunca usava? Por que Costanza havia saído de casa batendo a porta? Por que meu pai, e não o marido, saíra correndo atrás dela?

Eu vivia, por trás das minhas mentiras desenvoltas, por trás das minhas preces, apreensiva. Vittoria devia ter contado tudo a meu pai e ele correra até a casa de Mariano para brigar. Costanza, graças a essa briga, descobrira que o marido prendia os tornozelos da minha mãe entre os seus embaixo da mesa e, por sua vez, fizera um escândalo. É o que devia ter acontecido. Mas por que Mariano gritara com a mulher enquanto ela, desolada, deixava o apartamento de Via Cimarosa: sim, vá embora, vagabunda, não volte nunca mais? E por que meu pai saiu correndo atrás dela?

Eu sentia que havia algo fora da minha compreensão, algo do qual eu me aproximava às vezes para captar o sentido, mas, depois, assim que o sentido tentava aflorar, eu me retraía. Por isso, eu voltava o tempo todo para os fatos mais obscuros: a visita de Costanza, por exemplo, após a briga; o rosto da minha mãe, muito abatido, e seus olhos violáceos que lançavam olhares repentinamente imperativos a uma velha amiga que tinha a tendência de dominá-la; o aspecto penitencial de Costanza e o gesto contrito com o qual parecia querer me dar um presente quando, na verdade — minha mãe havia especificado —, não se tratava de um presente, mas de uma restituição; os dedos trêmulos com os quais a mãe de Angela e Ida me ajudara a pôr a pulseira de ouro branco de que tanto gostava; a própria pulseira, que comecei a usar dia e noite. Ah, daqueles fatos que aconteceram no meu quarto, daquele clima denso de olhares gestos palavras em torno de uma joia que, sem explicações, me fora entregue como sendo minha, eu sabia mais do que conseguia dizer a mim mesma. Por isso, eu rezava, especialmente à noite, quando acordava assustada com aquilo que eu temia estar prestes a acontecer. Deus, eu sussurrava, Deus, sei que a culpa é minha, eu não deveria ter exigido me encontrar com Vittoria, não deveria ter contrariado a vontade dos meus pais, mas já aconteceu, volte a pôr tudo em ordem, por favor. Eu esperava que Deus realmente o fizesse, ou tudo desmoronaria. San Giacomo dei Capri desabaria sobre o Vomero, e o Vomero, sobre a cidade inteira, e a cidade inteira se afogaria no mar.

No escuro, eu morria de angústia. Sentia tamanha pressão no estômago que levantava no meio da noite para vomitar. Fazia barulho de propósito, carregava no peito, na cabeça, sentimentos cortantes que me feriam profundamente, torcia para que meus pais aparecessem e me ajudassem. Mas não acontecia. No entanto, estavam acordados, havia um feixe de luz que arranhava a escuridão bem na altura do quarto deles. Eu deduzia que não tinham mais vontade de cuidar de mim, por isso nunca interrompiam, por motivo algum, seu zumbido noturno. No máximo, picos repentinos rompiam a monotonia, uma sílaba, meia palavra que minha mãe pronunciava como a ponta de uma faca sobre vidro, e meu pai, como um trovão distante. De manhã, eu os via acabados. Tomávamos o café da manhã em silêncio, com os olhos baixos, eu não aguentava mais. Rezava: Deus, chega, faça com que alguma coisa aconteça, uma coisa qualquer, boa ou ruim, não importa, faça-me morrer, por exemplo, isso deve abalá-los, reconciliá-los, e depois faça-me ressurgir em uma família novamente feliz.

Um domingo, no almoço, uma energia interna de grande violência mexeu de repente minha cabeça e minha língua. Eu disse em tom alegre, mostrando a pulseira:

— Papai, este tinha sido um presente da tia Vittoria, não é?

Minha mãe tomou um gole de vinho, meu pai não ergueu o olhar do prato e disse:

— De certa maneira, sim.

— E por que você o deu a Costanza?

Então ele levantou os olhos, me encarou com olhar gélido, sem dizer nada.

— Responda — ordenou minha mãe, mas ele não obedeceu. Então ela quase gritou:

— Seu pai tem outra mulher há quinze anos.

Placas vermelhas queimavam seu rosto, seus olhos estavam desesperados. Intuí que devia parecer uma revelação terrível, ela já estava arrependida de tê-la feito. Mas eu não me surpreendi nem me pareceu uma grande culpa, pelo contrário, tive a impressão de que sempre soubera e, por um instante, tive a certeza de que tudo podia voltar a se acertar. Se aquela situação já durava quinze anos, podia durar para sempre, bastava que nós três disséssemos está tudo bem assim e a paz voltaria, minha mãe no seu quarto, meu pai no seu escritório, as reuniões, os livros. Por isso, como que para ajudá-los a seguir rumo àquela conciliação, disse a minha mãe:

— Mas você também tem outro marido.

Minha mãe ficou pálida, murmurou:

— Eu não, posso garantir, não é verdade.

Negou com tal desespero que, por reflexo, talvez porque todo aquele sofrimento me magoava demais, repeti em falsete: posso garantir, posso garantir, e ri. A risada escapou sem querer, vi a indignação nos olhos do meu pai e fiquei com medo, me envergonhei. Eu deveria ter explicado: não foi uma risada de verdade, papai, mas uma contração que eu não soube evitar, acontece, vi a mesma risada recentemente no rosto de um rapaz que se chama Rosario Sargente. Mas, enquanto isso, a risada não queria se apagar, transformou-se em um sorrisinho gelado que eu sentia em meu rosto e não conseguia desligar.

Meu pai se levantou lentamente, fez menção de deixar a mesa.

— Aonde você vai? — alarmou-se minha mãe.

— Dormir — disse ele.

Eram duas da tarde: geralmente, àquela hora, especialmente aos domingos ou quando tinha folga da escola, ele se fechava para estudar e prosseguia até a hora do jantar. Em vez disso, bocejou ruidosamente para nos dar a entender que estava mesmo com sono. Minha mãe disse:

— Vou dormir também.

Ele balançou a cabeça e nós duas lemos em seu rosto que o costumeiro ato de se deitar ao lado dela na mesma cama tornara-se impossível para ele. Antes de sair da cozinha, disse dirigindo-se a mim, com um tom de rendição que para ele era bastante raro:

— Não há nada que possa ser feito, Giovanna, você é igualzinha à minha irmã.

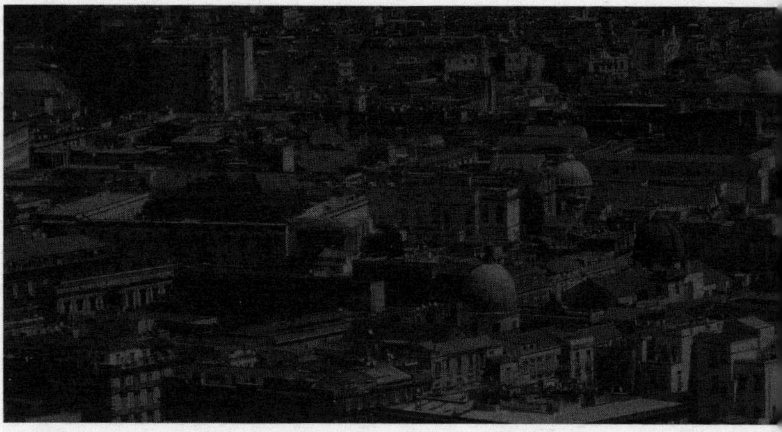

PARTE QUATRO

PARTE QUATRO

UM

Meus pais demoraram quase dois anos para tomar a decisão de se separar, embora vivessem de fato sob o mesmo teto apenas por breves períodos. Meu pai desaparecia por semanas sem avisar com antecedência, deixando-me com o medo de que tivesse tirado a própria vida em algum lugar escuro e sujo de Nápoles. Só depois descobri que ia se hospedar alegremente em uma bela casa em Posillipo que os pais de Costanza deram à filha, àquela altura já em briga permanente com Mariano. Quando reaparecia, era afetuoso, cortês, parecia querer voltar para minha mãe e para mim. Mas, após alguns dias de reconciliação, meus pais voltavam a brigar por causa de tudo, exceto uma coisa sobre a qual sempre concordaram: para o meu bem, eu não devia mais ver Vittoria.

Não fiz objeções, tinha a mesma opinião. E minha tia, por sua vez, a partir do momento em que a crise explodira, não apareceu nem deu mais notícias. Eu intuía que ela esperava que eu a procurasse: ela, a empregada, achava que eu estaria sempre a seu serviço. Mas eu prometera a mim mesma que não a satisfaria mais. Estava esgotada, ela havia descarregado toda a sua pessoa em cima de mim, seus ódios, sua necessidade de vingança, sua linguagem, e eu torcia para que, da mistura de medo e fascinação que eu havia sentido em relação a ela, pelo menos a fascinação estivesse desvanecendo.

Todavia, uma tarde, Vittoria voltou a me tentar. O telefone tocou, atendi e a ouvi dizer do outro lado da linha: alô, a Giannina está, quero falar com a Giannina. Desliguei prendendo a respiração. Mas ela voltou a telefonar outras vezes, todos os dias sempre na mesma hora, nunca aos domingos. Forcei-me a não atender. Deixava o telefone tocar e, se minha mãe estava em casa e se dirigia para o telefone, eu gritava: não estou para ninguém, imitando o tom imperativo com o qual ela gritava para mim do seu quarto a mesma expressão.

Naquelas ocasiões, eu ficava com a respiração suspensa, rezava com os olhos entreabertos para que não fosse Vittoria. E, ainda bem, não aconteceu, ou pelo menos, se aconteceu, minha mãe não me disse. O que ocorreu, por outro lado, foi que os telefonemas foram rareando e eu achei que ela havia se rendido, voltei a atender o telefone sem ansiedade. Mas, de surpresa, Vittoria ressurgiu, gritava do outro lado da linha: alô, é a Giannina, quero falar com a Giannina. Mas eu não queria mais ser a Giannina e desligava sempre. É claro, às vezes sua voz agitada me parecia sofrida, eu sentia pena e tinha curiosidade de revê-la, de questioná-la, de provocá-la. Em certos momentos, quando eu estava especialmente desanimada, fiquei tentada a gritar: sim, sou eu, me explique o que aconteceu, o que você fez com meu pai e minha mãe. Mas me calei sempre, interrompendo a comunicação, e me acostumei a não mencioná-la nem para mim mesma.

A partir de dado momento, também decidi me separar da sua pulseira. Parei de usá-la, fechei-a na gaveta da minha mesa de cabeceira. Mas toda vez que eu me lembrava, sentia dor no estômago, ficava banhada de suor, tinha pensamentos que não queriam mais ir embora. Como era possível que meu pai e Costanza tivessem se amado por tanto tempo — desde antes do meu nascimento — sem que nem minha mãe nem Mariano tivessem percebido? E como meu pai se apaixonara pela mulher do melhor amigo não como vítima de um arrebatamento passageiro, mas — eu dizia a mim mesma — de maneira ponderada, tanto que seu amor ainda durava? E Costanza, tão fina, tão bem-educada, tão carinhosa, que frequentava nossa casa desde que eu me entendia por gente, como ela pôde ficar com o marido da minha mãe durante quinze anos debaixo do seu nariz? E por que Mariano, que conhecia minha mãe desde sempre, só nos últimos tempos havia prendido embaixo da mesa o tornozelo dela entre os seus, e ainda por cima — como estava claro àquela altura, minha mãe não fazia outra coisa a não ser jurar para mim — sem seu consentimento? O que se passava, afinal, no mundo dos adultos, na cabeça de pessoas extremamente racionais, em seus corpos carregados de saber? O que os reduzia a animais dentre os menos confiáveis, piores do que os répteis?

O mal-estar era tão forte que, para estas perguntas e outras, nunca procurei respostas verdadeiras. Eu as rechaçava assim que afloravam e, ainda hoje, tenho dificuldade em voltar a essas questões. O problema, comecei a suspeitar, era a pulseira. Estava evidentemente impregnada dos humores daquela história e, embora eu ficasse atenta para não abrir a gaveta onde a mantinha trancada, ela se impunha de qualquer maneira, como se o cintilar das suas pedras, do seu metal, espalhasse tormentos. Como era possível que meu pai, que parecia me amar desmedidamente, tivesse me privado do presente da minha tia para dá-lo a Costanza? Se a pulseira pertencia originalmente a Vittoria, e, portanto, era um sinal do seu gosto, da sua ideia de beleza e de elegância, como agradara tanto a Costanza a ponto de que ela a mantivesse e usasse por treze anos? Meu pai mesmo — eu pensava —, tão inimigo da irmã, tão distante dela em tudo, por que se convenceu de que uma joia que pertencia a ela, um ornamento destinado a mim, pudesse ser adequado não para minha mãe, por exemplo, mas para aquela sua segunda mulher elegantérrima, descendente de ourives, abastada ao ponto de não ter necessidade alguma de joias? Vittoria e Costanza eram mulheres muito diferentes, tudo nelas divergia. A primeira não tinha instrução, a segunda era cultíssima; a primeira era vulgar, a segunda era fina; a primeira era pobre, a segunda era rica. No entanto, a pulseira empurrava uma para dentro da outra na minha cabeça, confundindo-as e confundindo-me.

Hoje acho que foi graças àqueles devaneios obsessivos que consegui lentamente distanciar as dores dos meus pais, chegando até a me convencer de que as acusações, as súplicas e o desprezo deles me deixavam de todo indiferente. Mas foram necessários meses. De início, debati-me como se estivesse me afogando e procurasse, aterrorizada, algo em que me agarrar. Às vezes, especialmente à noite, quando acordava cheia de angústia, eu pensava que meu pai, embora fosse um inimigo declarado de toda forma de magia, havia temido que aquele objeto, devido à sua proveniência, pudesse magicamente me machucar e, então, o afastara de casa para o meu bem. Essa ideia me acalmava, tinha o mérito de me devolver um pai afetuoso que, desde os primeiros meses da minha vida, tentara afastar de mim a maldade da tia Vittoria, a vontade que aquela tia-bruxa tinha de me possuir e me tornar igual a ela. Mas isso durava pouco, cedo ou tarde eu acabava perguntando a mim mesma: mas, se ele amava Costanza a ponto de trair minha mãe, a ponto de se separar dela e de mim, por que deu a ela a pulseira maléfica? Talvez — eu fantasiava quase dormindo — porque ele gostasse muito da joia e isso o impedisse de jogá-la no mar. Ou porque, enfeitiçado ele mesmo pelo objeto, antes de se livrar da pulseira, quis vê-la pelo menos uma vez no pulso de Costanza e esse desejo foi sua perdição. Costanza pareceu ainda mais bonita do que já era, e a pulseira encantada o acorrentou a ela para sempre, impedindo que continuasse a amar somente minha mãe. Em suma, para me proteger, meu pai acabou sofrendo ele mesmo a magia malvada da irmã (eu muitas vezes imaginava que Vittoria havia previsto minuciosamente aquele passo em falso do irmão), o que arruinara toda a família.

Essa volta às fábulas da infância, justamente enquanto eu sentia tê-la definitivamente deixado para trás, teve por algum tempo o mérito de reduzir ao mínimo não apenas as responsabilidades do meu pai, mas também as minhas. Se, de fato, a origem de todos os males estava nas artes mágicas de Vittoria, o drama atual tivera início logo após meu nascimento e, portanto, *eu* não tinha culpa, a força obscura que havia me levado a procurar e a encontrar minha tia estava em ação havia tempo, *eu* não tinha nada a ver com aquilo, *eu*, como as crianças de Jesus, era inocente. Mas esse quadro também desbotava cedo ou tarde. Malefício ou não, o dado de fato era que, treze anos antes, meu pai havia considerado bonito o objeto com o qual a irmã me presenteara e tal beleza fora ratificada por uma mulher fina como Costanza. Isso, por consequência, fazia voltar ao centro da questão — mesmo no mundo fabuloso que eu construía — uma proximidade incongruente entre vulgaridade e fineza, e aquela ulterior ausência de limites nítidos em um momento em que eu perdia todas as antigas orientações me deixava ainda mais perdida. Minha tia se transformava de trivial em mulher de bom gosto. Meu pai e Costanza, de pessoas de bom gosto, se transformavam — como de resto demonstravam as afrontas que haviam feito à minha mãe e até ao odioso Mariano — em triviais. Então, às vezes, antes de pegar no sono, eu imaginava um túnel subterrâneo que estabelecia uma comunicação entre meu pai, Costanza, Vittoria, mesmo contra a vontade deles. Por mais que se considerassem diferentes, para mim pareciam cada vez mais farinha do mesmo saco. Meu pai, na minha imaginação, agarrava as nádegas de Costanza e a puxava para si da mesma forma como Enzo fizera no passado com minha tia e, certamente, também com Margherita. Assim ele causava dor a minha mãe, que chorava como nas fábulas, enchendo frascos e mais frascos de lágrimas até perder a razão. E eu, que permanecia morando com ela, teria uma vida opaca, sem a diversão que ele sabia me proporcionar, sem a sua inteligência sobre as coisas do mundo, capacidades que seriam aproveitadas por Costanza, Ida, Angela.

O clima era esse quando, uma vez, ao chegar da escola, descobri que a pulseira era dolorosamente significativa não somente para mim. Abri a porta de casa com as chaves, encontrei minha mãe no meu quarto, em pé diante da mesa de cabeceira, absorta. Havia tirado a joia da gaveta e a segurava entre os dedos, fitando-a como se fosse o colar de Harmonia, como se quisesse atravessar sua superfície para chegar até suas prerrogativas de objeto maléfico. Percebi naquela ocasião que seus ombros estavam muito curvados, ela se tornara seca e corcunda.

— Você não vai usar mais? — perguntou ao perceber minha presença, mas sem se virar.

— Não me agrada.

— Você sabe que não era da tia Vittoria, mas da sua avó?

— Quem disse?

Ela me contou que havia telefonado pessoalmente para Vittoria e que soube por ela que a mãe lhe deixara a pulseira pouco antes de morrer. Eu a olhei perplexa, achei que não devíamos falar nunca mais com Vittoria porque ela era pouco confiável e perigosa, mas, evidentemente, a proibição dizia respeito só a mim.

— É verdade? — perguntei mostrando-me cética.

— Sei lá, tudo o que vem da família do seu pai, inclusive ele mesmo, é quase sempre falso.

— Você falou com ele?

— Falei.

Justamente para esclarecer aquela questão, ela havia atormentado meu pai — é verdade que a pulseira era da sua mãe, é verdade que ela a deixou para sua irmã? — e ele começara a gaguejar dizendo que gostava muito daquela joia, que se lembrava dela no braço da mãe e que, portanto, quando soube que Vittoria queria vendê-la, deu-lhe o dinheiro em troca.

— Quando vovó morreu? — perguntei.

— Antes de você nascer.

— Então, tia Vittoria disse uma mentira, ela não me deu a pulseira de presente.

— É o que seu pai diz.

Percebi que minha mãe não acreditava nele e, como eu, mesmo que de má vontade, havia acreditado, e ainda acreditava, em Vittoria, também não acreditei no meu pai. Mas, contra minha própria vontade, eis que a pulseira já estava enveredando por uma nova história, cheia de consequências. Na minha cabeça, o objeto se tornou em poucos segundos parte essencial das brigas entre os dois irmãos, mais um fragmento de seus ódios. Imaginei minha avó deitada, arquejando, os olhos esbugalhados, a boca escancarada, e meu pai e Vittoria, à margem da agonia, brigando por aquele objeto. Ele a arrancava da irmã e a levava consigo entre insultos e palavrões, lançando cédulas no ar. Perguntei:

— Você acha que, pelo menos no início, papai pegou a pulseira de Vittoria para dá-la de presente para mim quando eu crescesse?

— Não.

Aquele monossílabo tão claro me machucou.

— Mas também não a pegou para dar a você — falei.

Minha mãe assentiu, pôs a pulseira de volta na gaveta e, como se estivesse prestes a perder as forças, deitou-se na minha cama soluçando. Fiquei desconfortável, ela, que nunca chorava, havia meses chorava por qualquer coisa, mas eu também queria chorar e me segurava, então por que ela não fazia o mesmo? Acariciei um dos seus ombros, beijei-a entre os cabelos. Àquela altura, sabíamos perfeitamente que, a despeito de como ele havia se apoderado daquela joia, o objetivo do meu pai era colocá-lo em torno do pulso delgado de Costanza. A pulseira, de qualquer ponto de vista que fosse examinada, em qualquer tipo de história que fosse inserida — uma fábula, uma história interessante ou banal — evidenciava apenas que nosso corpo, agitado pela vida que se contorce dentro e o consome, faz coisas idiotas que não deveria. E, embora conseguisse aceitar isso de modo geral — em relação a Mariano, por exemplo, e até em relação a minha mãe e a mim mesma —, eu nunca teria imaginado que a idiotice pudesse também estragar pessoas superiores como Costanza, como meu pai. Remoí por muito tempo aquela história toda, fantasiei a respeito na escola, na rua, no almoço, no jantar, à noite. Procurava significados para contornar aquela impressão de pouca inteligência em pessoas que tinham tanta.

DOIS

Naqueles dois anos, aconteceram muitas coisas relevantes. Quando meu pai, após ter repetido que eu era exatamente como sua irmã, desapareceu de casa pela primeira vez, pensei que o motivo fosse o asco que eu lhe causava. Magoada, ressentida, decidi que não estudaria mais. Não abri os livros, parei de fazer os deveres e o inverno passou enquanto eu procurava me tornar cada vez mais alheia a mim mesma. Eliminei alguns hábitos que ele me impusera: ler o jornal, assistir ao noticiário. Passei do branco ou cor-de-rosa para o preto, olhos pretos, lábios pretos, assim como todas as peças de roupa. Fui displicente, surda para as reclamações dos professores, indiferente em relação aos choramingos da minha mãe. Em vez de estudar, devorei romances, assisti a filmes na TV, deixei a música me ensurdecer. Vivi, sobretudo, em silêncio, poucas palavras e ponto final. Normalmente eu já não tinha amigos, fora o hábito de longa data com Angela e Ida. Mas, a partir do momento em que elas também foram engolidas pela tragédia das nossas famílias, fiquei totalmente só com minha voz que girava, inútil, na cabeça. Eu ria sozinha, fazia caretas, passava muito tempo na arquibancada atrás da minha escola ou na Floridiana, nas trilhas ladeadas por árvores e sebes que eu percorrera um dia com minha mãe, com Costanza, com Angela, com

Ida ainda no carrinho de bebê. Eu gostava de cair, estonteada, no tempo feliz de antigamente como se já estivesse velha, fitando sem ver o muro baixo, os jardins da Villa Santarella ou sentando-me, na Floridiana, em um banco de frente para o mar e para toda a cidade.

Angela e Ida reapareceram tarde e só por telefone. Quem ligou foi Angela com muita alegria, disse que queria me mostrar logo a nova casa de Posillipo.

— Quando você vem? — perguntou.

— Não sei.

— Seu pai disse que você vai ficar com a gente frequentemente.

— Preciso fazer companhia à minha mãe.

— Está com raiva de mim?

— Não.

Tendo se certificado de que eu ainda gostava dela, Angela mudou de tom, tornou-se mais ansiosa e me revelou alguns segredos seus, embora devesse ter entendido que eu não estava a fim de escutá-los. Disse que meu pai se tornaria uma espécie de pai delas porque, depois do divórcio, se casaria com Costanza. Disse que Mariano, além de não querer mais ver Costanza, também não queria ver as duas meninas, e isso porque — gritara uma noite e ela e Ida ouviram — não tinha dúvida de que o pai verdadeiro delas era o meu. Revelou-me, por fim, que tinha um namorado, mas que eu não devia contar a ninguém: seu namorado era Tonino, ele havia telefonado com frequência, viram-se em Posillipo, fizeram vários passeios até Mergellina e, havia menos de uma semana, tinham se declarado um para o outro.

Embora o telefonema tenha sido longo, eu fiquei calada quase o tempo todo. Não me pronunciei nem mesmo quando ela me sussurrou ironicamente que, como talvez fôssemos irmãs, eu me tornaria a cunhada de Tonino. Só quando Ida, que devia estar ali do lado, gritou desolada para mim: não é verdade que somos irmãs, seu pai é simpático, mas quero o meu, eu disse baixinho: concordo com Ida, e mesmo que a mãe de vocês se case com o meu pai, vocês continuarão a ser as filhas de Mariano, e eu, de Andrea. No entanto, guardei dentro de mim o incômodo que senti ao saber que Angela estava namorando Tonino. Apenas murmurei:

— Eu estava brincando quando disse que ele gostava de mim, Tonino nunca gostou de mim.

— Eu sei, perguntei para ele antes de aceitar o namoro e ele jurou que nunca teve simpatia por você. Gostou de mim desde o primeiro momento em que me viu, só pensa em mim.

Depois, como se o mal-estar que fazia pressão por trás da conversa tivesse rompido a barragem, ela caiu em prantos, pediu desculpa e desligou.

Todos nós chorávamos tanto, eu não suportava mais as lágrimas. Em junho, minha mãe foi ver como eu tinha me saído na escola e descobriu que eu havia sido reprovada. É claro que ela sabia que eu estava indo muito mal, mas a reprovação lhe pareceu excessiva. Quis falar com os professores, quis falar com a diretora, me arrastou consigo como se eu fosse a prova de que uma injustiça havia sido cometida. Foi um calvário para nós duas. Os professores mal se lembravam de mim, mas mostraram suas pautas cheias de notas ruins, provaram para minha mãe que eu tinha faltas excessivas. Ela ficou sem graça, em especial por causa das faltas. Murmurou: aonde você foi, o que você fez. Eu disse: eu estava na Floridiana. A menina, interveio a certa altura o professor de gramática, evidentemente não leva jeito para os estudos clássicos. E dirigiu-se a mim com gentileza: não é verdade? Não respondi, mas senti vontade de gritar que, agora que eu havia crescido, agora que eu não era mais um fantoche, sentia que não levava jeito para nada: eu não era inteligente, não era capaz de ter bons sentimentos, não era bonita, não era nem mesmo simpática. Minha mãe — maquiagem demais nos olhos, blush demais nas bochechas, a pele do rosto esticada como uma vela — respondeu por mim: leva jeito, leva muito jeito, só que este ano se perdeu um pouco.

Já na rua, começou a ficar com raiva do meu pai: culpa dele, foi embora, era ele que devia supervisionar, era ele que devia ajudar e encorajar você. Continuou a reclamar em casa e, como não sabia como achar o marido culpado, no dia seguinte foi procurá-lo na escola. Não sei como foi a conversa que tiveram, mas, à noite, minha mãe disse:

— Não vamos contar para ninguém.

— O quê?

— Que você foi reprovada.

Eu me senti ainda mais humilhada. Descobri que, ao contrário, queria que todos soubessem, aquela reprovação, no fim das contas, era meu único sinal de distinção. Eu esperava que minha mãe contasse aos seus colegas na escola, às pessoas para as quais ela corrigia provas de livros e escrevia, e que meu pai — especialmente meu pai — comunicasse a notícia às pessoas que o estimavam e amavam: Giovanna não é como eu e a mãe, não aprende, não se empenha, é feia por dentro e por fora como a tia, talvez vá viver com ela, que mora lá para os lados de Macello, na Zona Industrial.

— Por quê? — perguntei.

— Porque não adianta fazer disso uma tragédia, trata-se apenas de um pequeno insucesso. Você vai repetir o ano, estudar e se tornar a melhor da turma. Está combinado?

— Está — respondi de má vontade, e fiz menção de ir para o meu quarto, mas ela me deteve.

— Espere, lembre-se de não contar nem mesmo para Angela e Ida.

— Elas passaram de ano?

— Passaram.

— Foi papai que pediu para que eu não contasse nem mesmo para elas?

Ela não me respondeu, inclinou-se sobre o trabalho, pareceu-me ainda mais magra. Entendi que eles se envergonhavam do meu fracasso, talvez fosse o único sentimento que ainda tinham em comum.

TRÊS

Não houve férias naquele verão, minha mãe não as tirou, do meu pai, não sei, só o vimos outra vez no ano seguinte, com o inverno já em curso, quando ela o convocou para pedir que legalizasse a separação dos dois. Mas eu não sofri, passei o verão inteiro fingindo não perceber que minha mãe estava desesperada. Fiquei indiferente até mesmo quando ela e meu pai começaram a discutir a partilha dos bens e brigaram com fúria quando ele começou a dizer: Nella, preciso urgentemente das anotações que estão na primeira gaveta da escrivaninha, e minha mãe gritou que impediria sempre, de todas as maneiras, que ele tirasse da casa um livro, um caderno que fosse, ou até mesmo a caneta que ele costumava usar e a máquina de escrever. No entanto, fiquei magoada, me senti humilhada por aquela ordem: não conte para ninguém que você foi reprovada. Pela primeira vez, me pareceram mesquinhos, exatamente como Vittoria os havia pintado e, por isso, evitei de todas as maneiras ter contato com Angela e Ida: temia que me perguntassem dos resultados da escola ou, sei lá, de como eu estava me saindo na quinta série do ensino fundamental quando, na verdade, estava repetindo a quarta. Eu gostava cada vez mais de mentir, àquela altura, eu sentia que rezar e contar mentiras me reconfortavam da mesma maneira. Mas ter de recorrer a uma bravata para evitar que meus pais fossem desmentidos e para que não ficasse evidente que eu não havia herdado as capacidades deles era algo que me feria, me deprimia.

Uma vez, quando Ida ligou, mandei minha mãe dizer que eu não estava, embora naquela fase de muitas leituras e muitíssimos filmes eu teria sentido mais prazer em conversar com ela do que com Angela. Mas preferia o isolamento absoluto. Se fosse possível, eu não dirigiria mais a palavra nem sequer à minha mãe. Na escola, passei a me vestir e a me maquiar como uma mulher dissoluta entre garotinhos certinhos, e mantinha todos afastados, até os professores, que toleravam meu comportamento antissocial só porque minha mãe encontrara um modo de dizer que ela também lecionava. Em casa, quando ela não estava, eu ouvia música a todo volume e, às vezes, dançava furiosamente. Com frequência os vizinhos iam reclamar, tocavam a campainha, mas eu não atendia.

Uma tarde em que eu estava sozinha, desenfreada, a campainha tocou, espiei pelo olho-mágico certa de que era alguém com raiva e vi que quem estava no corredor do prédio era Corrado. Decidi não abrir nem mesmo para ele, mas percebi que ele devia ter ouvido meus passos no corredor. Estava olhando fixamente para o olho-mágico com seu atrevimento de sempre, talvez percebesse até minha respiração do outro lado da porta e, de fato, sua expressão séria mudou para um sorriso largo e tranquilizador. Lembrei-me da foto do seu pai que eu havia visto no cemitério, na qual o amante de Vittoria ria com satisfação, e pensei que não deveriam pôr nos cemitérios fotos de mortos rindo, ainda bem que o sorriso de Corrado era o de um rapaz vivo. Deixei-o entrar, sobretudo, porque meus pais sempre me advertiram para não abrir a porta para ninguém na ausência deles, e não me arrependi. Ele ficou uma hora e, pela primeira vez desde o início daquela longa crise, fui tomada por uma alegria da qual não acreditava mais ser capaz.

Quando conheci os filhos de Margherita, apreciei os modos controlados de Tonino, as reações animadas da linda Giuliana, mas fiquei incomodada pela conversa um pouco pérfida de Corrado, seu jeito de ridicularizar qualquer pessoa, até mesmo tia Vittoria, com piadinhas sem graça. Naquela tarde, porém, qualquer coisa que saía da sua boca — em geral de uma tolice incontestável — fazia com que eu me dobrasse de tanto rir com lágrimas nos olhos. Foi algo novo que depois se tornou uma característica minha: começo com uma risada saída do nada e depois não consigo parar, a risada se transforma em gargalhada. O auge, naquela tarde, foi a palavra *abestalhado*. Eu nunca a ouvira e, quando ele a pronunciou, achei engraçado e comecei a rir. Corrado percebeu e começou a falar no seu dialeto italianizado, usando-a o tempo todo — aquele abestalhado, aquela abestalhada — para degradar ora seu irmão Tonino ora sua irmã Giuliana, sentindo-se satisfeito e encorajado pelas minhas risadas. Tonino, na opinião dele, era um abestalhado porque estava namorando com minha amiga Angela, que era ainda mais abestalhada. Ele perguntava ao irmão: você a beijou? Algumas vezes. E põe as mãos no peito dela? Não, porque a respeito. Respeita? Mas então você é um abestalhado, só um abestalhado começa a namorar e depois respeita a namorada, para que diabos você começou a namorar se a respeita? Você vai ver que Angela, se não for ainda mais abestalhada do que você, vai dizer: Tonì, por favor, não me respeite mais ou largo você. Ah, ah, ah.

Quanto me diverti naquela tarde. Gostei da desenvoltura com que Corrado falava de sexo, gostei de como ridicularizava o namoro do irmão com Angela. Ele parecia ter muito conhecimento, por experiência própria, do que os namorados fazem e, de vez em quando, deixava escapar o nome em dialeto de algumas práticas sexuais e, também em dialeto, me explicava do que se tratava. Eu, mesmo não entendendo bem por causa daquele vocabulário que não dominava, dava risadinhas prudentes, contraídas, para depois rir de verdade somente quando ele, de uma maneira ou de outra, voltava a dizer *abestalhado*.

Ele era incapaz de distinguir entre o que era sério e o que era brincadeira, o sexo lhe parecia sempre cômico. Para ele — entendi —, era cômico se beijar, mas também não se beijar, se tocar, mas também não se tocar. Os mais cômicos de todos, na opinião dele, eram sua irmã Giuliana e Roberto, o amigo inteligentíssimo de Tonino. Aqueles dois, depois de terem se amado desde pequenos sem se declarar, finalmente estavam juntos. Giuliana era loucamente apaixonada por Roberto, para ela, ele era o mais bonito, o mais inteligente, o mais corajoso, o mais justo, e, além disso, acreditava em Deus bem mais até do que Jesus Cristo, que era seu filho. Todas as carolas do Pascone, assim como as de Milão, cidade onde Roberto havia estudado, tinham a mesma opinião que Giuliana, mas, segundo Corrado, havia também muitas outras pessoas com a cabeça no lugar que não compartilhavam de todo aquele entusiasmo. Entre elas, estavam ele e seus amigos, por exemplo, o rapaz com os dentes muito salientes, Rosario.

— Talvez vocês estejam enganados, talvez Giuliana tenha razão — falei.

Ele assumiu um tom sério, mas logo entendi que era de mentira.

— Você não conhece Roberto, mas conhece Giuliana, esteve na paróquia e viu as danças que eles fazem, Vittoria tocando acordeão, as pessoas que frequentam aquele lugar. Portanto, deve me dizer: confia no que elas pensam ou no que eu penso?

Eu já estava rindo.

— No que você pensa — disse.

— Então, na sua opinião, friamente, o que é Roberto?

— Um abestalhado — quase gritei e ri sem freios, já sentindo dor nos músculos do rosto de tanto rir.

Quanto mais falávamos daquela maneira, mais crescia em mim uma sensação agradável de infração. *Eu* havia deixado entrar na casa vazia aquele rapaz que devia ser pelo menos seis ou sete anos mais velho do que eu, *eu* havia aceitado conversar alegremente com ele, durante quase uma hora, de histórias sexuais. Aos poucos, senti-me pronta para qualquer outra possível violação e ele percebeu, seus olhos brilharam, disse: quer ver uma coisa. Eu fiz um sinal negativo, mas rindo, e Corrado, por sua vez, soltou uma risadinha, abriu o zíper, murmurou me dá sua mão que eu deixo você pelo menos tocar. Mas, como eu estava rindo e não dava a mão, ele a pegou gentilmente. Aperte, disse, não, forte demais, muito bem, assim, você nunca tocou no abestalhado, né. Disse aquilo de propósito para que eu voltasse a gargalhar, e eu ri, sussurrei chega, minha mãe pode voltar, e ele respondeu: a gente deixa ela tocar no abestalhado também. Ah, como nós rimos, me pareceu tão ridículo segurar aquele negócio atarracado e rígido, eu mesma o puxei para fora, pensei que ele nem tinha me beijado.

Pensei isso enquanto ele me pedia: põe na boca, e eu até teria posto, naquele momento eu teria feito qualquer coisa que ele me pedisse só para rir, mas, da sua calça, saiu um forte cheiro de latrina que me enojou e, por outro lado, justo naquele instante ele disse de repente chega, tirou-o da minha mão e o enfiou nas cuecas com um lamento totalmente gutural que me impressionou. Eu o vi se abandonar contra o espaldar da poltrona de olhos fechados, por poucos segundos, depois se recobrou, fechou o zíper, levantou-se com um salto, olhou o relógio e disse:

— Preciso sair correndo, Giannì, mas nos divertimos tanto que precisamos voltar a nos encontrar.

— Minha mãe não me deixa sair, preciso estudar.

— Você não precisa estudar, já sabe tudo.

— Não é verdade, fui reprovada, vou repetir de ano.

Ele me olhou incrédulo.

— Qual é, não é possível. Eu nunca fui reprovado e você foi? É uma injustiça, você deve se rebelar. Sabe que eu não levava jeito mesmo para os estudos? Me deram o diploma de perito mecânico porque sou simpático.

— Você não é simpático, é bobo.

— Está dizendo que se divertiu com um bobo?

— Estou.

— Então você também é boba?

— Sou.

Só quando já estava no corredor do prédio, Corrado deu um tapinha na testa e exclamou: estava me esquecendo de uma coisa importante, e tirou do bolso da calça um envelope amarfanhado. Disse que tinha ido até lá por aquele motivo, era de Vittoria. Ainda bem que ele tinha se lembrado, se tivesse esquecido, minha tia teria esperneado como uma rã.

Ele disse *rã* para me fazer rir com uma comparação insensata, mas, daquela vez, eu não ri. Assim que ele me entregou o envelope e desapareceu escadaria abaixo, minha angústia voltou.

O envelope estava colado, todo amassado, imundo. Eu o abri às pressas antes que minha mãe voltasse. Eram poucas linhas e, mesmo assim, com vários erros de ortografia. Vittoria dizia que, como eu não dera mais notícias nem atendera ao telefone, eu havia demonstrado que não era capaz de demonstrar afeto pelos parentes, exatamente como meu pai e minha mãe, e, por isso, devia devolver a pulseira. Ela mandaria Corrado para pegá-la.

QUATRO

Recomecei a usar a pulseira por dois motivos: primeiro, já que Vittoria a queria de volta, quis ostentá-la na escola pelo menos por algum tempo e dar a entender que minha condição de repetente dizia pouco ou nada sobre a garota que eu era; segundo, porque meu pai, após a separação, estava tentando restabelecer o contato comigo e eu, sempre que ele aparecia na saída da escola, queria que ele visse a joia no meu pulso para que entendesse que, se alguma vez me convidasse para ir à casa de Costanza, eu certamente a usaria. Mas nem minhas colegas nem meu pai pareceram dar importância àquela joia, as primeiras por inveja, o segundo porque o simples fato de mencioná-la provavelmente o deixava constrangido.

Meu pai em geral aparecia na saída da escola com um tom cordial e íamos juntos comer *panzarotti* e *pastacresciuta* em uma lanchonete perto do funicular. Ele me perguntava dos professores, das aulas, das notas, mas eu tinha a impressão de que não se interessava pelas minhas respostas, embora assumisse um ar atento. De resto, aquele assunto se esgotava logo, ele não passava para outro, eu não me arriscava a perguntar da sua nova vida e, por fim, ficávamos em silêncio.

O silêncio me entristecia, me agastava, eu sentia que meu pai estava deixando de ser meu pai. Ele me olhava quando achava que eu estava distraída e não perceberia, mas eu percebia e sentia seu olhar perplexo, como se tivesse dificuldade em me reconhecer, toda de preto da cabeça aos pés, a maquiagem pesada; ou talvez, como se eu tivesse me tornado conhecida demais para ele, mais do que quando eu era sua filha tão amada, ele sabia que eu era dupla e perigosa. No portão de casa, ele voltava a ser cordial, me dava um beijo na testa, dizia: mande lembranças para a sua mãe. Eu acenava pela última vez e, assim que o portão se fechava atrás de mim, imaginava com melancolia que ele ia embora aliviado acelerando ruidosamente.

Muitas vezes, na escada ou no elevador, eu começava a cantarolar certas canções napolitanas que detestava. Eu fingia ser uma cantora, abria um pouco o decote e, a meia-voz, modulava versos que me pareciam especialmente ridículos. Quando chegava ao meu andar, eu me recompunha, entrava em casa abrindo a porta com a chave, encontrava minha mãe que, por sua vez, acabara de chegar da escola.

— Lembranças do papai.
— Muito gentil. Você comeu?
— Comi.
— O quê?
— *Panzarotti* e *pastacresciuta*.
— Diga a ele, por favor, que você não pode comer sempre frituras como *panzarotti* e *pastacresciuta*. Aliás, fazem mal a ele também.

Surpreendia-me o tom sincero daquela última frase e de tantas outras iguais que às vezes ela deixava escapar. Após aquele seu longo desespero, algo nela estava mudando, talvez a própria essência do desespero. Àquela altura, ela estava pele e osso, fumava mais do que Vittoria, suas costas estavam cada vez mais curvadas, quando trabalhava sentada, parecia um anzol lançado para capturar sabe-se lá quais peixes inapreensíveis. No entanto, havia algum tempo, em vez de se preocupar consigo mesma, parecia preocupada com o ex-marido. Em certos momentos, me convenci de que ela o considerava prestes a morrer ou já morto, embora ninguém ainda tivesse se dado conta. Não que ela tivesse parado de atribuir a ele todas as culpas possíveis, mas misturava rancor e apreensão, detestava-o e, todavia, parecia temer que, fora da sua tutela, ele perdesse a saúde e a vida. Eu não sabia o que fazer. Seu aspecto físico me causava ansiedade, mas a perda progressiva de qualquer outro interesse que não fosse o tempo passado com o marido me dava raiva. Quando eu passava os olhos pelas histórias que ela corrigia e muitas vezes reescrevia, havia sempre um homem extraordinário que, por um motivo ou outro, havia desaparecido. E se alguma amiga sua aparecia lá em casa — em geral, professoras da escola onde ela trabalhava —, eu a ouvia pronunciar com frequência frases como: meu ex-marido tem um monte de defeitos, mas, sobre esse assunto, tem toda a razão, ele diz que, ele pensa que. Citava-o frequentemente e com respeito. E não só isso. Quando descobriu que meu pai havia começado a escrever com certa assiduidade para o *L'Unità*, ela, que em geral comprava o *La Repubblica*, passou a comprar também aquele outro jornal e a me mostrar a assinatura, sublinhava algumas frases, recortava os artigos. Eu pensava comigo mesma que, se um homem tivesse feito comigo o que ele havia feito com ela, eu teria arrebentado sua caixa torácica e arrancado seu coração, e tinha certeza de que ela também, em todo aquele tempo, devia ter sonhado com mutilações desse gênero. Mas, naquele período, alternava cada vez mais um sarcasmo rancoroso com um culto silencioso à memória. Uma noite, encontrei-a arrumando as fotos de família, inclusive aquelas que mantinha fechadas na caixa de metal.

— Venha cá, veja como seu pai estava bonito aqui — disse.

Mostrou-me uma fotografia em preto e branco que eu nunca vira, embora algum tempo antes tivesse remexido em tudo. Ela acabara de tirar a foto de dentro do dicionário de italiano que tinha desde os tempos da escola, um lugar onde eu nunca teria pensado em procurar fotos. Nem mesmo meu pai devia saber algo a respeito, já que também aparecia naquela imagem, sem estar coberta por tinta, Vittoria ainda garota e — logo o reconheci — Enzo. E mais: entre meu pai e minha tia de um lado e Enzo do outro, estava sentada em uma poltrona uma mulher miúda, que ainda não era velha, mas também já não era jovem, com uma expressão que me pareceu ameaçadora.

— Papai e tia Vittoria parecem contentes aí, olhe como ela está sorrindo para ele — murmurei.

— Sim.

— E esse é Enzo, o policial delinquente.

— Sim.

— Ele e papai também não parecem estar com raiva.

— Não, no início, eram amigos, Enzo frequentava a família.

— Quem é essa senhora?

— Sua avó.

— Como ela era?

— Odiosa.

— Por quê?

— Ela não gostava do seu pai e, por isso, nem de mim. Nunca quis nem falar comigo, me ver, sempre fui alguém que não era da família, uma estranha. Imagine, preferia Enzo ao seu pai.

Observei a foto com muita atenção, meu coração teve um sobressalto. Peguei do porta-lápis uma lente de aumento, aumentei o pulso direito da mãe do meu pai e de Vittoria.

— Veja — falei —, vovó está usando minha pulseira.

Ela não pegou a lupa, inclinou-se sobre a foto com a sua pose de anzol, balançou a cabeça, resmungou:

— Nunca tinha visto.

— Eu vi logo.

Ela fez uma careta de incômodo.

— É, você viu logo. Mas eu mostrei seu pai e você nem sequer o olhou.

— Olhei e não me pareceu tão bonito quanto você diz.

— Ele era lindo, você ainda é pequena e não entende como pode ser bonito um homem tão inteligente.

— Pelo contrário, entendo muito bem. Mas aqui ele parece o irmão gêmeo da tia Vittoria.

Minha mãe acentuou seu tom fraco.

— Presta atenção, fui eu que ele deixou, não você.

— Deixou as duas, eu o odeio.

Ela balançou a cabeça.

— Cabe a mim odiá-lo.

— A mim, também.

— Não, agora você está com raiva e diz coisas sem pensar. Mas ele, no fundo, é um bom homem. Parece um traidor mentiroso, mas é honesto e, de certa maneira, até fiel. Seu grande amor de verdade é Costanza, ficou com ela durante todos esses anos e ficará com ela até a morte. Mas, sobretudo, foi para ela que ele quis dar a pulseira da mãe.

CINCO

Minha descoberta fez mal a ambas, mas reagimos de maneiras diferentes. Sabe-se lá quantas vezes minha mãe havia folheado aquele dicionário, quantas vezes olhara aquela imagem, todavia, nunca percebera que a pulseira que a mulher de Mariano ostentava havia anos, que ela considerava havia tempos um objeto fino que gostaria de ter, era a mesma que aparecia no braço da sogra naquela foto. Na imagem fixada em preto e branco, sempre vira apenas meu pai quando moço. Reconhecera ali os motivos do seu amor por ele e, por isso, guardara aquela foto no dicionário como uma flor que, mesmo quando seca, deve nos fazer recordar do momento em que nos foi dada. Nunca havia percebido todo o resto e, portanto, quando mostrei a joia, ela deve ter sofrido terrivelmente. Mas sofreu sem demonstrar, governando as próprias reações e procurando embaçar meu olhar inoportuno com historinhas piegas ou nostálgicas. Meu pai bom, honesto, fiel? Costanza o grande amor, a verdadeira mulher? Minha avó que preferia Enzo, o sedutor de Vittoria, ao próprio filho? Improvisou várias historinhas daquele tipo e, pulando de uma a outra, voltou lentamente a se refugiar no culto ao ex-marido. Claro, hoje posso dizer que, se ela não tivesse preenchido daquela maneira o vazio que ele havia deixado, teria precipitado nele e morrido. Mas, aos meus olhos, aquela era a forma mais repugnante que ela poderia escolher.

Quanto a mim, a foto me permitiu a audácia de pensar que não devolveria a pulseira para Vittoria por motivo algum. As justificativas que criei para mim mesma eram muito confusas. É minha — disse a mim mesma — porque era da minha avó. É minha — disse a mim mesma — porque Vittoria se apropriou dela contra a vontade do meu pai, porque meu pai se apropriou dela contra a vontade de Vittoria. É minha — disse a mim mesma —, pois me pertence, me pertence de qualquer maneira, seja porque Vittoria a deu de presente para mim, seja porque é mentira e foi meu pai que a tomou dela para dar a uma estranha. É minha — disse a mim mesma — porque aquela estranha, Costanza, a devolveu para mim e, portanto, não é justo que minha tia a exija de volta. É minha — concluí — porque a reconheci na foto e minha mãe não, porque sei encarar a dor e sofrê-la e também causá-la, ao passo que ela não, ela me dá pena, não foi sequer capaz de se tornar amante de Mariano, não sabe aproveitar, e, seca e corcunda como está, desperdiça energias em páginas bobas para pessoas que se parecem com ela.

Eu não era parecida com ela. Era parecida com Vittoria e meu pai, que naquela foto estavam muito semelhantes fisicamente. Por isso, escrevi uma carta para minha tia. Ficou bem mais longa do que a que ela escrevera para mim, expus todas as razões confusas para eu ficar com a pulseira. Então pus a carta na mochila em que eu carregava os livros da escola e esperei o dia em que Corrado ou a própria Vittoria voltariam a aparecer.

SEIS

Na saída da escola, porém, apareceu de surpresa Costanza. Eu não a via desde a manhã em que, obrigada por minha mãe, ela levara a pulseira para mim. Achei-a ainda mais bonita do que antes, ainda mais elegante, com um leve perfume que minha mãe usara durante anos, mas que já não usava mais. O único detalhe que não me agradou: seus olhos estavam inchados. Disse com sua sedutora voz grossa que queria me levar a uma festinha de família, eu e suas filhas: meu pai estava ocupado na escola boa parte da tarde, mas já tinha telefonado para minha mãe, que havia concordado.

— Onde? — perguntei.
— Na minha casa.
— Por quê?
— Você não se lembra? É o aniversário de Ida.
— Tenho muita lição de casa.
— Amanhã é domingo.
— Odeio estudar aos domingos.
— Não está disposta a fazer um pequeno sacrifício? Ida sempre fala de você, gosta muito de você.

Cedi, entrei em seu carro perfumado como ela, e viajamos para Posillipo. Costanza me perguntou da escola e prestei muita atenção para não dizer que eu ainda estava na quarta série do ensino fundamental, embora eu não soubesse o que se estudava na quinta, e, sendo ela professora, a cada resposta eu tinha medo de errar. Saí pela tangente perguntando de Angela e Ida, e Costanza logo começou a falar de como suas filhas estavam sofrendo porque não nos víamos mais. Contou-me que Angela havia sonhado comigo fazia pouco tempo, um sonho no qual ela perdia um sapato e eu o encontrava ou algo do gênero. Enquanto ela falava, fiquei brincando com a pulseira, queria que ela percebesse que eu a estava usando. Depois falei: não é culpa nossa se não nos vemos mais. Assim que pronunciei aquelas palavras, Costanza perdeu o tom cordial, murmurou: você tem razão, a culpa não é de vocês, e calou-se como se tivesse decidido que, por causa do tráfego, devia se concentrar apenas na direção. Mas não conseguiu se conter e acrescentou de repente: não pense que a culpa é do seu pai, naquilo que aconteceu, não há culpa, magoamos sem querer. E desacelerou, encostou, disse: desculpe e — meu Deus, eu não aguentava mais lágrimas — caiu em prantos.

— Você não sabe — soluçou — quanto seu pai sofre, como está triste por causa de você, não dorme, sente a sua falta, e Angela, Ida e eu também sentimos.

— Também sinto falta dele — falei pouco à vontade —, sinto falta de todos, até de Mariano. E sei que não existe culpa, aconteceu, ninguém pode fazer nada a respeito.

Ela enxugou os olhos com a ponta dos dedos, cada gesto seu era leve, perspicaz.

— Como você é sábia — disse —, sempre exerceu uma ótima influência sobre minhas filhas.

— Não sou sábia, mas leio muitos romances.

— Muito bem, você está crescendo, dá respostas espirituosas.

— Não, estou falando sério: em vez de palavras minhas, me vêm à mente frases dos livros.

— Angela não está lendo mais. Sabe que ela está namorando?

— Sei.

— Você também?

— Não.

— O amor é complicado, Angela começou cedo demais.

Maquiou os olhos vermelhos, me perguntou se estava bem, partiu outra vez. Enquanto isso, começou discretamente a falar da filha, queria entender, mesmo sem fazer perguntas explícitas, se eu tinha mais informações do que ela. Fiquei nervosa, não queria falar coisas erradas. Logo percebi que ela não sabia nada de Tonino, nem a idade, nem o que ele fazia, nem sequer o nome, e, de minha parte, evitei estabelecer uma ligação entre ele e Vittoria, Margherita e Enzo, também não disse que ele tinha quase dez anos a mais do que Angela. Murmurei apenas que era um rapaz muito sério e, para não dizer mais nada, quase inventei que não estava me sentindo bem e queria voltar para casa. Mas já tínhamos chegado, o carro já deslizava por um caminho arborizado, Costanza estacionou. Fui tomada pela luz irradiada pelo mar e pelo esplendor do jardim: quanto se via de Nápoles, quanto céu, quanto Vesúvio. Então era ali que meu pai morava. Ao ir embora de Via San Giacomo dei Capri, não perdera muito em altitude e, ainda por cima, havia ganhado em beleza.

— Você poderia me fazer um favorzinho? — perguntou Costanza.

— Sim.

— Pode tirar a pulseira? As meninas não sabem que eu a dei para você.

— Talvez fosse tudo menos complicado se disséssemos a verdade.

Ela respondeu de maneira sofrida:

— A verdade é difícil, crescendo você vai entender, nesse caso, romances não são suficientes. Você poderia então me fazer esse favor?

Mentiras, mentiras, os adultos as proíbem, porém dizem tantas. Assenti, tirei a pulseira, coloquei-a no bolso. Ela agradeceu, entramos na casa. Revi Angela depois de muito tempo, revi Ida, logo reencontramos um aparente entrosamento, embora nós três tivéssemos mudado muito. Como você está magra, disse-me Ida, que pés compridos, quanto peito, sim, está enorme: por que você está vestida toda de preto?

Comemos em uma cozinha cheia de sol, com móveis e eletrodomésticos cintilantes. Nós três, meninas, começamos a brincar, eu tive um ataque de riso, Costanza, ao nos ver, pareceu aliviada. Qualquer sinal de choro havia desaparecido, foi tão gentil que se ocupou mais de mim do que de suas filhas. A certa altura, reclamou porque elas, tomadas pelo entusiasmo, estavam me contando minuciosamente uma viagem que fizeram com os avós para Londres sem me deixar dizer nada. Durante todo o tempo, Costanza me olhou com simpatia, sussurrou duas vezes no meu ouvido: estou muito contente por você estar aqui, que bela garota você se tornou. Quais são as intenções dela, perguntei a mim mesma. Talvez também queira me tirar da minha mãe, talvez queira que eu venha morar nesta casa. Não me desagradaria? Não, talvez não. Era ampla, muito luminosa, cheia de confortos. Era quase certo que eu ficaria bem ali, se meu pai não tivesse dormido, não tivesse comido, não tivesse ido ao banheiro dentro daquele espaço exatamente como fazia quando estava conosco em San Giacomo dei Capri. Mas o obstáculo era exatamente aquele. Ele morava ali e sua presença tornava inconcebível que eu me estabelecesse naquela casa, reatasse a amizade com Angela e Ida, comesse os pratos preparados pela empregada muda e prestativa de Costanza. O que eu mais temia — percebi — era justamente o momento em que meu pai voltaria sabe-se lá de onde com sua bolsa cheia de livros e beijaria na boca aquela mulher como sempre havia feito com a outra e diria que estava muito cansado e, todavia, brincaria com nós três, fingiria que nos amava, colocaria Ida sobre os joelhos e a ajudaria a soprar as velinhas e cantaria o parabéns-para-você e depois, repentinamente gélido como ele sabia ser, iria para outro cômodo, o novo escritório, cuja função era a mesma do de Via San Giacomo dei Capri, e ficaria lá fechado, e Costanza diria exatamente como minha mãe sempre dissera: falem baixo, por favor, não perturbem Andrea, ele precisa trabalhar.

— O que foi? — perguntou Costanza. — Você ficou pálida, algo errado?

— Mamãe — bufou Angela —, dá para você nos deixar um pouco em paz?

SETE

Nós três passamos a tarde sozinhas e, por boa parte do tempo, Angela falou ininterruptamente de Tonino. Fez de tudo para me convencer de que gostava muitíssimo daquele rapaz. Tonino falava pouco, com fleuma demais, mas sempre dizia coisas importantes. Tonino deixava que ela mandasse nele porque a amava, mas sabia se impor com quem queria dominá-lo. Tonino ia pegá-la na escola todos os dias, alto, cabelos encaracolados, ela o identificava na multidão por causa da sua beleza, tinha ombros largos, era possível ver seus músculos até quando ele estava usando casaco. Tonino tinha diploma de técnico em edificações e já trabalhava um pouquinho, mas tinha grandes aspirações e, em segredo, sem dizer nem mesmo à mãe e aos irmãos, estudava arquitetura. Tonino era muito amigo de Roberto, o noivo de Giuliana, embora fossem muito diferentes: ela o havia conhecido porque os quatro tinham ido comer uma pizza e que decepção, Roberto era um tipo comum, até meio chato, não dava para entender por que Giuliana, uma garota linda, gostava tanto dele, nem por que Tonino, que era muito mais bonito e inteligente do que Roberto, tinha tanta estima por ele.

Fiquei escutando, mas Angela não conseguiu me convencer, aliás, parecia estar usando o namorado para dar a entender que, apesar da separação dos pais, estava feliz.

— Por que não falou dele para a sua mãe? — perguntei.
— O que ela tem a ver com isso?
— Ela tentou conseguir informações de mim.
Angela ficou alarmada.
— Você disse quem ele é, onde eu o conheci?
— Não.
— Ela não pode saber nada.
— E Mariano?
— Pior ainda.
— Você sabe que, se meu pai o vir, vai fazer você terminar com ele imediatamente?
— Seu pai não é ninguém, tem que ficar calado, não tem direito de dizer o que devo fazer.
Ida fez claros sinais de concordância.
— Nosso pai é Mariano — destacou —, isso já foi esclarecido. Mas eu e minha irmã decidimos que não somos filhas de ninguém: nem nossa mãe consideramos mais como mãe.
Angela baixou a voz como tradicionalmente fazíamos quando falávamos de sexo com um vocabulário mal-educado:
— É uma vadia, é a vadia do seu pai.
— Estou lendo um livro no qual uma garota cospe na foto do pai e uma amiga faz a mesma coisa — falei.
— Você cuspiria na foto do seu pai? — perguntou Angela.
— E você? — perguntei de volta.
— Na da minha mãe, sim.
— Eu, não — disse Ida.
Pensei um pouco e disse:
— Eu mijaria na foto do meu pai.
A hipótese entusiasmou Angela.
— Podemos fazer isso juntas.

— Se vocês fizerem — disse Ida —, eu fico olhando e escrevo.

— O que você quer dizer com "escrevo"? — perguntei.

— Escrevo sobre vocês que mijam na foto de Andrea.

— Um conto?

— É.

Fiquei contente. Aquele exílio das duas irmãs em sua própria casa, aquele corte dos laços de sangue justamente como eu gostaria de cortá-los me agradou, e me agradou também como elas estavam desbocadas.

— Se você gosta de escrever histórias desse tipo, posso contar coisas que eu fiz de verdade — falei.

— Que coisas? — perguntou Angela.

Abaixei a voz.

— Eu sou mais vadia do que a mãe de vocês.

Mostraram enorme interesse por aquela revelação, insistiram para que eu contasse tudo.

— Você tem namorado? — perguntou Ida.

— Você não precisa ter um namorado para ser vadia. Dá para ser vadia com qualquer um.

— E você é vadia com qualquer um? — perguntou Angela.

Eu disse que sim. Contei que falava de sexo com os garotos usando os palavrões do dialeto, e ria muito, muitíssimo, e, quando eu já tinha rido bastante, os garotos punham o negócio para fora e queriam que eu o segurasse ou o pusesse na boca.

— Que nojo — disse Ida.

— Sim — admiti —, é tudo meio nojento.

— Tudo o quê? — perguntou Angela.

— Os homens, parece que você está no banheiro de um trem.

A vida mentirosa dos adultos

— Mas os beijos são bonitos — disse Ida.
Balancei a cabeça energicamente.

— Os homens ficam de saco cheio de dar beijos, nem tocam em você direito, abaixam logo o zíper, só querem que você toque no negócio deles.

— É mentira — disparou Angela —, Tonino me beija.

Fiquei ofendida por ela duvidar do que eu estava dizendo.

— Beija, mas nada mais.

— Não é verdade.

— Então fale: o que você faz com Tonino?

— Ele é muito religioso e me respeita — murmurou Angela.

— Está vendo? Para que você tem namorado se ele te respeita?

Angela se calou, balançou a cabeça, teve um espasmo de intolerância:

— Tenho porque ele gosta de mim. Talvez ninguém goste de você. Até fizeram você repetir de ano.

— É verdade? — perguntou Ida.

— Quem contou?

Angela vacilou, parecia já estar chateada por ter cedido ao impulso de me humilhar.

— Você contou para Corrado e Corrado contou para Tonino — murmurou.

Ida quis me consolar.

— Mas nós não contamos para ninguém — disse e tentou fazer um carinho no meu rosto. Esquivei-me.

— Só as idiotas como vocês estudam como papagaios, são aprovadas e respeitadas pelos namorados — sibilei. — Eu não estudo, sou reprovada e sou uma vadia.

OITO

Meu pai chegou quando já havia escurecido. Costanza me pareceu nervosa, disse-lhe: por que você chegou tão tarde, sabia que Giovanna estava aqui. Jantamos, ele fingiu estar contente. Eu o conhecia bem, estava interpretando uma alegria que não sentia. Torci para que, no passado, quando morava com minha mãe e comigo, ele nunca tivesse fingido da maneira evidente como estava fazendo naquela noite.

De minha parte, nada fiz para esconder que estava com raiva, que Costanza me incomodava com suas atenções melosas, que Angela tinha me ofendido e eu não queria mais saber dela, que eu não tolerava tantas manifestações de afeto de Ida para me apaziguar. Eu sentia uma maldade dentro de mim que exigia manifestar-se a todo custo, sem dúvida está óbvio nos meus olhos e em todo o rosto, pensei, alarmada por mim mesma. Cheguei ao ponto de dizer no ouvido de Ida: é o seu aniversário e Mariano não está aqui, deve haver um motivo; talvez você seja reclamona demais, talvez seja grudenta demais. Ida parou de falar comigo, seu lábio inferior tremeu, foi como se eu tivesse lhe dado um tapa.

A situação não passou despercebida. Meu pai se deu conta de que eu havia dito algo ruim para Ida e, interrompendo não sei qual conversa gentil com Angela, virou-se de repente para mim e me deu uma bronca: por favor, Giovanna, não seja mal-educada, pare. Eu não disse nada, só me aflorou uma espécie de sorriso que o irritou ainda mais, tanto que ele acrescentou com força: estamos entendidos? Assenti tomando cuidado para não rir, esperei um pouco, disse com o rosto que ardia devido ao rubor: vou ao banheiro.

Tranquei-me, lavei o rosto no afã de eliminar o ardor da raiva. Ele acha que pode me fazer sofrer, mas eu também sou capaz de causar sofrimento. Antes de voltar para a sala de jantar, maquiei outra vez os olhos como Costanza havia feito depois das lágrimas, tirei do bolso a pulseira e a pus no braço, voltei à mesa. Angela arregalou os olhos maravilhada e disse:

— Por que você está com a pulseira da mamãe?
— Foi ela que me deu.
Ela se dirigiu para Costanza:
— Por que você a deu para ela, eu a queria.
— Eu também gostava dela — murmurou Ida.
— Giovanna, devolva a pulseira — interveio meu pai, cinzento.

Costanza balançou a cabeça, ela também me pareceu de repente sem forças.

— Nada disso, a pulseira é da Giovanna, dei de presente para ela.
— Por quê? — perguntou Ida.
— Porque ela é uma garota boa e estudiosa.

Olhei para Angela e Ida, estavam aborrecidas. A sensação de revanche se atenuou, o aborrecimento delas me aborreceu. Tudo era triste e miserável, não havia nada nada nada que me fizesse contente como eu havia sido quando criança, quando elas também eram crianças. Agora, porém — sobressaltei-me — elas estão tão feridas, tão magoadas que, para se sentirem melhor, vão dizer que conhecem um segredo meu, vão dizer que fui reprovada, que não aprendo, que sou burra por natureza, que só tenho características ruins, que não mereço a pulseira. Então eu disse, cheia de fúria, a Costanza:

— Não sou nem boa nem estudiosa. Ano passado, fui reprovada, agora estou repetindo de ano.

Costanza olhou incerta para meu pai. Ele teve uma leve tosse, disse de má vontade, mas minimizando, como se tivesse de remediar um exagero meu:

— É verdade, mas este ano está se saindo muito bem e provavelmente vai fazer dois anos em um. Vamos, Giovanna, dê a pulseira para Angela e Ida.

— A pulseira é da minha avó, não posso dá-la a estranhas — falei.

Meu pai, então, tirou do fundo da garganta sua voz terrível, aquela carregada de gelo e desprezo.

— Eu é que sei a quem pertence essa pulseira, tire-a imediatamente.

Arranquei-a do pulso e joguei-a contra um dos móveis.

NOVE

Meu pai me levou para casa de carro. Saí do apartamento de Posillipo inesperadamente vencedora, mas esgotada pelo mal-estar. Levava na mochila a pulseira e um pedaço de bolo para minha mãe. Costanza se irritara com meu pai, ela mesma foi pegar a joia no chão. Depois de ter verificado que não havia sido danificada, articulando as palavras, sem parar de olhar nos olhos do seu companheiro, reiterou que a pulseira era irrevogavelmente minha, e não queria mais discussão. Assim, em um clima no qual não era mais possível nem sequer fingir alegria, Ida soprou as velinhas e a festa terminou, Costanza me obrigou a levar um pouco de doce para sua ex-amiga — isto é, para Nella — e Angela, deprimida, cortou uma fatia grande e a embrulhou cuidadosamente. Meu pai dirigia para o Vomero, mas estava agitado, eu nunca o vira daquela maneira. Suas feições estavam muito diferentes daquelas a que eu estava acostumada, os olhos brilhavam muito, a pele do rosto estava esticada sobre os ossos. Sobretudo, pronunciava palavras confusas, torcendo a boca como se só conseguisse articulá-las com extrema dificuldade.

Começou com frases deste tipo: entendo o seu lado, você acha que eu destruí a vida da sua mãe e agora quer se vingar destruindo a minha, a de Costanza, a de Angela e

Ida. O tom parecia benévolo, mas percebi toda a sua tensão e fiquei com medo, temia que ele me batesse de repente, que acabássemos nos chocando contra um muro ou em outro carro. Ele percebeu, murmurou está com medo de mim, eu menti, disse que não, exclamei que não era verdade, que eu não queria a sua ruína, que o amava. Mas ele insistiu, deixou cair sobre mim milhares de palavras. Você está com medo de mim, disse, não pareço mais quem eu era, e talvez você tenha razão, talvez eu me torne às vezes a pessoa que eu nunca quis ser, me perdoe se amedronto você, me dê algum tempo, você vai ver que voltarei a ser como você me conhece, agora estou em um período ruim, tudo está desmoronando, eu sentia que acabaria assim, e você não deve se justificar por ter sentimentos negativos, é normal, só não se esqueça de que você é minha única filha, sempre será minha única filha, e sua mãe também, sempre vou gostar dela, agora você não pode entender, mas vai entender, é difícil, fui fiel à sua mãe por muitíssimo tempo, mas amo Costanza desde antes do seu nascimento, no entanto, entre nós, nunca havia acontecido nada, eu a considerava a irmã que eu gostaria de ter, o oposto da sua tia, exatamente o oposto, inteligente, culta, sensível, para mim, era como uma irmã, assim como Mariano era meu irmão, um irmão com o qual estudar, discutir, fazer confidências, e eu sabia tudo de Mariano, ele sempre traiu Costanza, você agora é grande, posso contar essas coisas, Mariano tinha outras mulheres e gostava de me contar todas as suas aventuras, e eu pensava coitada da Costanza, ficava comovido, queria protegê-la do seu próprio namorado, do seu próprio marido, achava que meu envolvimento era por causa do nosso sentimento de irmandade, mas, uma vez, por acaso, sim, por acaso, fizemos uma viagem juntos, uma viagem de trabalho, coisa de professores, ela fazia muita questão daquela ocasião, eu também, mas sem malícia, juro que eu nunca havia traído sua mãe — eu gostava da sua mãe desde os tempos da escola e ainda gosto dela, gosto de você e dela —, mas nós jantamos, eu, Costanza e muitas outras pessoas, e conversamos muito, conversamos antes no restaurante, depois na rua, depois a noite toda no meu quarto, deitados na cama como fazíamos quando Mariano e sua mãe também estavam presentes, naquela época éramos quatro jovens, nos aconchegávamos e debatíamos, você entende, não é, como acontece quando você, Ida e Angela conversam sobre tudo, mas, daquela vez, no quarto, só estávamos eu e Costanza, e descobrimos que nosso amor não era de irmãos, era um outro tipo de amor, nós mesmos ficamos maravilhados, nunca dá para saber como e por que essas coisas acontecem, quais são os motivos profundos e os superficiais, mas não imagine que nós continuamos depois, não, somente um sentimento intenso e imprescindível, sinto muito, Giovanna, desculpe, também peço desculpa pela pulseira, eu sempre a considerei de Costanza, eu a via e dizia a mim mesmo: ela ia adorar, ia ficar muito bem nela, foi por isso que, quando minha mãe morreu, eu quis a pulseira a todo custo, dei um tapa em Vittoria de tanto que ela insistia que a pulseira era dela, e quando você nasceu, eu disse: dê de presente para a menina, e ela, uma vez na vida, me ouviu, mas depois eu a dei para Costanza, a pulseira da minha mãe, que nunca gostou de mim, nunca, talvez meu amor fizesse mal a ela, não sei, fazemos ações que parecem ações, mas são símbolos, você sabe o que são símbolos, isso é algo que eu preciso explicar, o bem se torna mal sem que você perceba, entenda, não passei você para trás, você tinha acabado de nascer, mas, na minha cabeça, teria cometido uma falta em relação a Costanza, eu já dera a pulseira a ela muito tempo antes.

Continuou assim durante todo o percurso, na verdade, foi ainda mais desordenado do que esse resumo que fiz aqui. Nunca entendi como um homem tão dedicado à reflexão e ao estudo, capaz de conceber frases extremamente nítidas, às vezes, quando era atropelado pelas emoções, falava coisas tão desconexas. Tentei interrompê-lo várias vezes. Falei: entendo, papai. Falei: isso não me diz respeito, são coisas suas e da mamãe, são coisas suas e de Costanza, não quero saber. Falei: sinto muito por você estar mal, eu também estou mal, mamãe também está mal, e é um pouco ridículo, você não acha, todo esse mal significar que você gosta de nós.

Eu não queria ser sarcástica. Naquele momento, uma parte de mim desejava de fato discutir com ele sobre o mal que, enquanto você acha que está sendo boa, aos poucos ou de repente, se espalha pela cabeça, pelo estômago, por todo o corpo. De onde isso nasce, papai — eu queria perguntar —, como podemos controlar, e por que esse mal não elimina o bem, mas convive com ele. Naquele momento, me parecia que ele, embora falasse, sobretudo, de amor, conhecesse mais o mal do que tia Vittoria, e, como eu sentia o mal também dentro de mim, avançando cada vez mais, queria conversar a respeito. Mas foi impossível, ele só percebeu o lado sarcástico das minhas palavras e continuou ansiosamente a embaralhar justificativas, acusações, desejo de rebaixar-se e desejo de redenção, desfiando seus grandes motivos, seus sofrimentos. Na entrada do prédio, dei um beijo meio de lado na sua boca e saí correndo, seu cheiro ácido me enojou.

Minha mãe me perguntou sem curiosidade:
— Como foi?
— Bem. Costanza mandou uma fatia de bolo para você.
— Coma você.
— Não quero.
— Nem amanhã no café da manhã?
— Não.
— Então jogue fora.

DEZ

Algum tempo depois, Corrado reapareceu. Eu estava prestes a entrar na escola, ouvi alguém me chamar, mas mesmo antes de ouvir sua voz, antes de me virar e o ver em meio à algazarra dos estudantes, eu sabia que o teria encontrado naquela manhã. Fiquei contente, pareceu-me um pressentimento, mas devo admitir que fazia tempo que estava pensando nele, em especial nas maçantes tardes de estudo, quando minha mãe saía e eu ficava sozinha em casa e torcia para que ele aparecesse de repente como da vez anterior. Nunca acreditei que se tratasse de amor, minha cabeça estava ocupada com outras coisas. Eu estava mais preocupada porque, caso Corrado não aparecesse mais, talvez minha tia comparecesse em pessoa para exigir a pulseira e a carta que eu havia preparado não teria utilidade alguma, eu teria de tratar diretamente com ela, o que me aterrorizava.

Mas tinha algo mais. Àquela altura, crescia dentro de mim uma violentíssima necessidade de degradação — uma degradação impávida, porém, um anseio de me sentir heroicamente torpe — e me parecia que Corrado havia intuído aquela minha necessidade e estava pronto para satisfazê-la sem muita lenga-lenga. De maneira que eu o esperava, desejava que ele desse sinal de vida e eis que finalmente apareceu. Pediu, sempre com aquele seu jeito que oscilava entre o sério e o brincalhão, que eu não fosse à escola, e eu aceitei de imediato, ou melhor, puxei-o para longe da entrada do liceu com medo de que os professores o vissem e sugeri eu mesma que fôssemos à Floridiana, arrastei-o para lá com prazer.

Ele começou a brincar para me fazer rir, mas eu o interrompi, peguei a carta.

— Você entrega para Vittoria?
— E a pulseira?
— É minha, não vou dar para ela.
— Olha que ela vai ficar com raiva, está no meu pé, você não faz ideia de como ela faz questão da pulseira.
— E você não faz ideia de como eu também faço questão.
— Que olhar malvado você fez. Foi lindo, gostei muito.
— Não é só o olhar, eu sou toda má, por natureza.
— Toda?

Havíamos nos afastado das alamedas, estávamos bem escondidos entre árvores e sebes com o perfume de folhas vivas. Daquela vez, ele me beijou, mas eu não gostei da sua língua, era grande, áspera, parecia querer empurrar a minha de volta para o fundo da garganta. Beijou-me e tocou meus seios, mas de maneira grosseira, apertou-os com força excessiva, primeiro por cima do suéter, depois tentou enfiar a mão em um dos bojos do sutiã, mas sem interesse real, logo se cansou. Abandonou o peito e continuou a me beijar, levantou minha saia, bateu com violência a palma da mão no gancho da calcinha e me esfregou por alguns segundos. Murmurei rindo: chega, e não precisei insistir, ele me pareceu contente por eu poupá-lo daquela incumbência. Olhou ao redor, abaixou o zíper, puxou minha mão para dentro da sua calça. Avaliei a situação. Ao me tocar, ele me machucava, me incomodava, me dava vontade de voltar para casa e dormir. Decidi tomar conta da ação, pareceu-me uma forma de evitar que ele agisse. Puxei seu membro para fora cuidadosamente, perguntei no seu ouvido: posso pagar um boquete. Eu só conhecia a palavra, nada mais, e a pronunciei em dialeto sem naturalidade. Eu imaginava que devia chupar com força, como se estivesse grudada vorazmente em um grande mamilo, ou talvez lamber. Torci para que ele me esclarecesse o que fazer e, por outro lado, a despeito do que fosse, era melhor aquilo do que o contato com a sua língua áspera. Eu me sentia perdida, por que estou aqui, por que quero fazer isso. Não sentia desejo, não me parecia uma brincadeira divertida, nem sequer estava curiosa, o cheiro que emanava daquela sua excrescência grande e dura, muito compacta, era desagradável. Ansiosa, torci para que alguém — uma mãe levando os filhos para tomar ar — nos visse da alameda e gritasse repreensões e insultos. Não aconteceu e, como ele não falava, pelo contrário, estava — me parecia — estupefato, decidi dar um beijo leve, um sutil toque com os lábios. Ainda bem, foi o suficiente. Ele pôs o negócio de volta na cueca e emitiu um breve estertor. Depois, passeamos pela Floridiana, mas me entediei. Corrado perdera a vontade de me fazer rir, falava em tom sério, artificial, esforçando-se para usar o italiano quando eu teria preferido o dialeto. Antes que nos separássemos, me perguntou:

— Você se lembra do Rosario, meu amigo?
— Aquele com os dentes salientes?
— Sim, ele é meio feio, mas simpático.
— Não é feio, é mais ou menos.
— De qualquer maneira, eu sou mais bonito.

— Bem...
— Ele tem um carro. Quer ir dar uma volta com a gente?
— Depende.
— Do quê?
— Se vou me divertir com vocês ou não.
— Vamos fazer você se divertir.
— Vamos ver — falei.

ONZE

Corrado telefonou alguns dias depois para falar da minha tia. Vittoria ordenara que ele dissesse palavra por palavra que, se eu ousasse bancar a professorinha novamente, como havia feito naquela carta, ela iria à minha casa e me encheria de tapas na frente daquela babaca da minha mãe. Por isso — recomendou ele —, leve a pulseira para ela, por favor, sua tia a quer sem falta no próximo domingo, está precisando, quer ostentá-la em sei lá qual evento da paróquia.

Não se limitou a sintetizar a mensagem, disse também como devíamos nos organizar para a ocasião. Ele e seu amigo me pegariam de carro e me levariam ao Pascone. Eu devolveria a pulseira — mas, atenção, nós ficamos na pracinha: você não deve dizer a Vittoria que eu e meu amigo fomos pegar você de carro, não se esqueça, ou ela vai ficar furiosa, você deve dizer que foi de ônibus — e, depois, vamos nos divertir de verdade. Está contente?

Naqueles dias, eu estava particularmente irrequieta, não me sentia bem, tinha tosse. Eu me considerava horrível e queria ser cada vez mais horrível. Já havia um tempo que, antes de ir para a escola, eu me empenhava diante do espelho para me vestir e me pentear como uma louca. Queria que as pessoas ficassem de má vontade ao meu lado, exatamente como eu tentava mostrar que me sentia na companhia delas. Eu me indispunha com todo mundo, os vizinhos, os transeuntes, os colegas, os professores. Minha mãe, sobretudo, me irritava fumando o tempo todo, bebendo gim antes de ir para a cama, queixando-se lentamente de tudo, assumindo aquele ar entre a preocupação e a repulsa assim que eu dizia que precisava de um caderno ou de um livro. Mas, acima de tudo, eu não a suportava por causa da devoção cada vez mais acentuada que demonstrava em relação a tudo o que meu pai fazia ou dizia, como se ele não a tivesse traído por no mínimo quinze anos com uma mulher que era sua amiga e também esposa do melhor amigo dele. Resumindo, ela me exasperava. Nos últimos tempos, tornara-se um hábito abandonar aquele meu ar indiferente e gritar, meio em napolitano, de propósito, que ela devia parar com aquilo, não se importar mais, vá ao cinema, vá dançar, ele não é mais seu marido, considere-o morto, ele foi morar na casa de Costanza, será possível que você ainda continue a se ocupar só dele, que você ainda pense só nele? Eu queria que ela soubesse que eu a desprezava, que eu não era, e nunca seria, como ela. Por isso, uma vez, quando meu pai telefonou e ela se pôs a dizer palavras obedientes como: não se preocupe, eu cuido disso, comecei a declamar em voz altíssima as suas mesmas expressões submissas, mas intercalando-as com insultos e obscenidades dialetais mal aprendidas, mal pronunciadas. Ela logo desligou na tentativa de poupar o ex-marido da minha voz esganiçada, encarou-me por alguns segundos, depois foi para o seu escritório, obviamente para chorar. Portanto, chega, aceitei logo a proposta de Corrado. Melhor enfrentar minha tia e pagar boquetes naqueles dois do que ficar fechada aqui em San Giacomo dei Capri, nesta vida de merda.

Disse a minha mãe apenas que iria em uma excursão a Caserta com colegas de escola. Maquiei-me, vesti a saia mais curta que eu tinha, escolhi um suéter justo e muito decotado, enfiei a pulseira na bolsa, caso me visse na condição de ser obrigada a devolvê-la, e desci correndo às nove da manhã em ponto, a hora marcada com Corrado. Para minha grande surpresa, um carro amarelo de sei lá qual marca estava me esperando — meu pai não tinha paixão alguma por automóveis e, portanto, eu os desconhecia totalmente —, mas, ao vê-lo, pareceu-me tão luxuoso que fiquei chateada por minhas relações com Angela e Ida não estarem mais muito boas, vangloriar-me com elas teria sido uma satisfação. No volante, estava Rosario, no banco traseiro, Corrado, e todos os dois estavam expostos ao ar e ao sol porque o carro não tinha capota, era um conversível.

Assim que me viu sair pelo portão, Corrado me cumprimentou com gestos exageradamente festivos, mas, quando tentei me sentar ao lado de Rosario, disse com tom decidido:

— Nada disso, você vai se sentar ao meu lado.

Fiquei sem graça, eu queria ficar ao lado do motorista, que vestia um paletó azul com botões dourados, uma camisa azul-clara, gravata vermelha, e estava penteado com todos os cabelos puxados para trás, o que lhe dava ares de homem forte e perigoso, e ainda por cima dentuço. Insisti com um sorriso conciliador:

— Vou sentar aqui, obrigada.

Mas Corrado usou uma voz inesperadamente malvada e disse:

— Giannì, você está surda, eu disse para você vir logo para cá.

Eu não estava acostumada àquele tom, senti-me intimidada, mas, mesmo assim, rebati:

— Vou fazer companhia para Rosario, ele não é seu motorista.

— O que tem a ver essa história de motorista, você é minha, deve se sentar onde eu estou.

— Não sou de ninguém, Corrà, e, de qualquer maneira, o carro é do Rosario e eu me sento onde ele mandar.

Rosario não disse nada, simplesmente se virou para mim com seu rosto de garoto que ri o tempo todo, ficou olhando por um longo instante para os meus seios e passou os nós dos dedos da mão direita sobre o banco ao seu lado. Sentei-me logo, fechei a porta, ele partiu cantando calculadamente os pneus. Ah, eu tinha conseguido, cabelos ao vento, o sol daquele lindo domingo no rosto, relaxei. E como Rosario dirigia bem, se enfiava aqui e ali com tal desenvoltura que até parecia um campeão de automobilismo, eu não tinha medo.

— O carro é seu?
— É.
— Você é rico?
— Sou.
— Depois vamos ao Parco della Rimembranza?
— Vamos aonde você quiser.

Corrado logo interveio, esticando a mão sobre meu ombro e apertando-o:

— Mas você faz o que eu mandar.

Rosário olhou o retrovisor.

— Currà, calminho, Giannina faz o que ela quiser.
— Fique calminho você: eu é que a trouxe.
— E daí? — eu me intrometi, afastando sua mão.

— Calada, quem está conversando somos eu e Rosario.

Respondi dizendo que falaria como e quando queria, e, durante todo o trajeto, dediquei-me a Rosario. Percebi que ele se orgulhava do automóvel e disse que ele dirigia muito melhor do que meu pai. Incitei-o a se gabar, interessei-me por toda a sua sabedoria em relação a motores, até cheguei a perguntar se, em um futuro próximo, ele me ensinaria a dirigir daquela maneira. Por fim, aproveitando do fato que ele mantinha a mão quase sempre na alavanca do câmbio, apoiei a minha sobre a dele dizendo: assim eu ajudo você com as marchas, e começamos a rir, eu, porque estava com o riso solto, ele, por adesão. Estava emocionado com o contato da minha mão sobre a sua, eu percebi. Como é possível, me perguntei, que os homens sejam tão bobos, como é possível que esses dois, só de eu encostar neles, só de deixar que eles encostem em mim, fiquem cegos, que não vejam e não sintam nem mesmo o nojo que causo a mim mesma. Corrado estava sofrendo porque eu não havia me sentado perto dele, Rosario estava todo contente porque eu estava ao seu lado com a minha mão sobre a sua. Com um pouco de astúcia, era possível forçá-los a fazer qualquer coisa? Bastavam as coxas nuas, o peito exposto? Bastava encostar neles? Foi assim que minha mãe conquistou meu pai quando jovem? Foi assim que Costanza o roubou dela? O mesmo fez Vittoria com Enzo, tirando-o de Margherita? Quando Corrado, infeliz, tocou meu pescoço com a ponta dos dedos e depois acariciou a beirada do tecido que antecedia a elevação do meu seio, eu deixei. Mas, enquanto isso, apertei com força por alguns segundos a mão de Rosario. E eu nem sou bonita, pensei estupefata, enquanto, entre carícias, risadinhas, palavras alusivas — quando não obscenas —, vento e céu estriado de branco, o carro voava junto com o tempo e surgiam os muros de turfa com arame farpado em cima, os galpões abandonados, os sobrados azul-claros e baixos do Pascone.

Assim que os reconheci, senti dor no estômago, a impressão de potência desvaneceu: era hora de enfrentar minha tia. Corrado disse, sempre para confirmar, em especial para si mesmo, que era ele que mandava em mim:

— Nós deixamos você aqui.

— Tudo bem.

— Vamos para a pracinha, não nos faça esperar. E lembre-se que você veio de condução.

— Que condução?

— O ônibus, o funicular, o metrô. O que você nunca deve dizer é que veio conosco.

— Tudo bem.

— E trate de não demorar.

Assenti, saí do carro.

DOZE

Percorri um breve trecho a pé com o coração em disparada, cheguei à casa de Vittoria, toquei a campainha, ela abriu a porta. No início, não entendi. Eu havia preparado um discurso a ser pronunciado com firmeza, todo centrado nos sentimentos que se condensaram em torno da pulseira e que a tornavam absolutamente minha. Mas não tive tempo de falar. Assim que me viu, ela me atacou com um longo, agressivo, doloroso, patético monólogo que me desnorteou, me intimidou. Quanto mais ela falava, mais eu percebia que a devolução da joia nada mais era do que um pretexto. Vittoria tinha se afeiçoado a mim, acreditara que eu gostava dela e quis que eu fosse até lá, sobretudo, para jogar na minha cara como eu a decepcionara.

Eu esperava — ela disse em voz altíssima, em um dialeto que eu tinha dificuldade de entender apesar dos esforços recentes para aprender — que você estivesse do meu lado, que bastasse ver quem na verdade são seu pai e sua mãe para que você entendesse quem eu sou, a vida que eu levei por causa do meu irmão. Mas não, esperei você inutilmente todos os domingos. Bastaria um telefonema, mas não, você não entendeu nada, aliás, você achou que a culpa fosse minha por sua família ter se revelado uma merda, e, no fim, o que você fez, olhe aqui, escreveu esta carta — esta carta, para mim

— para me deixar envergonhada por eu não ter estudado, para me deixar envergonhada porque você sabe escrever, e eu, não. Ah, você é igualzinha ao seu pai, aliás, é pior, você não me respeita, não sabe ver a pessoa que eu sou, não tem sentimentos. Por isso, me devolva a pulseira, era da minha mãe, que ela descanse em paz, e você não a merece. Eu me enganei, você não tem o meu sangue, é uma estranha.

Enfim, queria me fazer entender que, se naquela interminável briga de família eu tivesse escolhido o lado certo, se eu a tivesse tratado como o único apoio que me restava, a única mestra de vida, se eu tivesse acolhido a paróquia, Margherita e os filhos como uma espécie de refúgio dominical permanente, a devolução da joia não seria essencial. Enquanto gritava, ela tinha olhos ferozes e, ao mesmo tempo, condoídos, eu via em sua boca uma saliva branca que, às vezes, manchava seus lábios. Vittoria queria simplesmente que eu admitisse que gostava dela, que era grata por ela ter me mostrado como meu pai era medíocre, que, por esse motivo, eu lhe seria sempre grata, que, por gratidão, eu me tornaria o apoio da sua velhice, e outras coisas do gênero. E eu, ali onde estava, decidi dizer exatamente aquilo para ela. Com um breve rodeio, cheguei até a inventar que meus pais haviam me impedido de telefonar para ela, depois acrescentei que a carta dizia a verdade: a pulseira era uma lembrança muito querida de como ela me havia ajudado, salvado, encaminhado. Foi o que eu disse, com voz comovida, e me espantei de como era capaz de falar com ela de maneira tão falsamente aflita, de como escolhia com cuidado palavras de efeito, de como, em suma, eu não era como ela, mas pior.

Vittoria aos poucos se acalmou, senti-me aliviada. Agora era só encontrar a maneira certa para me despedir e voltar para os dois rapazes que me esperavam, torcendo para que ela tivesse se esquecido da pulseira.

De fato, não tocou mais no assunto, mas insistiu para que eu fosse com ela ouvir Roberto, que estava falando na paróquia. Bela enrascada, ela fazia muita questão. Elogiou o amigo de Tonino, ele provavelmente havia se tornado seu protegido depois que noivara com Giuliana. Você não pode imaginar como ele é bom — disse —, inteligente, equilibrado: depois vamos todos comer na casa de Margherita, venha você também. Com gentileza, respondi que eu não podia mesmo, que precisava voltar para casa e, enquanto isso, abracei-a como se de fato a amasse e, quem sabe, talvez fosse verdade, eu não estava entendendo mais nada dos meus sentimentos.

— Vou embora, mamãe está me esperando, mas volto logo — murmurei.

Ela se rendeu.

— Tudo bem, eu levo você.

— Não, não, não precisa.

— Vou com você até o ponto de ônibus.

— Não, eu sei onde fica o ponto, obrigada.

Não teve jeito, ela quis me acompanhar. Eu não fazia a mínima ideia de onde ficava o ponto de ônibus, torci para que ficasse longe do lugar onde Rosario e Corrado estavam me esperando. Mas parecia que estávamos indo justamente para lá e, durante todo o percurso, não fiz outra coisa a não ser repetir, ansiosa: tudo bem, obrigada, agora eu vou sozinha. Mas minha tia não desistiu, pelo contrário, quanto mais eu tentava dar no pé, mais ela fazia cara de quem sente que há algo de errado. Dobramos a esquina, finalmente, e, como eu temia, o ponto de ônibus ficava bem na pracinha onde estavam estacionados Corrado e Rosario, bastante visíveis no carro com a capota abaixada.

Vittoria logo viu o automóvel, era uma mancha brilhante de metal amarelo ao sol.

— Você veio com Corrado e aquele babaca?
— Não.
— Jure.
— Juro que não.

Empurrou-me com uma espalmada que acertou meu peito e dirigiu-se para o carro gritando insultos em dialeto. Mas Rosario saiu logo cantando pneus, e ela primeiro percorreu alguns metros correndo e lançando gritos ferozes, depois tirou um sapato e o jogou na direção do conversível. O carro se afastou deixando-a furiosa, com o corpo dobrado em dois, na beirada da rua.

— Você é uma mentirosa — disse quando, depois de recolocar o sapato, voltou na minha direção arfando.
— Juro que não.
— Então vou ligar para sua mãe e vamos ver.
— Por favor, não faça isso. Eu não vim com eles, mas você não pode ligar para minha mãe.

Contei que, como minha mãe não queria que eu a visitasse, mas eu fazia muita questão de vê-la, eu dissera que tinha ido em um passeio a Caserta com os meus colegas da escola. Fui convincente: o fato de eu ter enganado minha mãe para encontrá-la a tranquilizou.

— O dia todo?
— Devo voltar à tarde.

Vasculhou meus olhos com ar perplexo.

— Então venha comigo ouvir Roberto e, depois, você vai embora.

— Corro o risco de me atrasar.

— Corre o risco de levar uns tapas se eu descobrir que você está me enrolando e quer sair com aqueles dois.

Eu a segui de má vontade, rezei: Deus, por favor, não quero ir à paróquia, faça com que Corrado e Rosario não tenham ido embora, permita que me esperem em algum lugar, livre-me da minha tia, vou morrer de tédio na igreja. Eu já conhecia o caminho: ruas vazias, ervas daninhas e lixo, muros cheios de rabiscos, sobradinhos caindo aos pedaços. Durante todo o tempo, Vittoria ficou com um braço em volta dos meus ombros, às vezes me apertava contra si. Falou, sobretudo, de Giuliana — Corrado a deixava preocupada; mas aquela moça e Tonino lhe inspiravam muita consideração —, como ela havia se tornado sensata. O amor — disse usando um tom inspirado uma fórmula que não era do seu feitio, o que me desnorteou e irritou — é um raio de sol que aquece a alma. Eu estava decepcionada. Talvez eu devesse ter observado minha tia com a mesma atenção com que ela me instigara a espiar meus pais. Talvez eu tivesse descoberto que, por trás da dureza que me encantara, havia uma mulherzinha fraca, enganável, casca-grossa na aparência, mas, no fundo, terna. Se Vittoria é mesmo isso — pensei desalentada —, então é feia, tem a feiura da banalidade.

Enquanto isso, a cada ruído de automóvel eu olhava de esguelha esperando que Rosario e Corrado reaparecessem e me raptassem, mas também temia que ela voltasse a gritar, a ficar com raiva de mim. Chegamos na igreja, fiquei surpresa por estar lotada. Fui direto à pia de água benta, molhei os dedos, fiz o sinal da cruz antes que Vittoria me obrigasse. Havia um cheiro de respiração e de flores, um zumbido educado, a voz alta de algumas crianças que logo eram caladas com tons engasgados. Atrás de uma mesa colocada no fundo da nave central, em pé, com os ombros virados para o altar, vi a figura diminuta de dom Giacomo, dizia com ênfase algo conclusivo. Pareceu ter se alegrado com a nossa entrada, fez um gesto de saudação sem se interromper. Eu teria sentado de bom grado nos últimos bancos, que estavam vazios, mas Vittoria me pegou pelo braço e me guiou ao longo da nave à direita. Sentamo-nos nas primeiras filas, ao lado de Margherita, que guardara lugar para minha tia e que, ao me ver, ficou vermelha de tão contente. Acomodei-me no espaço um pouco apertado entre ela e Vittoria, uma grande, macia, a outra tensa, magra. Dom Giacomo se calou, o zumbido subiu de volume, só tive tempo de olhar à minha volta, de reconhecer Giuliana, surpreendentemente acanhada na primeira fileira, e, à sua direita, Tonino, os ombros largos, o tronco bem ereto. Depois o padre disse: venha, Roberto, o que está fazendo aí, sente-se perto de mim, e fez-se um silêncio impressionante, como se todas as pessoas presentes tivessem de repente ficado sem fôlego.

Mas talvez não tenha sido assim, provavelmente fui eu que, quando se levantou um jovem alto, mas encurvado, delgado como uma sombra, apaguei todos os sons. Achei que uma longa corrente de ouro visível só para mim o segurasse pelas costas e ele oscilasse levemente como se estivesse pendurado à cúpula, as pontas dos sapatos mal tocavam no chão. Quando chegou até a mesa e se virou, tive a impressão de que ele tinha mais olhos do que rosto: eram azuis, azuis sobre um rosto moreno, ossudo, desarmônico, encerrado entre uma grande massa de cabelos rebeldes e uma barba densa que parecia azul-marinho.

Eu tinha quase quinze anos e, até aquele momento, nenhum rapaz me atraíra de verdade, menos ainda Corrado, menos ainda Rosario. Mas assim que vi Roberto — antes mesmo que ele abrisse a boca, antes mesmo que se acendesse por causa de um sentimento qualquer, antes mesmo que pronunciasse uma palavra —, senti uma dor violentíssima no peito e soube que tudo na minha vida estava prestes a mudar, que, mesmo sem acreditar em Deus, eu teria rezado todos os dias e todas as noites para que aquilo acontecesse, e que somente aquele desejo, somente aquela esperança, somente aquela prece podiam me impedir de cair naquele momento, agora, morta no chão.

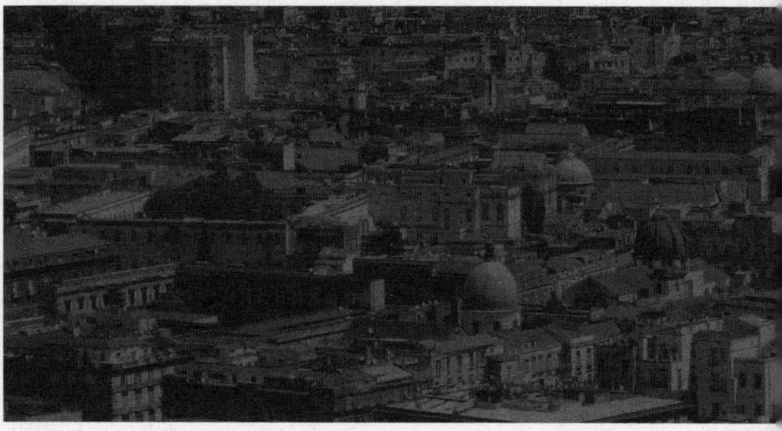

PARTE CINCO

UM

Dom Giacomo sentou-se atrás da mesa miserável no fundo da nave e ficou ali todo o tempo olhando Roberto em posição de escuta concentrada, a bochecha apoiada sobre a palma da mão. Roberto, por sua vez, falou em pé, com tons bruscos e, todavia, atraentes, as costas viradas para o altar e para um grande crucifixo com a cruz escura e o Cristo amarelo. Não me lembro de quase nada do que disse, talvez porque se exprimisse a partir de uma cultura que me era estranha, talvez porque a emoção tenha me impedido de ouvir. Recordo muitas frases que são certamente suas, mas não sei situá-las no tempo, confundo as palavras daquele momento com as que se seguiram. No entanto, é mais provável que algumas tenham sido pronunciadas naquele domingo. Às vezes, por exemplo, me convenço de que ele, ali na igreja, ponderou sobre a parábola das árvores boas que dão bons frutos e das árvores ruins que dão frutos ruins e, por isso, terminam como lenha a ser queimada. Ou, com mais frequência, tenho certeza de que ele insistiu no cálculo exato dos nossos recursos quando mergulhamos em uma grande empreitada, pois é errado iniciar, digamos, a construção de uma torre sem ter dinheiro para erguê-la até a última pedra. Ou julgo que ele exortou todos nós a ter coragem, lembrando-nos que a única maneira para não estragar a própria vida é perdê-la para salvar os outros. Ou imagino que tenha refletido sobre a necessidade de sermos realmente justos, misericordiosos, fiéis, sem ocultar a injustiça, o coração endurecido, a infidelidade por trás do respeito às convenções. Enfim, não sei, o tempo passou e não consigo me decidir. Para mim, seu discurso, do início ao fim, foi, sobretudo, um fluxo de sons encantadores que saíam da sua bonita boca, da sua garganta. Eu fitava seu pomo de adão muito acentuado como se atrás daquela saliência vibrasse de fato a respiração do primeiro ser humano de sexo masculino que veio ao mundo e não a de uma das infinitas reproduções que abarrotam o planeta. Como eram bonitos e tremendos seus olhos claros entalhados no rosto escuro, os dedos compridos, os lábios brilhantes. Só não tenho dúvida de que uma palavra ele pronunciou com frequência naquela ocasião, despetalando-a como uma margarida. Refiro-me a "compunção" e entendi que ele a usava de maneira anômala. Disse que devíamos expurgá-la dos maus usos que haviam sido feitos, comparou-a a uma agulha que deve fazer com que o fio atravesse os pedaços dispersos da nossa existência. Atribuiu-lhe o significado de uma vigilância extrema sobre si mesmo, era a faca com a qual ferir a consciência para evitar que ela adormecesse.

DOIS

Assim que Roberto se calou, minha tia me arrastou até Giuliana. Impressionou-me quanto ela mudara, sua beleza me pareceu infantil. Está sem maquiagem, pensei, não tem as cores de uma mulher, e me senti pouco à vontade por causa da minha saia curta, das pálpebras carregadas, do batom, do decote. Estou deslocada, disse a mim mesma enquanto Giuliana sussurrava: como estou contente de ver você, o que achou? Murmurei poucas palavras confusas de elogio para ela, de entusiasmo pelas palavras do seu noivo. Vamos apresentá-la a ele, interveio Vittoria, e Giuliana nos levou até Roberto.

— É minha sobrinha — disse minha tia com um orgulho que aumentou meu constrangimento —, uma garota muito inteligente.

— Não sou inteligente — quase gritei e estendi a mão, desejando que ele pelo menos a tocasse.

Ele a tomou entre as suas sem apertá-la, disse que prazer com olhar afetuoso, enquanto minha tia me repreendia: é modesta demais, o contrário do meu irmão, que sempre foi presunçoso. Roberto me perguntou sobre a escola, o que eu estudava, o que eu lia. Por poucos segundos, tive a impressão de que suas perguntas não eram apenas uma formalidade, gelei. Gaguejei algo sobre o tédio das aulas, sobre um livro difícil que eu estava lendo havia meses, não acabava nunca, falava da busca do tempo perdido. Giuliana disse baixinho: estão chamando você, mas ele continuava a me encarar, era maravilhoso que eu estivesse lendo um texto tão bonito e complexo, dirigiu-se à noiva: você disse que ela era inteligente, mas ela é inteligentíssima. Minha tia se encheu de orgulho, repetiu que eu era sua sobrinha e, enquanto isso, alguns paroquianos sorridentes faziam sinais indicando o padre. Eu queria encontrar algumas palavras que impressionassem Roberto em profundidade, mas minha cabeça estava vazia, não encontrei nada. Por outro lado, ele já estava sendo arrastado para longe devido justamente à simpatia que suscitara, cumprimentou-me com um gesto de lamento, acabou em um grupo numeroso no qual estava dom Giacomo.

Não ousei segui-lo nem mesmo com o olhar, fiquei ao lado de Giuliana, que me pareceu radiante. Pensei outra vez na foto do seu pai emoldurada na cozinha de Margherita, a chama da lamparina que se agitava no vidro e acendia suas pupilas, e me desnorteou que uma jovem pudesse carregar dentro de si os traços daquele homem e, no entanto, ser linda. Percebi que eu a invejava, seu corpo impecável em um vestido bege e seu rosto limpo propagavam uma força alegre à sua volta. Mas, quando eu a conhecera, aquela energia se exprimira com uma voz alta e gestos excessivos; naquele momento, contudo, Giuliana estava composta como se o orgulho de amar e de ser amada tivesse amarrado com fios invisíveis a exuberância dos modos. Ela disse em um italiano esforçado: sei o que aconteceu com você, sinto muito, entendo sua situação. E até segurou minha mão entre as suas como seu noivo acabara de fazer. Mas não fiquei incomodada, falei com sinceridade da dor da minha mãe, embora minha parte mais vigilante nunca tenha perdido de vista Roberto, eu esperava que me procurasse com o olhar. Não aconteceu, aliás, notei que ele se dirigia a qualquer pessoa com a mesma curiosidade cordial que demonstrara em relação a mim. Não tinha pressa, prendia a atenção dos interlocutores e comportava-se de modo que quem se aglomerava à sua volta somente para falar com ele, para desfrutar da simpatia do seu modo de sorrir, da beleza do seu rosto que se nutria de desarmonias, começasse aos poucos a falar também com os outros. Se eu me aproximasse, pensei, ele certamente abriria espaço para mim também, me puxaria para algum debate. Mas, então, eu seria obrigada a me exprimir de maneira mais articulada e ele logo perceberia que não é verdade, que não sou inteligente, que não sei nada das coisas que de fato lhe interessam. Então fui tomada pelo desconforto, insistir em falar com ele me humilharia, ele pensaria: como essa garota é ignorante. E, de repente, enquanto Giuliana ainda falava comigo, anunciei que eu precisava ir embora. Ela insistiu para que eu almoçasse na sua casa: Roberto *também* vai, disse. Mas, àquela altura, eu já estava assustada, desejava literalmente fugir. Saí da igreja com passos rápidos.

Uma vez lá fora, no adro, o ar fresco me causou vertigem. Olhei à minha volta como se tivesse saído de um cinema depois de um filme fortemente instigante. Além de não saber como voltar para casa, não me importava voltar. Eu teria ficado ali para sempre: dormir embaixo do pórtico, não comer nem beber, me deixar morrer pensando em Roberto. Nenhum outro afeto ou desejo tinha importância alguma para mim naquele momento.

Ouvi que me chamavam, era Vittoria, que veio até mim. Usou seus tons mais grudentos para me convencer a ficar, até que se rendeu e me explicou o que eu devia fazer para voltar a San Giacomo dei Capri: o metrô vai até a Piazza Amedeo e lá você pega o funicular, depois, ao chegar na Piazza Vanvitelli, você sabe como se virar. No entanto, como me viu aturdida — o que foi, não entendeu? — se ofereceu para me levar em casa com o seu Fiat Cinquecento, apesar do almoço na casa de Margherita. Recusei gentilmente a carona, ela começou a falar em um dialeto exageradamente sentimental, alisando meus cabelos, segurando meu braço, beijando-me algumas vezes no rosto com lábios úmidos, e me convenci ainda mais de que ela não era um monstro vingativo, mas uma pobre mulher sozinha que desejava afeto e que, naquele momento, gostava especialmente de mim porque eu — e, de quebra, ela — havia causado uma boa impressão em Roberto. Você se saiu bem, disse, eu estudo isso, leio aquilo, parabéns parabéns parabéns. Senti-me tão culpada quanto meu pai em relação a ela e quis remediar, remexi no bolso onde estava a pulseira, mostrei-lhe.

— Eu não queria dar para você — falei —, achava que era minha, mas a pulseira pertence a você e ninguém mais deve ficar com ela.

Vittoria não esperava o meu gesto, olhou para a pulseira com visível incômodo, como se fosse uma serpente ou um mau presságio.

— Não, foi um presente meu para você; para mim, basta o seu carinho — disse.

— Pegue.

Por fim, aceitou, de má vontade, mas não a colocou no pulso. Enfiou-a na bolsa e ficou abraçada comigo no ponto, rindo, cantarolando, até a chegada do ônibus. Subi como se cada passo fosse conclusivo e eu estivesse prestes a me propagar de surpresa dentro de uma outra história e de uma outra existência que eram minhas.

Eu estava viajando havia alguns minutos sentada do lado da janela quando ouvi alguém buzinando insistentemente. Vi que, na pista da esquerda, o carro esportivo de Rosario havia emparelhado com o ônibus. Corrado gesticulava, gritava: salte, Giannì, venha. Ficaram me esperando escondidos sabe-se lá onde, pacientes, imaginando o tempo todo que eu satisfaria todos os seus desejos. Olhei para eles com simpatia, pareceram-me meigamente insignificantes enquanto o automóvel corria e os expunha ao vento. Rosario dirigia gesticulando devagar para que eu saltasse, Corrado continuava a berrar: vamos esperar você no próximo ponto, vamos nos divertir, enquanto isso, lançava olhares imperativos, esperava que eu obedecesse. Como eu sorria ausente e não respondia, Rosario também virou a cabeça para entender quais eram as minhas intenções. Fiz um sinal negativo só para ele, disse só com os lábios: não posso mais.

O conversível acelerou, deixou o ônibus para trás.

TRÊS

Minha mãe ficou surpresa porque a excursão a Caserta durara tão pouco. O que houve, perguntou de má vontade, você já voltou, aconteceu algo ruim, você brigou? Eu poderia ficar calada, ir me trancar no meu quarto como de costume, colocar música a todo volume, ler e ler e ler sobre o tempo perdido ou qualquer outro assunto, mas não fiz nada disso. Confessei sem preâmbulos que não tinha ido a Caserta, mas à casa de Vittoria, e, quando vi que ela estava ficando amarela de decepção, fiz algo que não fazia havia alguns anos: sentei-me sobre seus joelhos, abracei seu pescoço e cobri seus olhos de beijinhos leves. Ela opôs resistência. Murmurou que eu era grande e pesada, me deu uma bronca por causa da mentira que havia contado, da maneira como eu estava vestida, da maquiagem vulgar, apertando minha cintura com seus braços magros. Em dado momento, perguntou de Vittoria.

— Ela fez algo que assustou você?
— Não.
— Estou achando você nervosa.
— Estou bem.
— Mas suas mãos estão frias, você está suada. Tem certeza de que não aconteceu nada?
— Certeza absoluta.

Ela estava surpresa, alarmada, contente, ou talvez eu é que estivesse misturando alegria, espanto e preocupação achando que fossem reações dela. Não toquei no nome de Roberto, senti que não teria encontrado as palavras certas e teria me detestado por isso. Expliquei, no entanto, que eu havia gostado de alguns discursos ouvidos na paróquia.

— Todo domingo — contei —, o padre convida um amigo muito inteligente, põe uma mesa no fundo da nave central e todos debatem.

— Sobre o quê?

— Agora eu não saberia repetir.

— Está vendo como você está nervosa?

Eu não estava nervosa, sentia-me em um estado de agitação feliz, e aquela condição não passou nem quando ela me disse, constrangida, que alguns dias antes, totalmente por acaso, havia encontrado Mariano e, sabendo que eu estaria na excursão para Caserta, o convidara para tomar um café aquela tarde.

Nem mesmo aquela notícia conseguiu mudar meu humor, perguntei:

— Você quer se juntar com Mariano?

— Nada disso.

— Será que vocês nunca conseguem dizer a verdade?

— Giovanna, eu juro, *é* a verdade: não existe, nem nunca existiu, nada entre mim e ele. Mas, já que seu pai começou a revê-lo, por que eu não deveria?

Aquela última notícia doeu. Minha mãe me contou, sem dar opinião, que era um fato recente, que os dois ex--amigos se encontraram uma vez que Mariano passou para ver as filhas e, por amor às meninas, conversaram com gentileza.

— Se meu pai restabeleceu relações com um amigo traído por ele mesmo — disparei —, por que não passa a mão na consciência e não restabelece relações com a própria irmã?

— Porque Mariano é uma pessoa educada, Vittoria, não.

— Bobagem. É porque Mariano leciona na universidade, faz ele se sentir bem, importante, enquanto Vittoria faz ele se sentir apenas como realmente é.

— Já percebeu como você fala do seu pai?

— Já.

— Então pare com isso.

— Digo o que penso.

Fui para o meu quarto, refugiei-me na lembrança de Roberto. Vittoria o apresentara a mim. Ele era parte do mundo da minha tia, não do mundo dos meus pais. Vittoria o via com frequência, o apreciava, havia aprovado, quem sabe até mesmo favorecido, o noivado com Giuliana. Isso, aos meus olhos, a tornava mais sensível, mais inteligente do que as pessoas que meus pais viam desde sempre, Mariano e Costanza em primeiro lugar. Tranquei-me no banheiro nervosíssima, tirei a maquiagem com cuidado, vesti um jeans e uma blusa branca. O que Roberto teria dito se eu tivesse falado das histórias da minha casa, do comportamento dos meus pais, daquela reconstituição, em meio à podridão, de uma velha amizade. O toque violento do interfone me sobressaltou. Passaram alguns minutos, ouvi a voz de Mariano, a da minha mãe, torci para ela não me convocar à força. Não me chamou, comecei a estudar, mas não teve jeito, a certa altura eu a ouvi gritar: Giovanna, venha cumprimentar Mariano. Bufei, fechei o livro, fui.

Impressionou-me a magreza do pai de Angela e Ida, competia com a de minha mãe. Ao vê-lo, senti pena, mas não durou. Incomodou-me seu olhar excitado direto para os meus seios, exatamente como o de Corrado e Rosario, embora, daquela vez, os seios estivessem bem cobertos pela blusa.

— Como você cresceu — exclamou comovendo-se e quis me abraçar, beijar meu rosto.

— Quer um bombom? Foi Mariano que trouxe.

Recusei, disse que precisava estudar.

— Sei que você está se empenhando para recuperar o ano perdido — disse ele.

Assenti, murmurei: vou para o quarto. Antes de sair, senti outra vez seu olhar sobre meu corpo e fiquei envergonhada. Lembrei que Roberto havia olhado apenas nos meus olhos.

QUATRO

Entendi logo o que havia acontecido: uma paixão à primeira vista. Eu lera muito sobre aquele tipo de amor, mas, não sei por quê, nunca defini a questão para mim mesma usando aquela fórmula. Preferi considerar Roberto — seu rosto, sua voz, suas mãos em volta da minha — uma espécie de milagrosa consolação para os dias e noites agitados. É claro, eu queria encontrá-lo outra vez, mas, depois do primeiro transtorno — aquele momento inesquecível em que vê-lo coincidira com uma necessidade violentíssima dele —, entrou em cena uma espécie de calmo realismo. Roberto era um homem, eu era uma garotinha. Roberto amava outra, que era muito bonita e bondosa. Roberto era inacessível, morava em Milão, eu não sabia nada do que lhe interessava. O único contato possível era Vittoria, e Vittoria era uma pessoa complicada, sem contar que toda tentativa de encontrá-la faria minha mãe sofrer. Enfim, deixei os dias passarem, incerta quanto ao que fazer. Depois pensei que eu tinha direito a uma vida que fosse minha sem precisar me preocupar o tempo todo com as reações dos meus pais, ainda mais porque eles não se preocupavam nem um pouco com as minhas. Não resisti, certa tarde em que eu estava sozinha em casa, liguei para minha tia. Estava arrependida de não ter aceitado o convite para o almoço, parecia que eu tinha desperdiçado uma ocasião importante e queria entender, com todo o cuidado, quando poderia voltar a visitá-la com alguma certeza de encontrar Roberto. Eu sabia que seria bem recebida depois da devolução da pulseira, mas Vittoria não me deixou dizer nem meia frase. Soube por ela que minha mãe, no dia seguinte à mentira sobre Caserta, telefonara para dizer, da sua maneira fraca, que ela devia me deixar em paz, que não devia mais se encontrar comigo. Por isso, ela estava furiosa. Insultou a cunhada, gritou que a esperaria na porta do prédio para esfaqueá-la, berrou: como teve coragem de me dizer que estou fazendo de tudo para roubar você dela quando, na verdade, foram *vocês* que tiraram de mim todos os motivos para viver, *vocês*, seu pai, sua mãe e você também, que achou que era suficiente me devolver a pulseira para consertar tudo. Gritou: se você vai ficar do lado dos seus pais, não ligue mais para mim, entendeu? E passou para uma série ofegante de obscenidades sobre o irmão e a cunhada antes de desligar.

Tentei ligar de novo para dizer que estava do seu lado, que na verdade estava com muita raiva por causa do telefonema da minha mãe, mas ela não atendeu. Fiquei deprimida, eu precisava do seu afeto naquele momento, temi que, sem ela, nunca mais teria outra chance de ver Roberto. Enquanto isso, o tempo foi passando, primeiro os dias de terrível desgosto, depois, de reflexão obstinada. Comecei a pensar nele como se fosse o perfil de uma montanha muito distante, uma substância azulada contida por linhas marcadas. Provavelmente — disse a mim mesma — ninguém do Pascone jamais o viu com a nitidez com que fui capaz de vê-lo ali na igreja. Ele nasceu naquela área, cresceu ali, é amigo de infância de Tonino. Todos o apreciam como um fragmento especialmente luminoso daquele pano de fundo miserável e a própria Giuliana deve ter se apaixonado não por causa do que ele realmente é, mas por causa da origem comum dos dois e da aura de alguém que, embora seja da malcheirosa Zona Industrial, estudou em Milão e soube se distinguir. De modo que — convenci a mim mesma — são as próprias características que todos naquele lugar amam nele que impedem que o vejam de verdade e reconheçam sua excepcionalidade. Roberto não deve ser tratado como uma pessoa qualquer com boas capacidades, Roberto deve ser protegido. Se, por exemplo, eu fosse Giuliana, lutaria com todas as forças para que ele não fosse almoçar na minha casa, tentaria impedir que Vittoria, Margherita, Corrado o estragassem, que estragassem os motivos pelos quais ele me escolheu. Eu o manteria fora daquele mundo e diria: vamos fugir, vou para Milão com você. Mas Giuliana, a meu ver, não percebe de verdade a sorte que teve. No que me diz respeito, se eu conseguisse me tornar apenas um pouco amiga dele, não o faria perder tempo com minha mãe, que mesmo assim é muito mais apresentável do que Vittoria e Margherita. Sobretudo, eu evitaria qualquer possível encontro dele com meu pai. A energia que Roberto emana precisa de cuidados para não se dispersar, e sinto que eu seria capaz de proporcioná-los. Ah, sim, tornar-me sua amiga, só isso, e demonstrar que, em algum lugar desconhecido até para mim mesma, possuo as qualidades de que ele precisa.

CINCO

Naquele período, comecei a pensar que, se eu não era bonita fisicamente, talvez pudesse ser bonita espiritualmente. Mas como? Eu já havia descoberto que não tinha bom temperamento, era dominada por palavras e ações negativas. Se eu tinha qualidades, eu mesma estava sufocando-as de propósito para não me sentir uma garotinha patética de boa família. Tinha a impressão de que havia encontrado o caminho para a minha salvação, mas achava que não o sabia percorrer, e talvez não o merecesse.

Estava nesse estado quando, uma tarde, de maneira totalmente casual, encontrei dom Giacomo, o padre do Pascone. Eu estava na Piazza Vanvitelli, não me lembro mais por quê, caminhando e pensando na vida, quando quase esbarrei nele. Giannina, exclamou. Deparar-me com ele apagou por alguns segundos a praça, os edifícios, e me transportou outra vez para a igreja, sentada ao lado de Vittoria, com Roberto em pé atrás da mesa. Quando tudo voltou ao lugar, fiquei feliz porque o padre me reconhecera, lembrara meu nome. Senti tamanha alegria que o abracei como se tivesse a minha idade e eu o conhecesse desde a escola primária. Depois, porém, senti-me intimidada, comecei a gaguejar, tratei-o com uma formalidade que ele dispensou. Dom Giacomo estava indo pegar o funicular de Montesanto, ofereci-me para acompanhá-lo e comecei de repente, de maneira exageradamente festiva, a me entusiasmar com a experiência vivenciada na paróquia.

— Quando Roberto volta para outra palestra? — perguntei.

— Gostou dele?

— Gostei.

— Viu o que ele consegue extrair do Evangelho?

Eu não me lembrava de nada — pouco sabia dos Evangelhos —, só Roberto ficara bem demarcado na minha mente. Mas, mesmo assim, assenti e murmurei:

— Nenhum professor na escola sabe encantar como ele, quero ouvi-lo mais uma vez.

O padre ficou triste e só naquele momento percebi que, embora fosse a mesma pessoa, algo no seu aspecto mudara: sua pele estava amarelada, os olhos, avermelhados.

— Roberto não vai voltar — disse —, e na igreja não haverá mais iniciativas daquele tipo.

Fiquei muito chateada.

— Não agradaram?

— Aos meus superiores e a alguns paroquianos, não.

Além de desiludida, fiquei com raiva.

— O seu superior não é Deus? — perguntei.

— É, mas quem decide são os seus sargentos.

— Dirija-se diretamente a ele.

Dom Giacomo fez um gesto com a mão como se quisesse sinalizar uma distância indeterminada e percebi que, nos dedos, no dorso da mão e até no pulso, tinha largas manchas violáceas.

— Deus está fora — disse sorrindo.

— E a prece?

— Sou fraco, a esta altura, é claro, rezo por força da profissão. Mas e você? Rezou, mesmo sem acreditar?

— Sim.

— E adiantou?

— Não, é uma magia que, no fim das contas, não dá certo.

Dom Giacomo se calou. Percebi que eu havia errado alguma coisa, senti que devia me desculpar.

— Às vezes, digo tudo o que me passa pela cabeça — murmurei —, me desculpe.

— Por quê? Você iluminou meu dia, ainda bem que nos encontramos.

Olhou para a mão direita como se ela escondesse um segredo.

— Você está doente? — perguntei.

— Acabei de ir ao consultório de um amigo médico aqui em Via Kerbaker, é só uma erupção cutânea.

— Qual é o motivo?

— Quando você é obrigado a fazer o que não quer e obedece, a cabeça piora, tudo piora.

— A obediência é uma doença de pele?

Olhou-me perplexo por um instante, sorriu.

— Muito bem, é isso mesmo, uma doença de pele. E você é um bom tratamento, não mude, diga sempre tudo o que passar pela sua cabeça. Mais algumas palavras com você e aposto que vou melhorar.

— Também quero melhorar. O que devo fazer? — falei em um ímpeto.

— Expulsar a soberba, que está sempre de tocaia — respondeu o padre.

— Que mais?

— Tratar os outros com bondade e senso de justiça.

— Que mais?

— Aquilo que é o mais difícil na sua idade: respeitar seu pai e sua mãe. Mas você precisa tentar, Giannì, é importante.

— Não entendo mais meu pai e minha mãe.

— Você vai entender quando for grande.

Todos diziam que eu entenderia quando fosse grande.

— Então não vou crescer — respondi.

Despedimo-nos no funicular e, desde então, nunca mais o vi. Não ousei fazer perguntas sobre Roberto, não perguntei se Vittoria havia falado de mim, da situação na minha casa.

— Eu me sinto feia, tenho um temperamento ruim, mas gostaria de ser amada — disse apenas, envergonhada.

Mas falei tarde demais, baixinho, quando ele já estava de costas para mim.

SEIS

Aquele encontro me ajudou, tentei, antes de mais nada, modificar o relacionamento com os meus pais. Respeitá-los estava fora de cogitação, mas buscar o caminho para me aproximar deles pelo menos um pouco, sim.

Com minha mãe, as coisas correram muito bem, embora não tenha sido fácil manter sob controle os tons agressivos. Nunca toquei no assunto do seu telefonema para Vittoria, mas, de vez em quando, eu berrava comandos, repreensões, recriminações, perfídias. Ela em geral não reagia, ficava impassível como se tivesse a habilidade de ficar surda quando quisesse. Mas, aos poucos, mudei meu comportamento. Eu a observava do corredor, vestida e penteada com cuidado mesmo quando não precisava sair nem receber visitas, e me comoviam aquelas costas ossudas de quem está consumida pela dor, curvada horas a fio sobre o trabalho. Certa noite, ao observá-la, de repente a comparei à minha tia. Claro, eram inimigas, claro, eram incomparáveis em termos de educação e finura. Mas Vittoria não permanecera ligada a Enzo embora ele tivesse morrido havia tempos? E aquela sua fidelidade não me parecera um sinal de grandeza? De repente, surpreendi-me ao pensar que minha mãe estava mostrando uma alma ainda mais nobre, fiquei remoendo aquela ideia durante horas.

O amor de Vittoria havia sido correspondido, seu amante sempre a amara de volta. Minha mãe, por sua vez, fora traída da maneira mais abjeta e, no entanto, conseguira manter intacto seu sentimento. Não sabia nem queria se imaginar sem o ex-marido, pelo contrário, só achava que sua existência ainda tinha sentido se meu pai se dignava a dar sinal de vida por telefone para dar sentido a ela. Sua aquiescência, de repente, começou a me agradar. Como pude agredi-la e insultá-la por causa daquela dependência? Será que eu havia considerado fraqueza a força — sim, a força — daquele seu modo absoluto de amar?

Uma vez, falei com um tom de constatação objetiva:

— Já que você gosta de Mariano, fique com ele.

— Quantas vezes preciso repetir? Mariano me causa repulsa.

— E o papai?

— O papai é o papai.

— Por que você nunca fala mal dele?

— Uma coisa é o que eu digo, outra coisa é o que eu penso.

— Você desabafa em pensamento?

— Um pouco, mas depois acabo voltando para todos os anos em que fomos felizes e me esqueço de odiá-lo.

Achei que aquela frase — *me esqueço de odiá-lo* — havia capturado algo verdadeiro, vivo, e foi ao seguir esse caminho que tentei repensar também o meu pai. Eu agora o via pouquíssimo, nunca mais voltara à casa de Posillipo e tinha apagado Angela e Ida da minha vida. E, por mais que eu me esforçasse, não conseguia entender por que ele deixara a mim e a minha mãe para viver com Costanza e suas filhas. No passado, eu o havia considerado muito superior a minha mãe, mas, naquele momento, via-o sem nenhuma grandeza de espírito, nem mesmo para o mal. Nas raras vezes que ele passava para me pegar na escola, eu prestava muita atenção em como se queixava, mas apenas para repetir para mim mesma que eram queixas falsas. Queria que eu acreditasse que ele não era feliz, ou que era só um pouquinho menos infeliz do que quando morava no apartamento de San Giacomo dei Capri. Eu não acreditava, é claro, mas, enquanto isso, o observava e pensava: devo pôr de lado meus sentimentos de agora, tenho que pensar em quando eu era pequena e o adorava; porque, se mamãe continua a gostar dele apesar de tudo, se consegue se esquecer de odiá-lo, talvez a excepcionalidade dele não fosse apenas um efeito da infância. Ou seja, fiz um esforço notável para atribuir novamente a ele algumas qualidades. Mas não por afeto, eu acreditava que já não nutria por ele nenhum sentimento: só procurava me convencer de que minha mãe havia, de alguma maneira, amado uma pessoa de certa profundidade e, por isso, quando o via, esforçava-me para ser cordial. Falava da escola, de algumas bobagens dos professores, e até o elogiava, ora por como ele havia me explicado uma passagem árdua de algum escritor latino, ora por como tinham cortado seu cabelo.

— Ainda bem, dessa vez não cortaram demais. Você mudou de barbeiro?

— Não, tem um bem perto de casa, não vale a pena. E estou lá ligando para os cabelos, já estão brancos, os seus, que são jovens e lindos, é que importam.

Ignorei a alusão à beleza dos meus cabelos, aliás, achei-a inoportuna.

— Não estão brancos, só estão um pouco grisalhos nas têmporas — falei.

— Estou ficando velho.
— Quando eu era pequena, você era bem mais velho, agora rejuvenesceu.
— A dor não rejuvenesce.
— Percebe-se que você não sente dor suficiente. Soube que voltou a ter contato com Mariano.
— Quem contou?
— Mamãe.
— Não é verdade, mas, algumas vezes, quando ele vai visitar as filhas, nos encontramos.
— E vocês brigam?
— Não.
— Então qual é o problema?

Não havia problema algum, ele só queria dar a entender que sentia minha falta e que aquilo o fazia sofrer. Às vezes, sua encenação era tão boa que eu me esquecia de não acreditar. Ele continuava bonito, não havia emagrecido como minha mãe, não tinha sequer erupções cutâneas: cair na rede da sua voz afetuosa, deixar-me levar outra vez para a infância, entregar-me a ele era fácil. Um dia, enquanto nós, como de costume, comíamos *panzarotti* e *pastacresciuta* na saída da escola, disse de repente que queria ler o Evangelho.

— Por quê?
— Estou errada?
— Você está certíssima.
— E se eu me tornar cristã?
— Não vejo nada de errado.
— E se eu quiser ser batizada?
— O importante é que não seja um capricho. Se você tiver fé, tudo bem.

Portanto, nenhuma oposição, mas logo me arrependi de ter revelado aquela minha intenção. Pensar nele como uma pessoa digna de confiança, digna de ser amada, me pareceu insuportável naquele momento, depois de Roberto. O que ele ainda tinha a ver com a minha vida? Eu não queria de forma alguma voltar a lhe atribuir autoridade e afeto. Se algum dia eu lesse o Evangelho, seria por causa do jovem que falara na igreja.

SETE

Aquela tentativa — falida desde o início — de me reaproximar do meu pai acentuou meu desejo de rever Roberto. Não resisti e decidi ligar outra vez para Vittoria. Ela atendeu com voz deprimida, rouca devido aos cigarros, e, daquela vez, não me agrediu, não me insultou, mas também não foi afetuosa.

— O que você quer?
— Saber como você está.
— Estou bem.
— Posso ir na sua casa algum domingo?
— Para fazer o quê?
— Uma visita. E também fiquei contente de conhecer o noivo da Giuliana: se por acaso ele voltar a aparecer por aí, passo para vê-lo com prazer.
— Na igreja, não estão fazendo mais nada, querem afastar o padre.

Não tive tempo de dizer que encontrara dom Giacomo e já sabia de tudo. Minha tia começou a falar em um dialeto cerrado, estava com raiva de todos, dos paroquianos, dos bispos, dos cardeais, do papa, mas também de dom Giacomo e até de Roberto.

— O padre exagerou — disse —, fez como os remédios: primeiro nos tratou, depois vieram os efeitos colaterais, agora estamos nos sentindo bem pior do que antes.

— E Roberto?

— Para Roberto, tudo é fácil demais. Vem, causa desordem e vai embora, não o vemos mais por meses. Ou fica em Milão ou está aqui, e isso não faz bem a Giuliana.

— O amor não faz mal — falei.

— O que você entende disso?

— O amor é bom, supera até as longas ausências, resiste a tudo.

— Você não sabe de nada, Giannì, fala em italiano, mas não sabe de nada. O amor é opaco como os vidros das janelas dos banheiros.

Aquela imagem me abalou, tive a impressão imediata de que estava em contradição com a maneira como ela contara sua história com Enzo. Eu a elogiei, disse que queria conversar mais com ela, perguntei:

— Quando vocês fizerem um almoço todos juntos, você, Margherita, Giuliana, Corrado, Tonino, Roberto, posso ir também?

Irritou-se, ficou agressiva.

— É melhor você ficar em casa: aqui, segundo sua mãe, não é lugar para você.

— Mas eu fico contente em ver vocês. Giuliana está aí? Eu me dou bem com ela.

— Giuliana está na casa dela.

— E Tonino?

— Você acha que Tonino come, dorme e caga aqui?

Desligou bruscamente, grosseira, vulgar como de costume. Eu queria obter um convite, uma data certa, a segurança de que mesmo dali a seis meses, um ano, voltaria a ver Roberto. Não aconteceu, mas mesmo assim me senti agradavelmente agitada. Vittoria não disse nada muito claro sobre o relacionamento de Giuliana e Roberto, mas entendi que havia algum empecilho. Claro, não era possível confiar nas avaliações da minha tia, era muito provável que seu incômodo fosse justamente o que agradava aos dois noivos. No entanto, fantasiei que, com perseverança, com paciência, com boas intenções, eu poderia me tornar uma espécie de mediadora entre minha tia e eles, uma pessoa que sabia falar a língua de todos. Procurei uma cópia do Evangelho.

OITO

Em casa, não encontrei, mas eu não havia calculado que bastava mencionar um livro para que meu pai o conseguisse para mim. Alguns dias depois da nossa conversa, ele apareceu na saída da escola com uma edição comentada do Evangelho.

— Ler não é suficiente — disse —, textos como esse devem ser estudados.

Seus olhos brilharam quando ele pronunciou aquela frase. Sua verdadeira condição existencial se revelava assim que ele tinha a oportunidade de se ocupar de livros, de ideias, de questões elevadas. Era o momento em que ficava evidente que ele só era infeliz quando ficava com a cabeça vazia e não conseguia esconder de si mesmo o que havia feito com minha mãe e comigo. Se, por outro lado, se dedicava a grandes pensamentos fortalecidos por livros diligentemente anotados, ficava felicíssimo, não lhe faltava nada. Transportara sua vida para a casa de Costanza e lá vivia com conforto. Seu novo escritório era um grande cômodo luminoso, do qual se via o mar através da janela. Retomara suas reuniões com todas aquelas pessoas que eu conhecia desde a infância, exceto Mariano, naturalmente, mas a ficção do retorno à ordem já estava consolidada e era possível prever que até Mariano voltaria a participar dos debates.

Portanto, o que estragava os dias do meu pai eram apenas os instantes vazios nos quais ele se via cara a cara com as suas culpas. Bastava pouco para que escapasse, no entanto, e aquele meu pedido certamente foi uma boa oportunidade, ele deve ter tido a impressão de que tudo estava voltando a funcionar comigo também.

De fato, depois da edição comentada, foi a vez de um velho volume com os Evangelhos em grego e latim — traduções são válidas, mas o texto original é fundamental — e, logo em seguida, me estimulou a pedir que minha mãe o ajudasse a resolver questões chatíssimas de certidões ou sei lá o quê. Peguei os livros e prometi falar com ela a respeito. Quando toquei no assunto, ela bufou, se irritou, ironizou, mas cedeu. E, embora passasse os dias na escola ou corrigindo deveres e provas de livros, encontrou tempo para perder em longas filas nos guichês de vários órgãos e discutir com funcionários indolentes.

Foi naquela ocasião que percebi como eu mesma havia mudado. Indignei-me pouco ou nada pela submissão da minha mãe ao ouvir do meu quarto como ela anunciava ao ex-marido que havia conseguido. Não senti raiva quando sua voz queimada pelo excesso de cigarros, pelos destilados consumidos à noite, se enterneceu e o convidou a passar lá em casa para pegar os documentos que ela havia localizado no registro civil, as fotocópias que fizera na Biblioteca Nacional, os diplomas que retirara na universidade. Não me mostrei contrariada demais nem mesmo quando meu pai apareceu uma noite com ar desanimado e os dois ficaram conversando na sala. Ouvi minha mãe rir uma ou duas vezes, depois, chega, ela deve ter se dado conta de que era uma risada do passado. Enfim, não pensei: se ela é idiota, pior para ela; eu achava que já entendia seu sentimento. Por outro lado, mais oscilante era o comportamento em relação a meu pai, eu detestava seu oportunismo. E me irritei quando ele me chamou para se despedir e perguntou, distraído:

— Então? Estudou os Evangelhos?

— Estudei — respondi —, mas não gostei da história.

Ele abriu um sorrisinho irônico.

— Interessante: você não gostou da história.

Deu-me um beijo na testa.

— Depois conversamos a respeito — disse ao sair.

Conversar com ele, nunca, nunca. O que eu poderia lhe dizer. Eu começara a ler com a ideia de que se tratava de uma fábula que me induziria ao amor a Deus como ao amor alimentado por Roberto. Sentia aquela necessidade, meu corpo estava tão tenso que, às vezes, os nervos pareciam cabos elétricos carregados de alta tensão. Mas aqueles textos não tinham o andamento de uma fábula, desenrolavam-se em lugares de verdade, as pessoas tinham profissões de verdade, haviam de fato existido. E, mais do que qualquer outro sentimento, destacava-se a ferocidade. Terminado um evangelho, eu começava outro e a história me parecia cada vez mais terrível. Sim, era uma história perturbadora. Eu lia e ficava nervosa. Estávamos todos a serviço de um Senhor que nos mantinha sob vigilância para ver o que escolhíamos, o mal ou o bem. Que absurdo, como era possível aceitar tal condição servil? Eu detestava a ideia de que havia um Pai no céu e que nós, filhos, ficávamos aqui embaixo, na lama e no sangue. Que o pai fosse Deus, que a família fosse aquela das suas criaturas, aquilo me causava medo e, ao mesmo tempo, raiva. Eu detestava aquele Pai que havia criado seres tão frágeis, expostos continuamente à dor, facilmente perecíveis. Detestava que ele observasse como nós, fantoches, lidávamos com a fome, a sede, as doenças, os terrores, a crueldade, a soberba e até mesmo com os bons sentimentos que, sempre sob o risco da má-fé, ocultavam a traição. Detestava que ele tivesse tido um filho parido por uma mãe virgem e o expusesse ao pior, como acontecia com as mais infelizes das suas criaturas. Detestava que aquele filho, embora tivesse o poder de fazer milagres, usasse aquele poder para jogos pouco resolutivos, nada que realmente melhorasse a condição humana. Detestava que aquele filho tendesse a brigar com a mãe e não tivesse coragem de sentir raiva do pai. Detestava que o Senhor Deus deixasse aquele filho morrer entre tormentos atrozes e que, ao seu pedido de ajuda, não se dignasse a responder. Sim, era uma história que me deprimia. E a ressurreição final? Um corpo horrivelmente massacrado que voltava à vida? Eu tinha horror dos ressuscitados, não conseguia mais dormir à noite. Por que vivenciar a experiência da morte se depois voltamos à vida por toda a eternidade? E que sentido tinha a vida eterna em meio a uma multidão de mortos ressuscitados? Era mesmo uma recompensa ou uma condição de intolerável horror? Não, não, o pai que residia no céu era exatamente como o pai desafeiçoado dos versículos de Mateus e de Lucas, aquele que dá pedras, serpentes e escorpiões ao filho que tem fome e pede pão. Se eu conversasse a respeito com meu pai, corria o risco de acabar dizendo: esse Pai, papai, é pior do que você. Por isso, eu justificava todas as criaturas, até as piores. A condição delas era dura e, quando ainda assim conseguiam exprimir, de dentro do seu lodo, grandes sentimentos verdadeiros, eu ficava do lado delas. Do lado da minha mãe, por exemplo, e não do lado do seu ex-marido. Ele a usava e depois agradecia com denguices, aproveitando-se da capacidade dela de ter um sentimento sublime.

Uma noite, minha mãe me disse:

— Seu pai é mais novo que você. Você está crescendo, e ele permaneceu uma criança. Continuará a ser uma criança para sempre, uma criança extraordinariamente inteligente, hipnotizada por suas brincadeiras. Quando não é vigiado, se machuca. Eu devia ter entendido isso quando jovem, mas, naquela época, ele me parecia um homem feito.

Havia se enganado, mesmo assim mantinha seu amor. Olhei para ela com afeto. Eu também queria amar daquela maneira, mas não um homem que não merecia.

— O que você está lendo? — perguntou ela.

— Os Evangelhos.

— Por quê?

— Porque estou gostando de um rapaz que os conhece bem.

— Você se apaixonou?

— Não, você está maluca, ele está noivo: só quero ser amiga dele.

— Não conte ao seu pai, ele vai querer debater com você e vai estragar sua leitura.

Mas eu não corria aquele risco, já havia lido até a última linha e, se meu pai tivesse feito perguntas, só diria frases genéricas. Eu esperava poder um dia falar profundamente a respeito com Roberto e fazer observações pontuais. Na igreja, achei que não podia viver sem ele, mas o tempo estava passando, e eu continuava a viver. Aquela impressão de indispensabilidade estava mudando. Naquele momento, o que me parecia indispensável não era sua presença física —

eu o imaginava longe, em Milão, feliz, empenhado em mil coisas belas e úteis, reconhecido em todos os lugares por seus méritos —, mas sim me reorganizar em torno de uma finalidade: tornar-me uma pessoa que pudesse conquistar sua estima. Eu já o sentia como uma autoridade tanto indeterminada — ele me aprovaria se eu agisse assim ou ficaria contrariado? — quanto indiscutível. Naquele período, também interrompi o hábito de me acariciar todas as noites antes de dormir, como uma recompensa pelo esforço insuportável de existir. Parecia-me que as criaturas desoladas destinadas à morte tinham uma única e pequena sorte: aliviar a dor, esquecê-la por um instante, acionando entre as pernas o dispositivo que propicia um pouco de prazer. Mas me convenci de que Roberto, se tomasse conhecimento daquilo, se arrependeria de ter tolerado ao seu lado, mesmo que por poucos minutos, uma pessoa que tinha o hábito de proporcionar prazer a si mesma.

NOVE

Naquela fase, sem tomar uma decisão, aliás, como se reafirmasse um costume, voltei a estudar, embora a escola me parecesse mais do que antes um lugar de conversas vulgares. Logo consegui resultados satisfatórios e, enquanto isso, forcei-me a ser mais disponível para meus colegas, tanto que, nas noites de sábado, comecei a sair com eles, embora evitasse estabelecer relações amigáveis. Nunca consegui, é claro, eliminar por completo os tons rancorosos, os surtos agressivos, os mutismos hostis. No entanto, achava que podia melhorar. Às vezes, eu olhava para pratos, copos, colheres, ou até mesmo para uma pedra na rua, uma folha seca, e ficava maravilhada com sua forma, fosse ela trabalhada ou em estado natural. Passei a observar as ruas do Bairro Alto que conhecia desde pequena como se as visse pela primeira vez, lojas, transeuntes, prédios de oito andares, varandas que eram listras brancas apoiadas sobre paredes cor de ocre ou verdes ou azul-celeste. Encantavam-me as pedras vulcânicas negras de Via San Giacomo dei Capri sobre as quais eu havia caminhado mil vezes, os velhos edifícios de um cinza rosado ou cor de ferrugem, os jardins. Isso também acontecia quando eu via as pessoas: os professores, os vizinhos, os comerciantes, a gente nas ruas do Vomero. Eu me surpreendia com um gesto, um olhar, uma expressão do rosto delas. Nesses momentos, me parecia que tudo tinha um significado secreto e que cabia a mim descobri-lo. Mas não durava. Vez por outra, embora eu tentasse resistir, prevalecia o aborrecimento em relação a tudo, uma tendência aos julgamentos mordazes, a urgência de brigar. Não quero ser assim, dizia a mim mesma, em especial quando estava caindo no sono, no entanto aquela era eu, e perceber que eu só conseguia me manifestar daquela maneira — amarga, caluniadora — me levava algumas vezes não a me corrigir, mas, com um prazer pérfido, a ser ainda pior. Eu pensava: se não sou amável, tudo bem, que não me amem; ninguém sabe o que carrego dentro do meu peito noite e dia, e me refugiava ao pensar em Roberto.

Todavia, enquanto isso, com prazer, com surpresa, eu percebia cada vez mais que, apesar de todos os meus excessos, as colegas e os colegas da escola me procuravam, me convidavam para as festas, pareciam apreciar até mesmo meus abusos. Creio que foi graças a esse novo clima que consegui manter afastados Corrado e Rosario. Dos dois, o primeiro a dar sinal de vida foi Corrado. Apareceu na saída da escola, me disse:

— Vamos dar uma volta na Floridiana.

Eu queria recusar, mas, para aguçar a curiosidade das colegas que estavam me observando, concordei, e, quando ele pôs o braço em volta dos meus ombros, me desvencilhei. No início, ele tentou me fazer rir e eu ri por gentileza, mas quando tentou me arrastar para longe das alamedas, entre as sebes, eu disse que não, primeiro com educação, depois de maneira decidida.

— Não estamos namorando? — perguntou ele, sinceramente surpreso.

— Não.
— Como não? E as coisas que nós fizemos?
— Que coisas?
Ele ficou sem graça.
— Você sabe.
— Não me lembro mais.
— Você dizia que estava se divertindo.
— Era mentira.

Pareceu, para meu espanto, desconcertado. Insistiu outra vez, tentou me beijar, perplexo. Depois se rendeu, ficou murcho, murmurou: não entendo, você está me deixando triste. Fomos nos sentar em uns degraus brancos diante de uma Nápoles esplêndida que parecia estar sob uma cúpula transparente: lá fora, o céu azul, dentro, vapores como se todas as pedras da cidade estivessem respirando.

— Você está cometendo um erro — disse ele.
— Que erro?
— Você se acha melhor do que eu, não entendeu quem eu sou.
— Quem você é?
— Espere e verá.
— Vou esperar.
— Quem não espera, Giannì, é Rosario.
— O que Rosario tem a ver com isso?
— Está apaixonado por você.
— Sem chance.
— É verdade. Você deu corda, agora ele tem certeza de que você gosta dele e fala o tempo todo dos seus peitos.
— Está enganado, diga a ele que gosto de outro.
— Quem é?
— Não posso dizer.

Ele insistiu, tentei mudar de assunto e ele voltou a pôr o braço ao redor dos meus ombros.

— Sou eu o tal outro?

— Sem chance.

— Não é possível que você tenha feito todas aquelas coisas legais sem gostar de mim.

— Garanto que foi isso mesmo.

— Então você é uma vagabunda.

— Se eu quiser, sou.

Pensei em perguntar sobre Roberto, mas eu sabia que ele o detestava, que teria encerrado o assunto com poucas frases ofensivas, então me segurei, tentei chegar até ele por Giuliana.

— Ela é linda — falei, elogiando sua irmã.

— Que nada, está ficando seca como um cadáver, você nunca a viu quando acorda de manhã.

Soltou várias frases vulgares, disse que Giuliana, para segurar o noivo formado, agora bancava a santinha, mas que não tinha nada de santa. Quem tem uma irmã, concluiu, perde o desejo pelas mulheres porque sabe que vocês são piores do que nós, homens, em tudo.

— Então tire as mãos de cima de mim e não tente mais me beijar.

— O que isso tem a ver, eu estou apaixonado.

— Então, se você se apaixona, não me enxerga?

— Enxergo, mas esqueço que você é como minha irmã.

— Roberto faz a mesma coisa: não enxerga Giuliana como você a vê, e sim como você me vê.

Ele ficou nervoso, aquele assunto o irritava.

— O que você quer que Roberto enxergue, ele é cego, não entende nada de mulheres.

— Pode ser, mas, quando ele fala, todos o escutam.
— Você também?
— Eu, não.
— Só quem é idiota gosta dele.
— Sua irmã é idiota?
— É.
— Só você é inteligente?
— Eu, você e Rosario. Ele quer encontrar com você.

Pensei um instante.

— Estou cheia de deveres — disse.
— Ele vai ficar puto, é filho do advogado Sargente.
— É alguém importante?
— Importante e perigoso.
— Não tenho tempo, Corrà, vocês dois não estudam, eu, sim.
— Você só quer ficar com quem estuda?
— Não, mas existe uma grande diferença entre você e, falo por acaso, Roberto. Imagine se ele tem tempo para jogar fora, deve ficar com a cara nos livros o tempo todo.
— De novo? Você está apaixonada?
— Claro que não.
— Se Rosario achar que você se apaixonou por Roberto, ou o mata ou o manda matar.

Eu disse que queria ir embora. Não mencionei mais Roberto.

DEZ

Pouco tempo depois, Rosario também apareceu na saída da escola. Eu o vi logo, apoiado no seu conversível, alto, magro, com aquele sorriso inevitável, vestido com uma ostentação de riqueza que meus colegas consideravam cafona. Não fez sinal algum para ser visto, era como se acreditasse que, se ele não fosse notado, seu carro amarelo certamente seria. E tinha razão, todos notaram o carro com admiração. E, claro, também notaram quando eu, de má vontade, mas como se estivesse sendo controlada a distância, fui até ele. Rosario, ostentando serenidade, sentou-se ao volante e eu, também serena, me acomodei ao seu lado.

— Você deve me levar imediatamente para casa — falei.

— Você é a patroa e eu sou o escravo — respondeu.

Deu a partida e saiu nervosamente, buzinando para abrir caminho entre os estudantes.

— Você lembra onde eu moro? — perguntei alarmada, porque ele estava enveredando pela rua que leva a San Martino.

— No alto da rua San Giacomo dei Capri.

— Mas não estamos indo para o alto da San Giacomo dei Capri.

— Vamos depois.

Parou em uma ruazinha embaixo do castelo de Sant'Elmo, virou-se para mim e me olhou com seu rosto sempre alegre.

— Giannì — disse com gravidade —, gostei de você à primeira vista. Queria dizer isso cara a cara, em um lugar tranquilo.

— Sou feia, vá procurar uma garota bonita.

— Você não é feia, faz um tipo.

— Um tipo significa que sou feia.

— Nada disso, você tem peitos que nem as estátuas têm. Esticou-se para me beijar na boca, eu recuei, virei o rosto.

— Não podemos nos beijar — falei —, seus dentes são salientes e seus lábios são finos demais.

— Então por que as outras me beijaram?

— Deve ser porque não tinham dentes, vá ser beijado por elas.

— Não brinque de me ofender, Giannì, isso não está certo.

— Não sou eu que estou brincando, mas você. Você ri o tempo todo, por isso me dá vontade de brincar.

— Você sabe que é só aparência. Por dentro, sou seríssimo.

— Eu também. Você disse que eu sou feia e eu disse que você é dentuço. Agora estamos quites, me leve para casa, ou minha mãe vai ficar preocupada.

Mas ele não recuou, ficou a poucos centímetros de distância de mim. Repetiu que eu fazia um tipo, o tipo de que ele gostava, e se lamentou em voz baixa que eu não havia entendido como eram sérias suas intenções. Depois levantou a voz de repente e disse ansioso:

— Corrado é um mentiroso, diz que você fez certas coisas com ele, mas eu não acredito.

Tentei abrir a porta do carro, falei com raiva:

— Tenho que ir embora.

— Espere: se você fez essas coisas com ele, por que não quer fazer comigo?

Perdi a paciência.

— Você me encheu o saco, Rosà, eu não faço nada com ninguém.

— Você está apaixonada por outro.

— Não estou apaixonada por ninguém.

— Corrado diz que, depois que você viu Roberto Matese, não entende mais nada.

— Nem sei quem é Roberto Matese.

— Vou dizer quem é: é um cara que se acha o tal.

— Então não é o mesmo Roberto que eu conheço.

— Pode crer, é ele. Se não quiser acreditar, trago ele aqui na sua frente e vamos ver.

— Você o traz?

— É só você mandar.

— E ele vem?

— Espontaneamente, não. Mas eu posso obrigar ele a vir.

— Você é ridículo. Ninguém obriga o Roberto que eu conheço a fazer nada que ele não quer.

— Depende da força. Com a força certa, todos fazem o que devem.

Olhei para ele preocupada. Ria, mas seus olhos estavam seriíssimos.

— Não dou a mínima para nenhum Roberto, nem para Corrado, nem para você.

Ele olhou intensamente para os meus seios, como se eu estivesse escondendo alguma coisa no sutiã, depois murmurou:

— Me dá um beijo e eu levo você para casa.

Naquele momento, tive certeza de que ele me machucaria. No entanto, incongruentemente, pensei que, apesar da sua feiura, eu gostava mais dele do que de Corrado. Por um instante, eu o vi como um demônio luminosíssimo que agarrava minha cabeça com as duas mãos e primeiro me beijava à força, depois me batia contra o vidro da janela até me matar.

— Não dou nada — falei. — Ou você me leva ou desço e vou embora.

Ele me encarou longamente, depois deu a partida.

— Você é que manda.

ONZE

Descobri que os garotos da minha turma também falavam com interesse dos peitos grandes que eu tinha. Quem me contou foi minha colega de carteira, Mirella, e acrescentou que um amigo dela, do segundo ano do ensino médio — chamava-se Silvestro, eu me lembro, e tinha certo prestígio porque ia à escola com uma moto que causava inveja — dissera no pátio, em voz alta: a bunda também não é ruim, é só pôr um travesseiro na cara dela para dar uma bela trepada.

Não dormi à noite, chorei de humilhação e de raiva. Cogitei contar para o meu pai, o pensamento um resíduo incômodo da infância: quando criança, imaginava que qualquer dificuldade minha seria enfrentada e resolvida por ele. Mas logo em seguida pensei na minha mãe, que não tinha nem um pouco de seio, e em Costanza, que tinha peitos redondos, cheios, e disse a mim mesma que, ao meu pai, os peitos de nós, mulheres, agradavam muito mais do que a Silvestro, Corrado, Rosario. Ele era como todos os homens e, com certeza, se eu não fosse sua filha, teria falado de Vittoria na minha presença com o mesmo desprezo que Silvestro usara para falar de mim, teria dito que ela era feia, mas tinha peitos enormes, uma bunda dura, e que Enzo devia ter tapado seu rosto com um travesseiro. Pobre Vittoria, ter meu pai como irmão: como os homens eram grosseiros, como eram brutais em cada palavra que dedicavam ao amor. Tinham satisfação em nos humilhar e em nos arrastar por seu caminho de baixezas. Eu estava desanimada e, em alguns lampejos — nos momentos de dor, ainda hoje sinto como se houvesse uma tempestade elétrica na minha cabeça —, cheguei a me perguntar se Roberto também era daquele jeito, se ele também se exprimia daquela maneira. Não me pareceu possível, aliás, o simples fato de ter feito aquele questionamento me amargurou ainda mais. Ele certamente se dirige a Giuliana, pensei, usando frases gentis, e sem dúvida a deseja, era só o que faltava, mas a deseja com ternura. No fim, me acalmei imaginando como o relacionamento deles devia ser cheio de distinção e jurando a mim mesma que encontrara uma maneira de gostar dos dois e de ser por toda a vida a confidente de ambos. Portanto, chega de peitos, de bunda, de travesseiro. Quem era Silvestro, o que ele sabia de mim, não era sequer um irmão que estava ao meu lado desde a infância e que conhecia os aspectos cotidianos do meu corpo, ainda bem que eu não tinha irmãos. Como ele tinha se permitido falar daquela maneira, na frente de todos.

Acalmei-me, mas foram necessários dias para que a revelação de Mirella esmorecesse. Certa manhã, eu estava na aula, minha cabeça estava livre de desgostos. Enquanto eu apontava um lápis, soou o sinal do recreio. Fui para o corredor e me deparei com Silvestro. Era um garoto grande, dez centímetros mais alto do que eu, de tez muito branca e sardenta. Estava calor, ele usava uma camisa amarela de mangas curtas. Sem premeditar, espetei seu braço com a ponta do lápis, desferi o golpe com toda a minha força. Ele gritou, um grito comprido como o das gaivotas, e olhou para o braço dizendo: a ponta ficou dentro. Lágrimas brotaram em seus olhos, eu exclamei: me deram um empurrão, desculpe, não foi de propósito. Enquanto isso, olhei para o lápis, murmurei: a ponta se partiu mesmo, deixa eu dar uma olhada.

Fiquei maravilhada. Se eu estivesse segurando uma faca, o que teria feito, cravado no seu braço ou sabe-se lá onde? Silvestro, com o apoio dos colegas, me arrastou até a diretora, eu continuei a me defender até na frente dela, jurando que tinham me dado um empurrão na confusão do recreio. Parecia-me humilhante demais falar da história dos peitos grandes e do travesseiro, eu não suportava a ideia de ficar conhecida como uma garota que era feia e não queria reconhecer. Quando ficou claro que Mirella não interviria revelando meus motivos, fiquei até aliviada. Foi um acidente, repeti à exaustão. Aos poucos, a diretora conseguiu acalmar Silvestro e chamou meus pais.

DOZE

Minha mãe recebeu a notícia muito mal. Ela sabia que eu voltara a estudar e contava muito com o fato de que eu decidira prestar o exame para recuperar o ano perdido. Achou aquela bobagem a enésima traição, talvez a confirmação de que, desde que meu pai havia ido embora, nem ela nem eu sabíamos mais viver com dignidade. Murmurou que devíamos proteger o que éramos, que devíamos ter consciência de nós mesmas. E ficou com raiva como nunca, mas não de mim, àquela altura, culpava obsessivamente Vittoria por qualquer dificuldade que eu tinha. Disse que, daquela maneira, eu estava realizando o desejo de Vittoria, que minha tia queria me tornar igual a ela nos modos, nas palavras, em tudo. Encovou ainda mais os olhos pequenos, os ossos da face pareciam prestes a rasgar a pele. Disse devagar: ela quer usar você para demonstrar que seu pai e eu somos só aparência, que, se nós ascendemos um pouquinho, você vai cair em um precipício e tudo vai se equiparar. Foi, então, até o telefone e contou tudo ao ex-marido, mas, enquanto comigo havia perdido a calma, com ele, a recuperou. Falou em voz baixíssima, como se entre eles houvesse pactos dos quais eu era cada vez mais excluída à medida que os ameaçava com meus comportamentos errados. Pensei desolada: como tudo é desconectado, tento manter as peças unidas, mas não consigo, tem algo de errado em mim, todos têm algo de errado, menos Roberto e Giuliana. Enquanto isso, minha mãe dizia ao telefone: por favor, vá você. E repetiu várias vezes: tudo bem, você tem razão. Sei que você está ocupado, mas, por favor, vá você. Quando desligou, eu disse irritada:

— Não quero que papai vá falar com a diretora.

— Calada, você quer o que nós queremos — respondeu ela.

Era sabido que a diretora, embora fosse conciliadora com quem ouvia em silêncio seus discursos e dizia algumas palavras de repreensão para a prole, se tornava especialmente dura com os pais que assumiam a defesa dos filhos. Em minha mãe, eu tinha certeza de que podia confiar, ela sempre soubera lidar muito bem com a diretora. Meu pai, por outro lado, havia declarado em várias ocasiões, às vezes até com alegria, que qualquer coisa relacionada ao mundo escolar o deixava nervoso — os colegas o deixavam de mau humor, ele desprezava as hierarquias, os ritos dos órgãos colegiais — e, por isso, evitava em qualquer ocasião pôr os pés na minha escola na qualidade de pai, sabia que aquilo certamente me prejudicaria. Daquela vez, porém, chegou na hora certa, no fim das aulas. Eu o vi no corredor e fui até ele de má vontade. Murmurei ansiosa, com cadência propositalmente napolitana: papai, eu não fiz mesmo de propósito, mas é melhor que você ponha a culpa em mim, senão a coisa vai ficar feia. Ele disse para eu não me preocupar e, uma vez na presença da diretora, se mostrou cordialíssimo. Escutou com muita atenção quando ela contou em detalhes como era difícil dirigir um liceu, contou a ela, por sua vez, uma historinha sobre a ignorância do secretário de educação, até elogiou repentinamente como ela ficava bem com aqueles brincos. A diretora apertou os olhos satisfeita, abanou levemente o ar com a mão como se quisesse mandá-lo embora, riu e, com aquela mesma mão, cobriu a boca. Só quando parecia que eles nunca mais iam parar de conversar, meu pai retomou bruscamente o assunto do meu mau comportamento. Disse, tirando meu fôlego, que eu certamente havia atingido Silvestro de propósito, que ele me conhecia bem, que, se eu reagira daquela maneira, algum bom motivo devia ter tido, que ele desconhecia e nem queria conhecer aquele bom motivo, mas que aprendera fazia tempo que, nos bafafás entre homens e mulheres, os homens sempre estavam errados e as mulheres sempre tinham razão, e que, se também naquela ocasião a situação era aquela, os homens deveriam ser educados para assumir as próprias responsabilidades, até mesmo quando aparentemente não tinham responsabilidade alguma. Este, naturalmente, é um resumo aproximado, meu pai falou por muito tempo e suas frases foram tão fascinantes quanto afiadas, daquelas que nos deixam boquiabertos de tão elegantemente formuladas, fazendo-nos entender que não admitem objeções, sendo pronunciadas com grande autoridade.

Esperei ansiosa que a diretora respondesse. Ela o fez com voz devota, chamou-o de professor, estava tão seduzida que fiquei com vergonha de ter nascido mulher, de estar destinada a ser tratada daquela maneira por um homem mesmo que eu tivesse estudado, mesmo que ocupasse um cargo de destaque. Todavia, em vez de começar a berrar de raiva, fiquei até contente. A diretora não queria mais deixar meu pai ir embora, e ficou claro que não parava de fazer perguntas só para continuar a ouvir seu tom de voz e, quem sabe, receber até mais elogios ou iniciar uma amizade com uma pessoa gentil e fina que a considerara digna de belas reflexões.

Enquanto ela ainda não se decidia a nos deixar ir embora, eu já tinha certeza de que meu pai, assim que tivéssemos alcançado o pátio, só para me fazer rir, teria imitado seu tom de voz, seu modo de verificar se os cabelos estavam arrumados, sua expressão ao reagir aos elogios. Foi exatamente o que aconteceu.

— Viu como ela bateu os cílios? E o gesto com a mão para arrumar os cabelos? E a voz? Ah, sim, uh uh, professor, como não.

Ri, exatamente quando criança, a velha admiração infantil por aquele homem já estava voltando. Ri com vontade, mas constrangida. Eu não sabia se me deixava levar ou se lembrava que ele não merecia aquela admiração e gritava: você disse que os homens estão sempre errados e devem assumir suas responsabilidades, mas você nunca as assumiu com mamãe nem comigo. Você é um mentiroso, papai, um mentiroso que me dá medo justamente por causa dessa simpatia que você sabe suscitar quando quer.

TREZE

A superempolgação pelo bom resultado do seu feito durou até entrarmos no carro. Enquanto ainda se acomodava atrás do volante, meu pai emendou uma frase vaidosa na outra.

— Tome isso como uma lição. É possível enquadrar qualquer pessoa. Pode ter certeza de que, pelo resto dos anos de escola, aquela mulher sempre ficará do seu lado.

Não consegui me conter e respondi:

— Do meu lado, não, do seu.

Ele percebeu a irritação, pareceu se envergonhar da sua autoadulação. Não deu a partida, passou as duas mãos no rosto, da testa ao queixo, como se quisesse apagar o que havia sido até alguns instantes antes.

— Você preferia ter enfrentado tudo sozinha?

— Sim.

— Não gostou de como eu me comportei?

— Você foi ótimo. Se a tivesse pedido em namoro, ela teria aceitado.

— Na sua opinião, o que eu devia fazer?

— Nada, cuidar da sua vida. Você foi embora, tem outra mulher e outras filhas, esqueça nós duas, mamãe e eu.

— Eu e sua mãe gostamos um do outro. E você é minha única, amadíssima filha.

— É mentira.

Uma centelha de raiva brilhou nos olhos do meu pai, parecia ofendido. Aí está, pensei, de quem eu tirei a energia para golpear Silvestro. Mas a descarga de sangue durou apenas um instante na sua cabeça.

— Vou levar você para casa — disse ele baixinho.
— A minha ou a sua?
— Para onde você quiser.
— Não quero nada. Fazemos sempre o que você quer, papai, você sabe penetrar no cérebro das pessoas.
— O que você está dizendo?

Lá estava outra vez a descarga de sangue, vi nas suas pupilas: eu podia mesmo, se quisesse, fazê-lo perder a calma. Mas ele nunca chegará a me dar um tapa, pensei, não precisa. Poderia me aniquilar com palavras, ele sabe fazer isso, treina desde garoto, assim destruiu o amor de Vittoria e Enzo. E certamente também me treinou, queria que eu fosse como ele, até eu decepcioná-lo. Mas não vai me agredir nem mesmo com palavras, acredita que me ama e tem medo de me magoar. Mudei de registro.

— Desculpe — murmurei —, não quero que se preocupe comigo, não quero que, por minha culpa, você perca tempo fazendo coisas que não está a fim de fazer.
— Então, comporte-se bem. O que deu em você para atacar aquele rapaz? Isso não se faz, não é a maneira certa. Minha irmã agia assim e, de fato, não foi além da quinta série.
— Decidi que vou recuperar o ano que perdi.
— Essa é uma boa notícia.
— E decidi que não vou mais ver tia Vittoria.
— Se é uma escolha sua, fico contente.
— Mas vou continuar a encontrar os filhos de Margherita.

Ele me olhou perplexo.

— Quem é Margherita?

Por alguns segundos, achei que estivesse fingindo, depois mudei de ideia. Enquanto a irmã conhecia obsessivamente até suas escolhas mais secretas, ele, após o rompimento, não quis mais saber de nada. Lutava havia décadas com Vittoria, mas ignorava tudo da vida dela, uma indiferença arrogante que era uma parte importante do seu modo de detestá-la.

— Margherita é uma amiga da tia Vittoria — expliquei.

Ele fez um gesto de incômodo.

— É verdade, eu não me lembrava do nome.

— Ela tem três filhos: Tonino, Giuliana e Corrado. Giuliana é a melhor de todos. Gosto muito dela, ela é cinco anos mais velha do que eu e muito inteligente. Seu noivo estuda em Milão, formou-se lá. Eu o conheci e é ótima pessoa.

— Qual é o nome dele?

— Roberto Matese.

Ele me olhou incerto.

— Roberto Matese?

Quando meu pai usava aquele tom de voz, não havia dúvida: tinha pensado em alguém por quem sentia verdadeira admiração e uma inveja quase imperceptível. De fato, sua curiosidade cresceu, quis saber em qual circunstância eu o havia conhecido, logo se convenceu de que o meu Roberto se encaixava com um jovem estudioso que escrevia ensaios famosos em uma revista da Universidade Católica. Senti meu rosto arder de orgulho, de revanche. Pensei: você lê, estuda, escreve, mas ele é muito melhor do que você, como você mesmo bem sabe e está admitindo neste momento.

— Vocês se conheceram no Pascone? — perguntou ele, maravilhado.

— Foi, na paróquia, ele nasceu lá, mas depois foi para Milão. Tia Vittoria foi quem me apresentou.

Pareceu confuso, como se, com poucas frases, a geografia tivesse sido embaralhada e ele sentisse dificuldade em juntar Milão, Vomero, Pascone, a casa onde havia nascido. Mas retomou depressa o tom compreensivo entre o paterno e o professoral.

— Muito bem, fico contente. Você tem o direito e o dever de aprofundar o conhecimento de qualquer pessoa que instigue sua curiosidade. É assim que se cresce. Só é uma pena você ter reduzido ao mínimo o contato com Angela e Ida. Vocês têm muita coisa em comum. Deveriam voltar à intimidade de antigamente. Você sabe que Angela também tem amigos no Pascone?

Achei que aquele topônimo, em geral pronunciado com incômodo, com amargura, com desprezo não apenas na minha presença, mas provavelmente também na presença de Angela para marcar com infâmia as amizades da sua enteada, tinha sido pronunciado daquela vez de maneira menos ressentida. Mas talvez eu tivesse exagerado, não conseguia governar o impulso, que magoava a mim também, de espezinhá-lo. Fixei sua mão delicada que girava a chave para dar a partida, me decidi:

— Tudo bem, vou à sua casa um pouquinho.

— Sem cara amarrada?

— Sim.

Ele se alegrou, deu a partida.

— Mas a casa não é só minha, é sua também.

— Eu sei.

Enquanto ele dirigia rumo a Posillipo, depois de um longo silêncio, perguntei:

— Você conversa muito com Angela e Ida, o relacionamento de vocês é bom?
— Bastante.
— Melhor do que o relacionamento delas com Mariano?
— Talvez sim.
— Você gosta mais delas do que de mim?
— Como assim? Gosto muito mais de você.

QUATORZE

Foi uma bela tarde. Ida quis ler para mim algumas das suas poesias, que achei muito bonitas. Ela me abraçou com muita força quando comentei a respeito entusiasmada; queixou-se da escola, chata, vexatória, o maior obstáculo à livre manifestação da sua vocação literária; prometeu que me daria para ler um longo romance inspirado em nós três se tivesse tempo para terminá-lo. Angela, por sua vez, não parou de me tocar, de me apertar, como se tivesse perdido o costume da minha presença e quisesse se certificar de que eu estava mesmo ali. Do nada, começou a falar de episódios da nossa infância com grande intimidade, ora rindo, ora com os olhos cheios de lágrimas. Eu não me lembrava de quase nada do que ela reevocava, mas não lhe disse isso. Assenti todo o tempo, ri e, às vezes, vendo-a tão feliz, fui tomada por uma nostalgia verdadeira de um tempo que eu considerava terminado para sempre e mal exumado por sua fantasia afetuosa demais.

 Como você fala bem, ela me disse assim que Ida se fechou de má vontade no quarto para estudar. Descobri que tinha vontade de dizer o mesmo para ela. Eu invadira o território de Vittoria, e também o de Corrado, de Rosario, e, de propósito, havia enchido a boca de dialeto e cadências dialetais. Mas eis que ressurgiam nossas gírias, em parte provenientes de trechos de leituras infantis das quais nem nos lembrávamos mais. Você me deixou sozinha — queixou-se ela, mas sem repreensão —, e confessou rindo que havia se sentido quase sempre deslocada, eu era sua normalidade. Por fim, acabou sendo um reencontro agradável entre nós e ela parecia contente. Perguntei de Tonino, ela respondeu:

— Estou tentando não vê-lo mais.
— Por quê?
— Não gosto dele.
— Ele é bonito.
— Se quiser, dou de presente para você.
— Não, obrigada.
— Está vendo? Você também não gosta dele. E eu só gostei dele porque achava que você gostava.
— Não é verdade.
— É, sim. Desde sempre, se você gosta de alguma coisa, eu imediatamente também começo a gostar.

Dediquei algumas palavras a favor de Tonino e dos seus irmãos, elogiei-o porque era um rapaz bom e tinha as ambições certas. Mas Angela rebateu que ele era muito sério o tempo todo, patético com suas frases curtas que pareciam uma profecia. Ela o definiu como um rapaz que nasceu velho, ligado demais aos padres. Nas poucas vezes em que se encontravam, Tonino passava o tempo todo reclamando por terem afastado dom Giacomo da paróquia por causa dos debates que ele organizava, mandando-o para a Colômbia. Era seu único assunto, não sabia nada de cinema, de televisão, de livros, de cantores. No máximo, algumas vezes, falava de casas, dizia que os seres humanos são caramujos que perderam a concha, mas não podem viver muito tempo sem um teto sobre a cabeça. A irmã não era como ele, Giuliana tinha mais caráter e, sobretudo, embora estivesse emagrecendo muito, era linda.

— Ela tem vinte anos — disse Angela —, mas parece mais jovem. Presta atenção em tudo o que eu falo, como se eu fosse sei lá quem. Às vezes, acho que ela tem medo de mim. E sabe o que ela falou de você? Disse que você é extraordinária.

— Eu?
— É.
— Não é verdade.
— É verdade. E disse que o noivo falou a mesma coisa.

Aquelas frases me agitaram, mas não demonstrei. Eu devia acreditar? Giuliana me considerava extraordinária, e Roberto também? Ou era um modo de falar gentil para me deixar contente e consolidar nosso relacionamento? Eu disse a Angela que me sentia como uma pedra sob a qual estava escondida uma forma de vida elementar, que não era extraordinária em nada, mas que, se ela fosse sair com Tonino e Giuliana, e por acaso Roberto, eu iria com prazer dar um passeio com eles.

Ela se mostrou entusiasmada e, no sábado seguinte, me ligou. Giuliana não iria, e naturalmente nem o noivo, mas ela tinha marcado um encontro com Tonino, e sair sozinha com ele a entediava, pediu que eu a acompanhasse. Aceitei com prazer e passeamos na orla, de Mergellina até o Palácio Real, Tonino no meio, eu de um lado, Angela do outro.

Quantas vezes eu havia encontrado aquele rapaz? Uma, duas? Na minha lembrança, ele era desengonçado, mas agradável, e na verdade era um jovem alto, feito de nervos e músculos, os cabelos corvinos, as feições regulares, uma timidez que o forçava a poupar as palavras, os gestos. Mas logo achei ter entendido o motivo da intolerância de Angela. Tonino parecia medir as consequências de cada palavra, o que dava vontade de completar algumas de suas frases ou apagar outras que eram inúteis e gritar: entendi, vá em frente. Fui paciente. Ao contrário de Angela, que se distraía, olhava para o mar, para os edifícios, conversei com ele por muito tempo e achei tudo o que ele dizia interessante. Primeiro falou dos seus estudos secretos de arquitetura e descreveu de um jeito irritante, nos mínimos detalhes, uma prova difícil na qual ele fora aprovado com brilhantismo. Depois me disse que Vittoria, a partir do momento em que dom Giacomo foi obrigado a deixar a paróquia, se tornara mais insuportável do que de costume, tornando difícil a vida de todos. Por fim, cautelosamente instigado por mim, falou muito de Roberto, com grande afeto e com uma estima tão desmedida que Angela disse: não é sua irmã que devia estar noiva dele, mas você. Mas eu gostei daquela devoção sem nenhum rastro de inveja ou maldade, Tonino disse coisas que me enterneceram. Roberto estava destinado a uma carreira universitária brilhante. Roberto havia publicado recentemente um ensaio em uma revista internacional de prestígio. Roberto era bom, modesto, tinha uma energia que animava até as pessoas mais desanimadas. Roberto propagava à sua volta os melhores sentimentos. Escutei sem interromper, poderia ter deixado aquele acúmulo de elogios durar para sempre. Mas Angela deu cada vez mais sinais de incômodo e, então, a tarde chegou ao fim com só mais algumas frases.

— Ele e sua irmã vão morar em Milão? — perguntei.
— Vão.
— Depois que se casarem?

— Giuliana queria ir morar com ele logo.
— E por que ela não vai?
— Você conhece Vittoria, jogou nossa mãe contra ela. E agora as duas querem que eles se casem antes.
— Se Roberto vier a Nápoles, eu gostaria de conversar com ele.
— Claro.
— Com ele e com Giuliana.
— Me dê seu telefone, vou falar para ela ligar.
Quando nos separamos, ele me disse com gratidão:
— Foi uma tarde agradável, obrigado, espero que a gente se reencontre em breve.
— Temos muita coisa para estudar — cortou Angela.
— Sim — falei —, mas a gente dá um jeito.
— Você não vai mais ao Pascone?
— Você sabe como é minha tia, uma vez é carinhosa, na outra, quer me matar.
Ele balançou a cabeça desolado.
— Ela não é má pessoa, mas, se continuar assim, vai acabar sozinha. Nem Giuliana a suporta mais.
Queria começar a falar daquela cruz — foi assim que definiu Vittoria — que ele e os irmãos precisaram carregar desde a infância, mas Angela o liquidou bruscamente. Ele tentou beijá-la, ela se esquivou. Chega — minha amiga quase gritou quando o deixamos —, você viu como ele é exasperante, diz sempre as mesmas coisas com as mesmas palavras, nunca faz uma brincadeira, nunca dá uma risada, é sacal.
Deixei que ela desabafasse, ou melhor, concordei com ela várias vezes. É pior do que uma mala sem alça, falei, mas depois acrescentei: porém é uma raridade, os homens

são todos feios e agressivos e fedidos, já ele é só um pouco acanhado e, mesmo sendo um porre, não o deixe, coitado, onde você vai achar outro namorado assim.

Rimos sem parar. Rimos de palavras como porre, sacal e, sobretudo, daquela expressão que havíamos ouvido quando pequenas, talvez dita por Mariano: ser uma mala sem alça. Rimos porque Tonino nunca olhava nos olhos de Angela nem de ninguém, como se tivesse sei lá o que a esconder. Rimos, enfim, porque ela me contou que, embora bastasse abraçá-la levemente para a calça dele se estufar de um jeito que a obrigava a afastar a barriga com nojo, ele não tomava nenhuma iniciativa, nunca havia sequer posto a mão em seu sutiã.

QUINZE

No dia seguinte, o telefone tocou, eu atendi, era Giuliana. Achei-a cordial e, ao mesmo tempo, muito séria, como se estivesse visando a um objetivo muito importante que não permitia tons brincalhões ou frivolidades. Disse que soubera por Tonino da minha intenção de ligar para ela, então, com alegria, havia se antecipado. Queria me ver, Roberto também fazia questão. Na semana seguinte, ele iria a Nápoles para um congresso e os dois ficariam felizes de me encontrar.

— Encontrar comigo?
— Sim.
— Encontrar com você, sim, com prazer, mas com ele, não, fico sem graça.
— Por quê? Roberto é uma pessoa afável.

Aceitei, é claro, fazia tempo que esperava uma ocasião daquele tipo. Mas, para manter a agitação sob controle, talvez até para tentar chegar àquele encontro com um bom relacionamento entre nós duas, propus a Giuliana um passeio. Ela ficou contente, disse pode ser hoje. Ela trabalhava como secretária em um consultório dentário de Via Foria, nos encontramos no fim da tarde, na estação de metrô na Piazza Cavour, uma região que me agradava fazia algum tempo porque me fazia lembrar dos avós do Museo, os parentes gentis da infância.

Mas só o fato de ver Giuliana de longe me deprimiu. Ela era alta, com movimentos harmônicos, avançava na minha direção emanando confiança e orgulho. A compostura que eu notara antes na igreja parecia ter se difundido pelas roupas, pelos sapatos, pelo seu modo de andar, tornando-se uma parte natural da sua pessoa. Acolheu-me com uma eloquência alegre para me deixar à vontade e partimos sem destino. Passamos pelo Museo, acabamos enveredando pela ladeira de Santa Teresa, eu fiquei sem palavras, oprimida pela forma como a extrema magreza e a maquiagem levíssima lhe imprimiam uma espécie de beleza ascética que incutia respeito.

Pensei, aí está o que Roberto fez: transformou uma garota da periferia em uma jovem como aquela das poesias. Em dado momento, exclamei:

— Como você mudou, está ainda mais bonita do que quando nos vimos na igreja.

— Obrigada.

— Deve ser um efeito do amor — arrisquei, era uma frase que eu ouvira muitas vezes dita por Costanza, por minha mãe.

Ela riu, negou.

— Se com amor você quer dizer Roberto, não, ele não tem nada a ver com isso — disse.

Tinha sido ela a sentir a necessidade de mudar e fizera um grande esforço que ainda não havia terminado. Primeiro tentou me explicar em termos gerais a necessidade de agradar quem respeitamos, quem amamos, mas, de uma passagem a outra, a tentativa de se exprimir em modo abstrato foi ficando confusa e Giuliana começou a falar de como, para Roberto, tudo estava sempre bom, não fazia diferença se ela permanecesse como era na infância ou se mudasse. Ele não impunha nada, os cabelos desta maneira, o vestido de outra, nada.

— Você me parece preocupada — disse Giuliana —, acha que Roberto é daqueles que estão sempre com a cara enfiada em livros, que intimidam, ditam regras. Não é assim, me lembro de quando ele era pequeno, ele nunca foi de estudar muito, aliás, nunca se empenhou como aqueles estudiosos. Ele vivia na rua jogando bola, é daqueles que aprendem distraidamente, sempre fez dez coisas ao mesmo tempo. Parece um animal que não distingue entre as coisas boas e as venenosas, tudo está sempre bom, porque, eu sou testemunha, só de tocar em algo, transforma cada elemento de uma maneira que deixa todos boquiabertos.

— Talvez, então, ele faça a mesma coisa com as pessoas.

Ela riu, uma risada nervosa.

— Isso mesmo, muito bem, com as pessoas também. Digamos que, estando perto dele, senti, e sinto, a vontade de mudar. Claro, a primeira pessoa a perceber que eu estava mudando foi Vittoria, ela não suporta que não sejamos totalmente dependentes dela e ficou com raiva, disse que eu estava me idiotizando, que não comia e estava ficando igual a um cabo de vassoura. Minha mãe, por sua vez, está contente, gostaria que eu mudasse ainda mais e que mudasse Tonino e Corrado também. Uma noite, me disse às escondidas, para que Vittoria não ouvisse: quando você for para Milão com Roberto, leve seus irmãos também, não fiquem aqui, este lugar não gera nada de bom. Mas Vittoria não deixa escapar nada, Giannì, ela ouve até o que é dito em voz baixa ou o que nem chega a ser dito. Então, em vez de ficar irritada com a minha mãe, da última vez que Roberto foi ao

Pascone, ela o enfrentou e disse: você nasceu nestas casas, cresceu nestas ruas, Milão veio depois, é para cá que você tem que voltar. Ele ficou ouvindo, como sempre. Seu caráter o faz escutar até as folhas quando tem vento. Depois deu uma resposta educada sobre as contas que nunca devemos deixar em aberto, mas acrescentou que, por enquanto, ele tinha contas a fechar em Milão. Ele é assim mesmo: escuta, depois segue o próprio caminho ou, de qualquer maneira, todos os caminhos que atiçam sua curiosidade, inclusive, se for o caso, o caminho que você sugeriu.

— Então vocês vão se casar e morar em Milão?
— Vamos.
— Ou seja, Roberto vai brigar com Vittoria?
— Não: com Vittoria, eu romperei, Tonino, Corrado. Mas Roberto, não, Roberto faz o que deve fazer e não rompe com ninguém.

Ela o admirava, o que ela mais gostava no noivo era sua determinação benévola. Senti que ela se entregara totalmente a ele, considerava-o seu salvador, aquele que a arrancaria da cidade natal, da escolarização insuficiente, da fragilidade da mãe, da potência da minha tia. Perguntei se ela ia com frequência para a casa de Roberto em Milão, ela entristeceu, disse que era complicado, que Vittoria não queria. Só tinha ido três ou quatro vezes porque Tonino a acompanhara, mas bastaram aquelas poucas estadias para que ela amasse a cidade. Roberto tinha muitos amigos, alguns muito importantes. Ele fazia questão de apresentá-la a todos e sempre a levava consigo, ora à casa de um, ora a um encontro com outro. Foi tudo lindo, mas ela se sentira também muito ansiosa. Depois daquelas experiências, tinha ficado com taquicardia. Em cada ocasião, perguntava a si mesma por que Roberto havia escolhido justamente ela, que era boba, ignorante, não sabia se vestir, quando, em Milão, havia tantas moças extraordinárias. E em Nápoles também, disse, você sim é uma moça apropriada. Sem falar de Angela, que se exprime tão corretamente, é bonita, elegante. Já eu, o que eu sou? O que tenho a ver com ele?

Senti prazer com aquela superioridade que ela estava reconhecendo em mim, no entanto, disse-lhe que era bobagem. Angela e eu falávamos como nossos pais haviam nos educado, nossas roupas eram escolhidas pelas nossas mães, ou então nós as escolhíamos de acordo com o gosto delas achando que aquele era o nosso gosto. A questão era que Roberto desejara ela e só ela porque havia se apaixonado pelo que ela era, e por isso nunca a trocaria por outra. Você é tão bonita, tão viva, exclamei, o resto se aprende, você já está aprendendo: eu ajudo se você quiser, Angela também, nós vamos ajudar você.

Voltamos, eu a acompanhei até o metrô na Piazza Cavour.

— Você não deve ficar sem graça com Roberto — repetiu ela —, por favor, ele é muito gente boa, você vai ver.

Abraçamo-nos, fiquei contente com aquela amizade que estava começando. Mas também descobri que estava do lado de Vittoria. Eu queria que Roberto saísse de Milão, que se estabelecesse em Nápoles. Queria que minha tia prevalecesse e impusesse aos futuros noivos que vivessem, sei lá, no Pascone, de maneira que eu pudesse soldar minha vida à deles e encontrá-los quando eu quisesse, até mesmo diariamente.

DEZESSEIS

Cometi um erro: contei a Angela que havia encontrado Giuliana e que logo encontraria Roberto também. Aquilo não a agradou. Ela, que havia falado mal de Tonino e muito bem de Giuliana, mudou bruscamente de ideia: disse que Tonino era um bom rapaz e que a irmã dele era uma víbora e o atormentava. Logo entendi que ela havia ficado com ciúme: não suportava que Giuliana tivesse me procurado sem a sua mediação.

— É melhor ela não aparecer mais — disse-me uma tarde em que fomos passear. — É mais velha e nos trata como garotinhas.

— Não é verdade.

— É, sim. No início, comigo, fingiu que eu era a professora, e ela, a aluna. Ficava grudada em mim, dizia: que ótimo, se você se casar com Tonino, vamos nos tornar parentes. Mas é uma pessoa falsa. Ela se intromete, se faz de amiga, mas só pensa na própria vida. Agora está obcecada por você, eu não sou mais suficiente. Ela me usou e agora está me jogando fora.

— Não exagere. É uma boa moça, pode ser tanto sua amiga quanto minha.

Tive dificuldade para acalmá-la e não consegui totalmente. De tanto discutir, entendi que ela queria várias coisas ao mesmo tempo e isso a mantinha em um estado permanente de descontentamento. Queria terminar com Tonino, mas sem romper com Giuliana, a quem havia se afeiçoado; queria que Giuliana não se apegasse a mim, excluindo-a; queria que Roberto não perturbasse, nem mesmo como fantasma, um nosso eventual trio entrosadíssimo; queria que eu, mesmo fazendo parte daquele eventual trio, tivesse apenas ela como prioridade nos meus pensamentos, e não a outra. Em dado momento, sem conseguir meu consenso, deixou de lado as maledicências contra Giuliana e começou a falar da irmã de Tonino como se ela fosse uma vítima do noivo.

— Tudo o que Giuliana faz é por causa dele — disse.
— E isso não é bonito?
— Você acha bonito ser escrava?
— Para mim, é bonito amar.
— Mesmo que ele não a ame?
— Como você sabe que ele não a ama?
— É o que ela diz, que não é possível que ele goste dela.
— Quem ama teme não ser amado.
— Se alguém faz você viver com a angústia que Giuliana vive, que prazer tem o amor?
— Como você sabe que ela vive angustiada?
— Eu os vi juntos, uma vez, com Tonino.
— E daí?
— Giuliana não suporta a ideia de ele um dia não gostar mais dela.
— Ele também deve sentir a mesma coisa.
— Ele mora em Milão, deve ter um monte de mulheres.

Essa última frase me deixou especialmente nervosa. Eu não queria nem pensar na eventualidade de Roberto ter outras mulheres. Preferia que ele fosse devotado a Giuliana e fiel até a morte.

— Giuliana tem medo de ser traída? — perguntei.

— Ela nunca me disse nada, mas acho que sim.

— Da vez que eu o vi, não me pareceu um homem que trai.

— Seu pai parecia um homem que trai? Mas era isso que acontecia: traía sua mãe com a minha.

Reagi com dureza.

— Meu pai e sua mãe são falsos.

Ela assumiu um ar perplexo.

— Não está gostando dessa conversa?

— Não. São comparações sem sentido.

— Pode ser. Mas quero pôr esse tal de Roberto à prova.

— Como?

Seus olhos brilharam, sua boca se fechou de leve, as costas se arquearam esticando o peito. Assim, ela disse. Angela queria falar com ele com aquela expressão e naquela pose provocante. Ou melhor, usaria uma roupa muito decotada e uma minissaia e esbarraria em Roberto com o ombro, e encostaria o seio em seu braço, e poria a mão na sua coxa e passearia com ele de braços dados. Ah, disse visivelmente enojada, como os homens são babacas, é só fazer algumas dessas coisas e, em qualquer idade, eles ficam loucos, não importa se você é pele e osso ou enorme de gorda, se tem pústulas ou piolhos.

Aquela tirada me deixou com raiva. Ela havia começado com nossos tons de garotas e, agora, de repente, falava com a trivialidade de uma mulher feita.

— Não ouse fazer isso com Roberto — falei, contendo com dificuldade um tom ameaçador.

— Por quê? — perguntou ela, surpresa. — É por Giuliana. Se ele for um bom rapaz, tudo bem, mas, se não for, nós a salvaremos.

— Eu, no lugar dela, não ia querer ser salva.

Ela me olhou como se não estivesse entendendo.

— Eu estava brincando. Você me promete uma coisa? — perguntou.

— O quê?

— Se Giuliana procurar você, ligue logo para mim, quero ir também a esse encontro com Roberto.

— Sim. Mas, se ela disser que assim ele vai ficar sem graça, não vou poder fazer nada.

Ela se calou, abaixou o olhar e, quando voltou a erguê-lo após uma fração de segundo, tinha nos olhos um doloroso pedido de clareza.

— Tudo se perdeu entre nós, você não gosta mais de mim.

— Nada disso, gosto de você e vou gostar até morrer.

— Então me beije.

Eu a beijei no rosto. Ela procurou minha boca, eu me esquivei.

— Não somos mais crianças — falei.

Ela foi embora infeliz rumo a Mergellina.

DEZESSETE

Giuliana ligou uma tarde marcando encontro no domingo seguinte na Piazza Amedeo, Roberto também iria. Senti que o momento tão desejado, tão imaginado, havia mesmo chegado e, mais uma vez, de maneira ainda mais violenta, tive medo. Gaguejei, falei do monte de deveres que eu tinha para a escola, ela disse rindo: Giannì, calma, Roberto não vai devorar você, quero que ele veja que eu também tenho amigas que estudam, que falam bem, me faça esse favor.

 Retrocedi, me confundi e, para encontrar algo que emaranhasse o novelo a ponto de impedir o encontro, falei de Angela. Eu já havia decidido, quase sem admitir para mim mesma, que, caso Giuliana de fato tivesse intenção de marcar um encontro comigo e com o noivo, eu não diria nada a Angela, queria evitar mais chateações e tensões. Mas os pensamentos às vezes liberam uma força latente, agarram imagens contra a sua vontade e as empurram para debaixo dos nossos olhos por uma fração de segundo. Pensei que a figura de Angela, uma vez evocada, certamente não agradaria a Giuliana e, portanto, poderia induzi-la a dizer: tudo bem, vamos deixar para outra ocasião. Mas, na minha cabeça, aconteceu algo a mais: imaginei minha amiga batendo os cílios, fazendo beicinhos em forma de O, mostrando o decote, arqueando as costas: e, de repente, me pareceu que colocá-la ao lado de Roberto, deixá-la livre para desmanchar e separar aquele casal, pudesse ser um maremoto solucionador.

— E tem outro problema: eu disse a Angela que nos vimos e que provavelmente encontraríamos com Roberto — falei.

— E daí?

— Ela também quer ir.

Giuliana ficou calada por um longo instante, depois disse:

— Giannì, gosto da Angela, mas ela não é uma pessoa fácil, quer sempre se intrometer em tudo.

— Eu sei.

— E se você não falasse nada desse encontro para ela?

— Impossível. De uma maneira ou de outra, ela vai acabar sabendo que encontrei com o seu noivo e não vai mais falar comigo. É melhor esquecer.

Outros segundos de silêncio, depois ela concordou:

— Tudo bem, chame ela também.

A partir daquele momento, tudo foi uma grande emoção para mim. Comecei a ficar com medo de parecer ignorante e pouco inteligente para Roberto, o que me tirou o sono e quase me fez ligar para o meu pai para perguntar sobre a vida, a morte, Deus, o cristianismo, o comunismo, de maneira a poder reutilizar suas respostas sempre cheias de doutrina em uma eventual conversa. Resisti, eu não queria contaminar o noivo de Giuliana, do qual eu guardava uma imagem semelhante a uma aparição celeste, com a pobreza terrena do meu pai. Depois aumentou a obsessão com o meu aspecto. Como eu ia me vestir? Será que dava para eu melhorar minha aparência um pouquinho que fosse?

Ao contrário de Angela, que desde criança sempre prestou muita atenção em como se vestia, eu, desde o início daquele longo período de crise, deixara de lado, como uma provocação, a obsessão com a aparência. Você é feia — eu havia concluído —, e uma pessoa feia fica ridícula quando tenta se embelezar. Então minha única obsessão era a limpeza, eu vivia me lavando. De resto, eu me cobria de roupas pretas, escondendo-me, ou, ao contrário, usava maquiagem pesada, cores vistosas, me tornando escrachada de propósito. No entanto, naquela ocasião, tentei várias vezes encontrar um meio-termo que me tornasse aceitável. Como não cheguei a gostar de nada, por fim só atentei para uma combinação harmônica das cores e, depois de gritar para minha mãe que ia me encontrar com Angela, saí porta afora e desci a pé San Giacomo dei Capri.

Vou passar mal por causa da tensão, eu pensava enquanto o funicular descia com sua ruidosa lentidão de sempre rumo à Piazza Amedeo, vou tropeçar, vou bater com a cabeça, vou morrer. Ou vou me irritar e arrancar os olhos de alguém. Eu estava atrasada, suada, não parava de arrumar os cabelos com os dedos com medo de que ficassem colados na cabeça como acontecia às vezes com Vittoria. Quando cheguei à praça, logo vi Angela que, sentada na parte externa de um bar, gesticulava e já bebia algo. Fui até ela, também me sentei, o sol estava morno. Aí estão os noivos, ela me disse em voz baixa, e percebi que o casal estava atrás de mim. Além de me forçar a não me virar, também não me levantei, como Angela já estava fazendo, e fiquei sentada. Senti a mão de Giuliana se apoiar com leveza em meu ombro — oi, Giannì —, vi com o rabo do olho seus dedos bem cuidados, a manga do seu paletó marrom, uma pulseira que mal despontava. Angela já pronunciava as primeiras frases cordiais, e eu também gostaria de ter dito alguma coisa, respondido ao cumprimento. Mas a pulseira semicoberta pela manga do paletó era a que eu devolvera a minha tia e, devido à surpresa, não consegui dizer nem oi. Vittoria, Vittoria, eu não sabia o que pensar, ela era realmente como meus pais a descreviam. Ela a havia tirado de mim, que era sua sobrinha, e, embora parecesse que não podia viver sem ela, dera a pulseira à afilhada. Como a joia brilhava no pulso de Giuliana, como ganhava valor.

DEZOITO

Aquele segundo encontro com Roberto confirmou que eu não me lembrava quase nada do primeiro. Finalmente me levantei, ele estava alguns passos atrás de Giuliana. Pareceu-me muito alto, mais de um metro e noventa, mas, quando se sentou, se retraiu como se amontoasse todos os membros e os compactasse sobre a cadeira para evitar ser um estorvo. Eu tinha em mente um homem de estatura média, mas lá estava ele, possante e ao mesmo tempo pequeno, uma pessoa que sabia se expandir ou se encolher de acordo com a própria vontade. Era sem dúvida bonito, muito mais do que eu me lembrava: cabelos negros, testa grande, olhos cintilantes, maçãs do rosto proeminentes, nariz bem desenhado, e a boca, ah, a boca, com dentes regulares e branquíssimos que pareciam uma mancha de luz na tez escura. Mas seu comportamento me desnorteou. Durante boa parte do tempo que passamos naquela mesa, não demonstrou nenhum dos dotes de orador que havia exibido na igreja e que me marcaram profundamente. Recorreu a frases curtas, a uma gestualidade pouco comunicativa. Só os olhos eram aqueles do seu discurso no altar, atentos a cada detalhe, vagamente irônicos. De resto, me fez pensar naqueles professores tímidos que emanam benevolência e compreensão, não causam ansiedade e, além de fazer suas perguntinhas com gentileza, clareza e precisão, depois de ouvir as respostas sem nunca interromper, sem comentar, também dizem no final, com um sorriso bondoso: pode ir embora.

Ao contrário de Roberto, Giuliana foi nervosamente eloquente. Apresentou-nos ao noivo atribuindo a cada uma de nós muitas qualidades e, enquanto falava, embora estivesse sentada em uma área sombreada, me pareceu luminosa. Obriguei-me a ignorar a pulseira, apesar de não poder deixar de vê-la brilhar de vez em quando em torno do pulso delgado de Giuliana e pensar: talvez aquela seja a fonte mágica da sua luz. As palavras, não, foram opacas. Por que está falando tanto, perguntei a mim mesma, o que a preocupa, certamente não é a nossa beleza. Ao contrário de todas as minhas previsões, Angela estava bonita como de costume, mas não havia exagerado na vestimenta: a saia era curta, mas não excessivamente, estava usando um suéter justo, mas não decotado, e, apesar dos sorrisos, apesar de se mostrar desenvolta, não estava fazendo nada especialmente sedutor. Quanto a mim, eu era um saco de batatas — eu me sentia, *queria ser*, um saco de batatas — cinza, compacta, a protuberância do seio sepultada embaixo de um paletó, e estava sendo muito bem-sucedida. De maneira que certamente não era o nosso aspecto físico que preocupava Giuliana, não havia competição entre ela e nós. Convenci-me, então, de que sua ansiedade era causada pela possibilidade de não estarmos à altura. Sua intenção declarada era nos mostrar para o noivo como suas amigas de boa família. Queria que ele gostasse de nós porque éramos garotas do Vomero, estudantes do ensino médio, pessoas de bem. Enfim, havia nos convocado até ali para testemunhar que ela estava apagando de si mesma o Pascone, se preparava para viver com dignidade em Milão com ele. E acho que foi isso — e não a pulseira — que acentuou meu nervosismo. Eu não queria ser exibida, não queria me sentir como na época em que meus pais me obrigavam a demonstrar para os amigos como eu era capaz de fazer isso, de dizer aquilo e, assim que eu percebia que estava sendo forçada a dar tudo de mim, enfraquecia. Fiquei em silêncio, a cabeça vazia, até olhei ostensivamente para o relógio umas duas vezes. A consequência foi que Roberto, depois de algumas frases de cortesia, acabou se concentrando, sobretudo, em Angela com o tom clássico de um professor. Perguntou: como é a sua escola, em que estado está, vocês têm um ginásio, qual a idade dos seus professores, como são as aulas, o que você faz no tempo livre, e ela falou, falou, falou com sua vozinha de aluna desenvolta, e sorriu, e riu dizendo coisas divertidas sobre os colegas, os professores.

Giuliana não apenas a escutou com um sorriso nos lábios, mas muitas vezes entrou na conversa. Tinha aproximado sua cadeira à do noivo, às vezes apoiava a cabeça no seu ombro rindo alto quando ele ria baixinho das tiradas de Angela. Pareceu-me mais tranquila. Angela estava se saindo bem, Roberto parecia não estar entediado. A certa altura, ele disse:

— E quando você acha tempo para ler?

— Não acho — respondeu Angela. — Quando pequena, eu lia, mas agora não leio mais, a escola acaba comigo. Minha irmã é que lê muito. E ela também, eu sei que ela lê.

Apontou para mim com um gesto gracioso e um olhar cheio de afeto.

— Giannina — disse Roberto.

Eu o corrigi carrancuda:

— Giovanna.

— Giovanna — disse Roberto —, lembro bem de você.

— É fácil, sou idêntica à tia Vittoria — murmurei.

— Não, não foi por causa disso.

— Por que então?

— Agora não sei, mas, se eu me lembrar, digo.

— Não precisa.

Mas precisava, sim, eu não queria ser lembrada por ser desleixada, feia, mal-humorada, fechada em um silêncio presunçoso. Olhei bem fundo em seus olhos e, como ele me olhava com simpatia e aquilo me encorajava — não era uma simpatia melosa, mas docemente irônica —, obriguei-me a não desviar o olhar, queria sentir se a simpatia dava lugar ao incômodo. Fiz isso com uma persistência da qual, um instante antes, eu não sabia ser capaz, até bater os cílios me parecia uma concessão.

Continuou com o tom de professor bonachão, perguntou por que eu tinha tempo de ler apesar da escola, e Angela, não: meus professores passavam menos deveres? Respondi taciturna que meus professores eram animais adestrados, recitavam mecanicamente as aulas e passavam, também mecanicamente, tantos deveres que, se fossem os estudantes a exigir os trabalhos, eles jamais conseguiriam fazê-los. Mas eu não me preocupava com os deveres, lia quando sentia vontade, se um livro me prendia, eu lia noite e dia, não dava a mínima para a escola. O que você costuma ler, perguntou, e como respondi de maneira vaga — na minha casa só tem livros, antigamente meu pai me indicava alguns, mas depois que ele foi embora eu escolho sozinha, de vez em quando pego algum, ensaios, romances, o que sinto vontade —, insistiu para que eu dissesse alguns títulos, o último que eu havia lido. Então respondi: o Evangelho, mentindo para impressioná-lo, foi uma leitura de alguns meses atrás, agora estou lendo outra coisa. Mas eu havia esperado tanto a chegada daquele momento que, na hipótese de que realmente acontecesse, havia escrito de propósito em um caderno todas as minhas impressões para expô-las. Agora estava acontecendo e eu, de repente sem hesitação, falei e falei continuando a encará-lo com falsa calma. Na verdade, por dentro, eu estava furiosa, furiosa sem motivo, ou pior, como se o que me desse raiva fossem exatamente os textos de Marcos, Mateus, Lucas e João, e a raiva apagasse tudo à minha volta, a praça, o jornaleiro, o túnel do metrô, o verde brilhante do parque, Angela e Giuliana, tudo menos Roberto. Quando me calei, finalmente abaixei o olhar. Tinha ficado com dor de cabeça, procurei controlar a respiração para que ele não percebesse que eu estava arquejando.

Houve um longo silêncio. Só então notei que Angela estava me observando com olhos orgulhosos — eu era sua amiga de infância, ela estava sentindo orgulho e me dizia isso de maneira silenciosa —, o que me deu força. Giuliana, por sua vez, estava abraçada ao noivo, olhando para mim perplexa, como se eu tivesse algo fora do lugar e ela quisesse me avisar com o olhar. Roberto me perguntou:

— Então, na sua opinião, a história dos Evangelhos é ruim?

— É.

— Por quê?

— Não funciona. Jesus é o filho de Deus, mas faz milagres inúteis, deixa que o traiam e acaba na cruz. Não só isso: pede que o pai o poupe da cruz, mas o pai não move uma palha e não o poupa de nenhum tormento. Por que Deus não veio pessoalmente sofrer? Por que jogou nas costas do filho o mau funcionamento da sua própria criação? O que é fazer a vontade do pai, beber o cálice dos tormentos até o fim?

Roberto balançou levemente a cabeça, a ironia desapareceu.

Resumo aqui o que ele disse, eu estava agitada, lembro-me de pouca coisa:

— Deus não é fácil.

— Seria bom que ele se tornasse fácil se quisesse que eu entendesse alguma coisa.

— Um Deus fácil não é um Deus. Ele é diferente de nós. Não nos comunicamos com Deus, ele está tão além do nosso nível que não pode ser questionado, mas apenas invocado. Se ele se manifesta, é sempre em silêncio, através de pequenos sinais mudos que vêm de nomes totalmente comuns. Fazer a sua vontade é curvar a cabeça e obrigar a si mesmo a acreditar nele.

— Já tenho obrigações demais.

Surgiu outra vez em seus olhos a ironia, percebi com alegria que a minha aspereza lhe interessava.

— A obrigação em relação a Deus vale a pena. Você gosta de poesia?

— Gosto.

— Você lê poesia?

— Quando tenho oportunidade.

— A poesia é feita de palavras, exatamente como o nosso bate-papo agora. Se o poeta pega nossas palavras banais e as libera do bate-papo, eis que elas, a partir da sua banalidade, manifestam uma energia inesperada. Deus se manifesta da mesma maneira.

— O poeta não é um Deus, é simplesmente alguém como nós que sabe fazer poesias.

— Mas aquele fazer abre nossos olhos, nos deixa maravilhados.

— Quando o poeta tem talento, sim.

— E nos surpreende, nos dá um solavanco.

— Algumas vezes.

— Deus é isto: um solavanco em um quarto escuro do qual não reconhecemos mais o chão, as paredes, o teto. Não há o que raciocinar, não há o que discutir. É uma questão de fé. Se você acredita, funciona. Senão, não.

— Por que devo acreditar em um solavanco?

— Por espírito religioso.

— Não sei do que se trata.

— Pense em uma investigação como a dos livros policiais, só que o mistério continua sendo um mistério. O espírito religioso é isso: avançar, cada vez mais, para revelar o que continua velado.

— Não estou entendendo.

— Os mistérios não podem ser entendidos.

— Os mistérios não resolvidos me dão medo. Eu me identifiquei com as três mulheres que vão ao sepulcro, não encontram mais o corpo de Jesus e fogem.

— O que deve fazer você fugir é a vida, quando é obtusa.

— A vida me faz escapar quando é sofrimento.

— Você está dizendo que não se dá por satisfeita em relação a como vão as coisas?

— Estou dizendo que ninguém deveria ser crucificado, especialmente por vontade do próprio pai. Mas não é assim.

— Se você não gosta de como as coisas são, deve mudá-las.
— Mudo também a criação?
— Claro, somos feitos para isso.
— E Deus?
— Deus também, se necessário.
— Cuidado, você está blasfemando.

Por um instante, tive a impressão de que Roberto percebera de tal maneira meu esforço para ser páreo para ele que chegou a ficar com os olhos marejados de comoção.

— Se a blasfêmia me permite um pequeno avanço que for, eu blasfemo — disse ele.
— Sério?
— Sim. Gosto de Deus e faria de tudo, até ofendê-lo, para me aproximar dele. Por isso aconselho que você não se afobe em jogar tudo para o alto: espere um pouco, a história dos Evangelhos diz mais do que o que você encontrou até agora.
— Existem muitos outros livros. Li os Evangelhos só porque você falou a respeito daquela vez na igreja e fiquei curiosa.
— Leia-os novamente. Falam de paixão e de cruz, ou seja, de sofrimento, aquilo que mais desnorteia você.
— O silêncio me desnorteia.
— Você também ficou calada por meia hora. Mas, depois, falou, está vendo?

Angela exclamou divertida:
— Talvez ela seja Deus.

Roberto não riu e eu refreei em tempo uma risadinha nervosa. Ele disse:
— Agora sei por que me lembrava de você.
— O que eu fiz?
— Você põe muita força nas palavras.
— Você, mais ainda.

— Não faço de propósito.

— Eu, sim. Sou arrogante, não sou boa, muitas vezes sou injusta.

Foi ele a rir dessa vez, e nós três, não. Giuliana, baixinho, lembrou que eles tinham um compromisso e não podiam se atrasar. Falou com o tom arrependido de quem não quer abandonar uma boa companhia; depois se levantou, abraçou Angela e fez um aceno gentil para mim. Roberto também se despediu, senti um calafrio quando ele se curvou sobre mim e beijou meu rosto. Assim que os dois noivos se afastaram pela Via Crispi, Angela me puxou pelo braço.

— Você o impressionou — exclamou entusiasmada.

— Ele disse que leio da maneira errada.

— Não é verdade. Ele não apenas ficou ouvindo, mas se pôs a debater com você.

— Imagine, ele debate com qualquer um. Já você é só papo-furado, não devia ter ficado grudada nele?

— Você disse que eu não devia. De qualquer maneira, não pude. Quando eu o vi com Tonino, ele me pareceu bobo, agora parece mágico.

— É como todos.

Mantive sempre aquele tom de desprezo, embora Angela me contradissesse o tempo todo com frases como: compare como ele tratou nós duas, vocês pareciam dois professores. E imitou nossas vozes, ridicularizou alguns trechos do diálogo. Fiz caretas, dei risadinhas, mas, na verdade, por dentro, estava exultando. Angela tinha razão, Roberto havia falado comigo. Mas não foi suficiente, eu queria falar mais e mais com ele, agora, à tarde, amanhã, sempre. Mas aquilo não podia acontecer e minha alegria já estava passando, tornava-se uma amargura que me esgotava.

DEZENOVE

Piorei rapidamente. Parecia que o encontro com Roberto só tinha servido para me demonstrar que a única pessoa de quem eu gostava — a única pessoa que, em um brevíssimo contato, me fez sentir por dentro um vapor agradavelmente excitante — tinha seu mundo definitivamente em outro lugar, só podia me conceder alguns minutos.

Na volta, encontrei o apartamento da Via San Giacomo dei Capri vazio, ouvia-se apenas o ruído da cidade, minha mãe havia saído com uma das suas amigas mais chatas. Senti-me sozinha e, o mais importante, sem nenhuma perspectiva de redenção. Fui me deitar na cama para me acalmar, tentei dormir, acordei sobressaltada pensando na pulseira no braço de Giuliana. Eu estava agitada, talvez tivesse tido um pesadelo, disquei o número de Vittoria. Atendeu logo, mas com um alô que parecia sair do meio de uma briga, evidentemente berrado no fim de alguma frase pronunciada de maneira ainda mais berrada um instante antes do toque do telefone.

— É Giovanna — quase sussurrei.

Vittoria não abaixou a voz.

— Muito bem. E que diabos você quer?

— Queria perguntar da minha pulseira.

Ela me interrompeu.

— Sua? Ah, chegamos a esse ponto, você me liga para dizer que é sua? Giannì, eu fui boa demais com você, mas agora chega, trate de ficar na sua, entendeu? A pulseira é de quem gosta de mim, não sei se fui clara.

Não, não havia sido clara, ou pelo menos eu não estava entendendo. Estive prestes a desligar, estava assustada, nem me lembrava por que havia telefonado, claro, era o momento errado. Mas ouvi Giuliana gritar:

— É Giannina? Quero falar com ela. E fique calada, Vittò, calada, nem mais uma palavra.

Logo em seguida, ouvi também a voz de Margherita, mãe e filha obviamente estavam na casa da minha tia. Margherita disse uma frase do tipo:

— Vittò, por favor, esqueça, a menina não tem nada a ver com isso.

Mas Vittoria gritou:

— Ouviu, Giannì, aqui chamam você de menina. Mas você é uma menina? É? Então por que se mete no meio de Giuliana e do noivo? Responda, em vez de encher o saco com a porra da pulseira. Você é pior do que o meu irmão? Diga, estou ouvindo: você é mais presunçosa do que seu pai?

Logo houve outro grito de Giuliana.

— Chega, você está louca. Morda a língua se não sabe do que está falando.

Naquele momento, a ligação foi interrompida. Fiquei com o fone na mão, incrédula. O que estava acontecendo. E por que minha tia havia me agredido daquela maneira. Talvez eu tivesse errado ao dizer "a minha pulseira", tivesse sido inoportuna. Todavia, era a formulação certa, ela me dera a pulseira de presente. Mas eu certamente não tinha ligado para pegá-la de volta, queria apenas que me explicasse por que não tinha ficado com ela. Por que amava tanto aquela pulseira, mas não fazia outra coisa além de se livrar dela?

Desliguei, voltei a me deitar na cama. Eu devia ter tido mesmo um pesadelo, algo relacionado à foto de Enzo na gaveta do cemitério, a angústia me corroía. E agora tinha aquela sobreposição de vozes ao telefone, ouvi-as novamente na minha cabeça e só então entendi que Vittoria estava com raiva de mim por causa do encontro daquela manhã. Evidentemente Giuliana acabara de contar como tinha sido, mas o que Vittoria vira naquela história que a deixou furiosa? Eu queria estar presente e ouvir palavra por palavra o que Giuliana tinha dito. Talvez, se eu também tivesse ouvido o relato, entenderia o que realmente acontecera na Piazza Amedeo.

O telefone tocou outra vez, levei um susto, fiquei com medo de atender. Depois achei que podia ser minha mãe e voltei ao corredor, levantei o fone com cautela. Giuliana murmurou: alô. Pediu desculpa por Vittoria, fungou, talvez estivesse chorando. Eu perguntei:

— Fiz alguma coisa de errado esta manhã?
— Não, Giannì, Roberto ficou entusiasmado com você.
— Sério?
— Juro.
— Fico contente, diga que falar com ele me fez muito bem.
— Não preciso dar o recado, você mesma vai falar com ele. Roberto quer se encontrar novamente com você amanhã à tarde, se você puder. Vamos tomar um café nós três juntos.

O laço doloroso da dor de cabeça ficou mais apertado.

— Tudo bem — murmurei. — Vittoria ainda está com raiva?

— Não, não se preocupe.

— Posso falar com ela?

— É melhor evitar, ela está meio nervosa.

— Por que está irritada comigo?

— Porque é louca, sempre foi louca e arruinou a vida de todos nós.

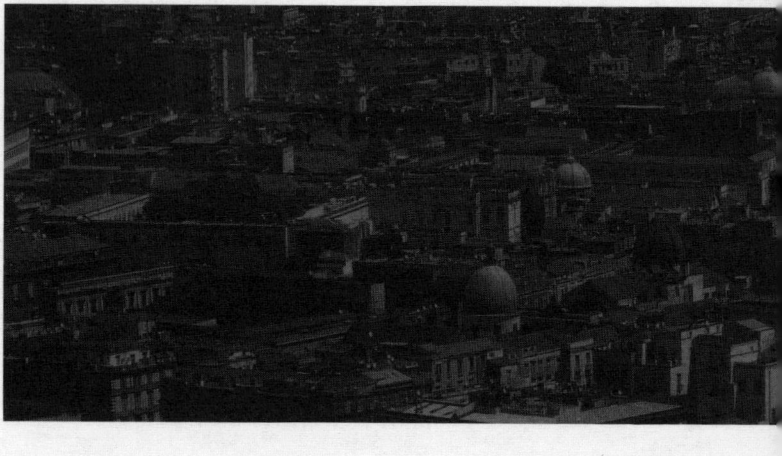

PARTE SEIS

UM

O tempo da minha adolescência é lento, feito de grandes blocos cinzentos e pequenas saliências verdes ou vermelhas ou roxas. Os blocos não têm horas, dias, meses, anos, e as estações são incertas, faz calor e frio, chove e faz sol. As saliências também não têm um tempo certo, a cor é mais importante do que qualquer datação. De resto, a duração da própria coloração que certas emoções assumem é irrelevante, quem está escrevendo sabe. Assim que você procura as palavras, a lentidão se transforma em um vórtice e as cores se confundem como as de diferentes frutas em um liquidificador. Não apenas "o tempo passou" se torna uma fórmula vazia, mas também "uma tarde", "uma manhã", "uma noite" acabam sendo indicações convenientes. Tudo o que posso dizer é que de fato consegui recuperar o ano perdido, e sem grande esforço. Eu tinha boa memória — percebi

— e aprendia mais nos livros do que na escola. Bastava que eu lesse, mesmo distraidamente, e me lembrava de tudo.

Aquele pequeno sucesso melhorou meu relacionamento com meus pais, que voltaram a se mostrar orgulhosos de mim, especialmente meu pai. Mas eu não senti nenhuma satisfação, as sombras deles me pareciam uma pontada incômoda que não passava, uma parte inconveniente de mim que devia ser amputada. Decidi — a princípio só para distanciá-los ironicamente e, depois, com uma meditada rejeição do laço parental — chamá-los pelo nome. Nella, cada vez mais desnutrida e queixosa, era, àquela altura, a viúva do meu pai, embora ele ainda estivesse vivo, com ótima saúde e numa situação muito confortável. Continuava a guardar com cuidado as coisas que teimosamente impedira que ele levasse embora. Estava sempre disponível para as visitas do seu fantasma, para os telefonemas que ele fazia do além-túmulo da vida conjugal dos dois. E até me convenci de que ela se encontrava com Mariano de vez em quando só para saber de quais grandes questões o ex-marido estava se ocupando. De resto, se submetia com disciplina, cerrando os dentes, a uma longa série de incumbências cotidianas, das quais eu também fazia parte. Mas em mim — o que era um grande alívio — não se concentrava mais com a obstinação que usava para corrigir pilhas e mais pilhas de deveres ou historinhas de amor. Você já é grande, dizia cada vez com mais frequência, se vire.

Eu ficava contente de finalmente poder ir e vir sem muitos controles. Quanto menos ela e meu pai se ocupavam de mim, melhor eu me sentia. Andrea, sobretudo, ah, que ele ficasse calado. Eu suportava cada vez menos as sábias instruções de uso da vida que meu pai se sentia no dever de me transmitir quando nos víamos em Posillipo, nas vezes que eu ia encontrar Angela e Ida, ou na saída da escola, quando comíamos juntos *panzarotti* e *pastacresciuta*. A hipótese de que entre Roberto e mim estivesse nascendo uma amizade estava milagrosamente se concretizando, de modo que eu achava que estava sendo orientada e instruída por ele de uma maneira que meu pai, ocupado demais consigo mesmo e com suas transgressões, jamais soubera fazer. Andrea, em uma noite àquela altura já distante, no apartamento cinzento da Via San Giacomo dei Capri, falando irrefletidamente, tirara minha confiança; o noivo de Giuliana a estava devolvendo cordialmente para mim. Em suma, eu estava tão orgulhosa daquele relacionamento com Roberto que às vezes o mencionava para o meu pai somente para ter a satisfação de vê-lo se tornar sério e atento. Andrea se informava, queria saber quem era Roberto, sobre o que conversávamos, se eu havia falado dele e do seu trabalho. Não sei se ele gostava mesmo de Roberto, é difícil dizer, já fazia tempo que eu não considerava as palavras de Andrea confiáveis. Uma vez, lembro-me, ele o definiu com convicção como um jovem de sorte, que soube cair fora na hora certa de uma cidade de merda como Nápoles e construir uma carreira universitária de prestígio em Milão. Outra vez, disse: você faz bem em se relacionar com quem é melhor do que você, é a única maneira para subir em vez de descer. Em algumas ocasiões, enfim, chegou a me perguntar se, eventualmente, eu poderia apresentá-los, ele sentia a necessidade de sair do grupelho briguento e cheio de mesquinharias no qual se fechara desde jovem. Pareceu-me um homenzinho frágil.

DOIS

Foi isso mesmo o que aconteceu, eu e Roberto nos tornamos amigos. Mas não quero exagerar, ele não ia muito a Nápoles, as ocasiões para nos encontrarmos eram raras. Mas, passo a passo, nasceu um pequeno hábito entre nós que, sem nunca chegar a um verdadeiro convívio, pressupunha que, quando a oportunidade se apresentava, e sempre na companhia de Giuliana, devíamos encontrar uma maneira de conversar entre nós, nem que fosse por poucos minutos.

No início, devo admitir, fiquei muito ansiosa. A cada encontro, eu pensava que talvez tivesse exagerado, que tentar chegar ao seu patamar — ele era quase dez anos mais velho do que eu, ensinava na universidade enquanto eu estava no ensino médio — havia sido um sinal de presunção, que eu certamente estava sendo ridícula. Ficava remoendo mil vezes o que ele tinha dito, o que eu tinha respondido, e logo me envergonhava de cada uma das minhas palavras. Sentia a leviandade fátua com que eu havia liquidado questões complicadas e crescia no meu peito uma sensação de mal-estar muito parecida com a que eu sentia quando criança ao fazer em um rompante algo que certamente teria desagradado meus pais. Naquele momento, eu duvidava ter suscitado alguma simpatia. Seu tom irônico, na memória, transbordava e se tornava um escárnio explícito. Eu me lembrava de um tom desdenhoso que havia assumido, em alguns trechos da conversa eu quisera impressioná-lo, e era tomada por uma sensação de frio e náusea, queria me expulsar de mim mesma como se estivesse prestes a me vomitar.

No entanto, a situação, de fato, não era aquela. Cada um daqueles encontros me fazia melhorar, as palavras de Roberto desencadeavam imediatamente uma necessidade de leituras e informações. Os dias se tornaram uma corrida para chegar a um futuro encontro mais preparada, com questões complexas na ponta da língua. Comecei a mexer nos livros que meu pai deixara em casa a fim de encontrar os mais adequados para que eu pudesse entender mais. Mas entender mais o quê, quem? Os Evangelhos, o Pai, o Filho, o Espírito Santo, a transcendência e o silêncio, o emaranhado da fé e da falta de fé, a radicalidade de Cristo, os horrores da desigualdade, a violência sempre contra os mais fracos, o mundo selvagem sem limites do mundo capitalista, o advento dos robôs, a necessidade e a urgência do comunismo? Sua visão era tão ampla, Roberto saía o tempo todo pela tangente. Juntava céu e terra, sabia tudo, misturava pequenos exemplos, história, citações, teorias, e eu tentava acompanhá-lo, oscilando entre a certeza de ter feito o papel da garotinha que fala fingindo sabedoria e a esperança de logo ter uma nova oportunidade para mostrar que eu havia melhorado.

TRÊS

Naquele período, recorri com frequência tanto a Giuliana quanto a Angela para me acalmar. Giuliana, por motivos óbvios, pareceu-me mais próxima, mais confortável. A lembrança de Roberto nos dava um motivo para passar tempo juntas e, durante suas longas ausências, vagávamos pelo Vomero conversando sobre ele. Eu a vigiava com o olhar: emanava uma beleza cativante, estava sempre usando a pulseira da minha tia, os homens a fitavam e se viravam para dar uma última olhada como se não pudessem se privar da sua imagem. Ao seu lado, eu não existia, mas bastava meu tom de sabe-tudo, uma palavra sofisticada, para tirar sua energia, em certos momentos eu a sentia desvitalizada.

— Você lê muito — disse-me uma vez.
— Prefiro isso a fazer deveres.
— Eu logo me canso.
— É questão de hábito.

Admiti que a paixão pela leitura não era algo meu, mas que eu havia herdado do meu pai: foi ele que me convencera desde pequena da importância dos livros e do enorme valor das atividades intelectuais.

— Depois que essa ideia entra na sua cabeça — falei —, você não consegue mais tirar.
— Ainda bem. Os intelectuais são pessoas boas.

— Meu pai não é bom.
— Mas Roberto é, e você também.
— Eu não sou uma intelectual.
— É, sim. Você estuda, sabe debater sobre qualquer coisa e é acessível com todos, até mesmo com Vittoria. Eu não sou capaz e logo perco a paciência.

Fiquei contente — devo admitir — com aquelas declarações de estima. Já que ela imaginava os intelectuais daquela maneira, eu procurava estar à altura das suas expectativas, até porque ela ficava chateada se eu me limitava a falar de amenidades, como se eu me esforçasse ao máximo com seu noivo e com ela me limitasse a falar bobagens. De fato, ela me incitava a conversar sobre assuntos complexos, pedia para eu falar dos livros que me agradaram ou que estavam me agradando. Dizia conte-os para mim. E demonstrava a mesma curiosidade ansiosa em relação aos filmes, à música. Nem Angela e Ida, até aquele momento, haviam me deixado falar tanto daquilo que eu gostava e que eu jamais havia considerado uma obrigação, mas um passatempo. A escola, então, nunca percebera a montanha de interesses desordenados suscitados pela leitura e nenhuma das minhas colegas jamais quis que eu contasse — por exemplo — a trama de *Tom Jones*. Portanto, nós ficávamos bem próximas naquela fase. Nossos encontros eram frequentes, eu a esperava na saída do funicular em Montesanto, ela subia até o Vomero como se fosse um país estrangeiro no qual estava passando férias felizes. Íamos da Piazza Vanvitelli à Piazza degli Artisti e vice-versa, sem prestar atenção nos transeuntes, no tráfego, nas lojas, porque eu me deixava levar pelo prazer de encantá-la com nomes, títulos, histórias, e ela parecia não ver outra coisa além do que eu mesma havia visto ao ler, ao assistir a um filme no cinema ou ao ouvir música.

Na ausência de Roberto, em companhia da sua noiva, eu brincava de ser a guardiã de uma vasta doutrina e Giuliana ficava fascinada, como se não quisesse outra coisa além de reconhecer como eu era superior apesar da nossa diferença de idade e da sua beleza. Às vezes, porém, eu sentia que ela não estava bem, havia um mal-estar que ela afastava à força. Eu me alarmava, me lembrava da voz irritada de Vittoria ao telefone: "Por que você se mete no meio de Giuliana e do noivo? Você é pior do que o meu irmão? Diga, estou ouvindo: você é mais presunçosa do que seu pai?" Eu só queria ser uma boa amiga e tinha medo que, por causa das artes maléficas de Vittoria, Giuliana se convencesse do contrário e me afastasse.

QUATRO

Muitas vezes, também nos encontrávamos com Angela, que se ofendia se a excluíamos. Mas as duas não ficavam bem juntas, e o mal-estar de Giuliana se tornava mais evidente. Angela, muito faladeira, tendia a zombar de mim e dela também, a falar mal de Tonino como provocação, a desmontar com ironia qualquer tentativa de conversa séria. Eu não ficava chateada, mas Giuliana se irritava, defendia o irmão, mais cedo ou mais tarde respondia às brincadeiras com jorros de dialeto agressivo.

Ou seja, o que comigo era latente, com Angela se manifestava, e o risco de um rompimento definitivo estava sempre à espreita. As vezes em que estávamos sozinhas, Angela mostrava que sabia muita coisa de Giuliana e Roberto, embora tivesse desistido de se intrometer naquela história depois do encontro na Piazza Amedeo. Aquele seu afastamento me deixou um pouco aliviada, mas também ressentida. Certa vez, quando ela foi à minha casa, perguntei:

— Você acha Roberto antipático?
— Não.
— Então o que há de errado?
— Nada. Mas, se vocês dois estão conversando, não há espaço para mais ninguém.
— Giuliana está sempre conosco.

— Coitada da Giuliana.
— Como assim?
— Deve achar um tédio ficar entre os dois professores.
— Nada disso.
— Acha, sim, mas finge para não perder o lugar.
— Que lugar?
— De noiva. Você acha mesmo que uma garota como Giuliana, secretária de um consultório dentário, ouve vocês dois falando de razão, de fé, e não acha um tédio?
— Você acha que ela só se diverte falando de colares, pulseiras, calcinhas e sutiãs? — rebati.
Angela se ofendeu.
— Eu não falo só disso.
— Antigamente, não, mas já tem um tempo que sim.
— Não é verdade.
Pedi desculpa, ela replicou: tudo bem, mas você foi pérfida. E naturalmente voltou ao assunto com acentuada malícia:
— Ainda bem que ela de vez em quando vai se encontrar com ele em Milão.
— O que você quer dizer com isso?
— Que finalmente eles vão para a cama e fazem o que devem fazer.
— Giuliana sempre vai a Milão com Tonino.
— E você acha que Tonino fica de sentinela noite e dia?
Bufei.
— Você acha que quem se ama precisa obrigatoriamente dormir junto?
— Acho.
— Pergunte a Tonino se eles dormem juntos, vamos ver.
— Já perguntei, mas Tonino não diz nada sobre esses assuntos.

— Significa que não tem nada a dizer.
— Significa que ele também acha que o amor pode dispensar o sexo.
— Quem mais acha isso?
Ela me respondeu com um sorrisinho repentinamente triste:
— Você.

CINCO

Segundo Angela, eu não contava mais nada de divertido sobre aquele assunto. Bem, era verdade que eu havia parado com as histórias desbocadas, mas só porque me parecia infantil exagerar minhas parcas experiências e também porque eu não tinha nenhum material mais concreto. Desde a consolidação do relacionamento com Roberto e Giuliana, eu havia mantido distante meu colega de escola, Silvestro, que, depois do episódio do lápis, grudara em mim e propusera um namoro secreto. Mas, sobretudo, eu havia sido duríssima com Corrado, que continuara com suas propostas, e cautelosa, mas firme, com Rosario, que em intervalos fixos aparecia na porta da escola e propunha que eu o acompanhasse ao seu apartamento na Via Manzoni. Aqueles três pretendentes pareciam pertencer a uma humanidade degradada da qual, por azar, eu fizera parte. Angela, por sua vez, parecia ter se tornado outra pessoa, traía Tonino e não poupava nem a mim nem a Ida dos detalhes das relações ocasionais que mantinha com colegas de escola e até com um professor de mais de cinquenta anos, tanto que ela mesma fazia caretas de asco enquanto falava a respeito.

Aquele asco me abalava, era genuíno. Eu o conhecia e tinha vontade de lhe dizer: você não consegue esconder, vamos falar a respeito. Mas nunca falamos, parecia que o sexo devia necessariamente nos entusiasmar. Eu mesma não queria admitir, nem para Angela nem para Ida, que preferia virar freira a voltar a sentir o fedor de latrina de Corrado. Além disso, eu não queria que Angela interpretasse aquela minha falta de entusiasmo como um ato de devoção em relação a Roberto. E também, vamos admitir, a verdade era difícil. O asco tinha suas ambiguidades, difíceis de pôr em palavras. O que me enojava em Corrado talvez não me causasse nojo em Roberto. Então eu me limitava a identificar contradições e dizia:

— Por que você continua com Tonino se faz essas coisas com outros?

— Porque Tonino é um bom rapaz e os outros são uns porcos.

— E você faz essas coisas com porcos?

— Faço.

— Por quê?

— Porque gosto do jeito como eles me olham.

— Faça Tonino olhar para você da mesma maneira.

— Ele não olha assim.

— Talvez não seja homem — disse Ida uma vez.

— Pelo contrário, é muito homem.

— E então?

— Não é um porco, só isso.

— Não acredito — disse Ida —, não existem homens que não são porcos.

— Existem — falei pensando em Roberto.

— Existem — disse Angela, e citou com expressões fantasiosas as ereções de Tonino assim que encostava nela.

Acho que foi enquanto ela falava, achando graça daquilo, que senti falta de uma discussão séria sobre o tema, não com elas, mas com Roberto e Giuliana. Roberto teria se esquivado? Não, eu tinha certeza de que teria respondido e encontrado, também naquele caso, uma maneira de tecer raciocínios muito articulados. O problema era o risco de parecer inoportuna aos olhos de Giuliana. Por que enfrentar aquele tema na presença do seu noivo? Afinal, tínhamos nos visto seis vezes, sem contar o encontro na Piazza Amedeo, e quase sempre por pouco tempo. Portanto, objetivamente, não tínhamos tanta intimidade. Embora ele tivesse a tendência de sempre dar exemplos muito concretos quando debatia grandes questões, eu não teria coragem de perguntar: por que, se cavamos um pouco, encontramos o sexo em qualquer coisa, mesmo nas mais elevadas; por que, para definir o sexo, um só adjetivo é insuficiente, são necessários vários — constrangedor, insosso, trágico, alegre, prazeroso, asqueroso —, e nunca um de cada vez, todos juntos; é possível um grande amor se privar de sexo, é possível que as práticas sexuais entre homem e mulher não estraguem a necessidade de amar e ser correspondido? Eu imaginava essas e outras perguntas, com um tom distante, talvez um pouco solene, para evitar, sobretudo, que tanto Giuliana quanto ele pudessem pensar que eu queria bisbilhotar a vida privada deles. Mas eu sabia que jamais as faria. No entanto, insisti com Ida:

— Por que você acha que não existem homens que não são porcos?

— Eu não acho, eu sei.

— Então Mariano também é um porco?

— Claro, ele vai para a cama com a sua mãe.

Tive um sobressalto, disse gelidamente:

— Eles se encontram de vez em quando, mas como amigos.

— Eu também acho que são apenas amigos — interveio Angela.

Ida balançou energicamente a cabeça, repetiu decidida: não são apenas amigos.

— Não beijo homens, me dão nojo — exclamou.

— Nem um homem bom e bonito como Tonino? — perguntou Angela.

— Não, eu só vou beijar mulheres. Querem ouvir um conto que eu escrevi?

— Não — disse Angela.

Olhei em silêncio para os sapatos de Ida, que eram verdes. Lembrei que seu pai havia olhado para o meu decote.

SEIS

Voltamos a falar com frequência da relação de Roberto e Giuliana, Angela arrancava informações de Tonino pelo simples prazer de contá-las para mim. Um dia, me ligou porque soube de uma enésima briga, daquela vez entre Vittoria e Margherita. Tinham discutido porque Margherita não concordava com a ideia de Vittoria de que Roberto devia se casar imediatamente com Giuliana e ir morar em Nápoles. Minha tia como sempre fazia escarcéu, Margherita como sempre objetava com calma e Giuliana ficava calada como se a coisa não lhe dissesse respeito. Mas, de repente, Giuliana se pôs a gritar, começou a quebrar pratos, sopeiras, copos e nem mesmo Vittoria, que era muito forte, conseguiu detê-la. Ela berrava: vou-me embora imediatamente, vou viver com ele, não suporto mais vocês. Tonino e Corrado precisaram intervir.

Aquela história me desnorteou.

— Culpa da Vittoria, que nunca cuida da própria vida — falei.

— Culpa de todos, parece que Giuliana é muito ciumenta. Tonino diz que põe a mão no fogo por Roberto, que é uma pessoa justa e fiel. Mas ela, toda vez que Tonino a acompanha a Milão, faz escândalos porque não suporta, sei lá, que uma estudante mostre intimidade demais, que uma colega faça caras e bocas demais, *et cetera et cetera*.

— Não acredito.

— Faz mal em não acreditar. Giuliana parece tranquila, mas Tonino me disse que ela está emocionalmente esgotada.

— Como assim?

— Quando está mal, não come, chora e grita.

— Agora como ela está?

— Bem. Hoje à noite, vai ao cinema comigo e com Tonino, você não quer ir também?

— Se eu for, vou ficar com Giuliana, não me deixe com Tonino.

Angela riu.

— Estou convidando você de propósito para me liberar do Tonino, não aguento mais.

Fui, mas o dia não foi dos melhores: primeiro a tarde, e depois a noite, foram especialmente dolorosas. Nós quatro nos encontramos na Piazza del Plebiscito, em frente ao Caffè Gambrinus, e seguimos pela Via Toledo rumo ao cinema Modernissimo. Não consegui trocar nem mesmo uma palavra com Giuliana, notei apenas seu olhar agitado, o branco dos olhos estriado de sangue e a pulseira no pulso. Angela logo deu o braço para ela e fiquei alguns passos atrás com Tonino. Perguntei para ele:

— Tudo bem?

— Tudo.

— Sei que você vai com frequência com sua irmã visitar Roberto.

— Com frequência, não.

— Você sabe que nos encontramos algumas vezes?

— Giuliana me contou.

— Formam um belo casal.

— É verdade.

— Soube que, quando se casarem, virão morar em Nápoles.
— Acho que não.
Não consegui obter mais nada, ele era um rapaz gentil que queria me entreter, mas não com aquele assunto. Por isso, em dado momento, deixei que ele falasse de um amigo de Veneza, estava planejando visitá-lo e ver se conseguia se mudar para lá.
— E Angela?
— Angela não está feliz comigo.
— Não é verdade.
— É, sim.
Chegamos ao cinema, agora não me recordo qual filme estava passando, talvez depois eu lembre. Tonino quis pagar os ingressos para todas nós e também comprou balas, sorvetes. Entramos comendo, as luzes ainda estavam acesas na sala. Sentamos, primeiro Tonino, depois Angela, Giuliana e eu. No início, não prestamos muita atenção aos três garotos sentados bem atrás de nós, estudantes semelhantes aos colegas de escola meus ou de Angela, dezesseis anos no máximo. Só ouvimos que estavam confabulando, rindo, mas, enquanto isso, nós, garotas, já havíamos excluído Tonino da conversa, começamos a bater papo entre nós sem prestar atenção em mais nada.
Foi exatamente porque nós os estávamos ignorando que eles começaram a se agitar. Só percebi a presença do grupinho quando ouvi o que talvez fosse o mais ousado dizer em voz alta: venham sentar aqui perto, a gente mostra o filme para vocês. Angela começou a rir, talvez de nervosismo, e se virou, os garotos também riram, o ousado disse outras palavras reiterando o convite. Também me virei e mudei de ideia, não eram como os nossos colegas de turma, me fize-

ram pensar em Corrado, Rosario, mas com um pouco mais de instrução. Virei-me para Giuliana, ela era a mais velha, eu esperava um sorrisinho de condescendência. Mas ela estava séria, rígida, vigiava com o olhar Tonino, que parecia surdo e fixava impassível a tela branca.

Começou a publicidade, o mais ousado acariciou os cabelos de Giuliana sussurrando: como são bonitos, e um dos seus colegas começou a balançar a poltrona de Angela, que puxou Tonino pelo braço e disse: eles estão me importunando, faça-os parar. Giuliana murmurou: deixe para lá, não sei se dirigia-se a Angela ou ao irmão. Angela a ignorou e disse irritada para Tonino: não saio mais com você, chega, me enchi. O garoto ousado logo exclamou: muito bem, já falamos, venha para cá que tem lugar. Alguém na sala fez *sssh*, um sibilo para pedir silêncio. Tonino disse sem pressa, arrastando a voz: vamos sentar em outro lugar, aqui não está bom. Levantou-se e a irmã fez a mesma coisa com tal prontidão que eu também me levantei na mesma hora. Angela ficou sentada mais alguns instantes, depois se pôs de pé e disse a Tonino: você é ridículo.

Sentamos, na mesma ordem, algumas fileiras mais à frente, Angela começou a falar no ouvido de Tonino: estava com raiva, entendi que aproveitava o ensejo para se livrar dele. O tempo eterno dedicado à publicidade terminou, as luzes voltaram a se acender. Os três garotos se divertiam, eu ouvia suas risadas, me virei. Estavam em pé, pulando ruidosamente uma duas três fileiras, em um piscar de olhos estavam outra vez sentados atrás de nós. O porta-voz do grupo disse: vocês deixam que esse babaca dê as ordens, mas nós ficamos ofendidos, não podemos suportar que nos tratem assim, queremos ver o filme com vocês.

A partir daquele momento, foi uma questão de poucos segundos. As luzes se apagaram, o filme começou fragorosamente. A voz do rapaz foi devorada pela música, todos nós fomos reduzidos a flashes de luz. Angela disse alto para Tonino: ouviu que ele chamou você de babaca? Risadas dos garotos, os espectadores fizeram *sssh*, Tonino ficou em pé com um impulso inesperado, Giuliana disse: não, Tonì. Mas ele assim mesmo deu um tabefe em Angela com tamanha violência que a cabeça dela bateu no meu rosto, senti dor. Os rapazes se calaram desnorteados, Tonino fez uma rotação como a de uma porta escancarada que é fechada por uma lufada de vento, da sua boca saíram com ritmo intenso obscenidades indizíveis. Enquanto isso, Angela começou a chorar, Giuliana apertou minha mão, disse: precisamos ir embora, vamos tirá-lo daqui. Levar embora à força o irmão, ela queria dizer, como se a pessoa em perigo não fosse Angela ou nós duas, mas ele. Nesse meio-tempo, o porta-voz dos rapazes havia se recuperado do susto e disse: ai que medo, estamos tremendo, palhaço, você só sabe mandar em mulheres, venha cá, e Giuliana parecia querer apagar sua voz, gritou: Tonì, são garotos. Mas os instantes corriam, Tonino pegou o garoto pelo pescoço com uma das mãos — talvez por uma orelha, mas eu não poderia jurar —, agarrou-o e o puxou em sua direção como se quisesse arrancar sua cabeça. Em vez disso, acertou um soco de mão fechada embaixo do queixo do rapaz, que saltou para trás e voltou a se sentar com a boca ensanguentada. Os outros três queriam ajudar o amigo, mas quando viram que Tonino pretendia pular a fileira de poltronas, procuraram desordenadamente o caminho para a saída. Giuliana se agarrou ao irmão para evitar que ele fosse atrás deles, a música do início do filme estava altíssima, os espectadores gritavam, Angela chorava, o garoto ferido berrava. Tonino afastou a irmã, voltou a atacar o rapaz que chorava e gemia e xingava caído na poltrona. Desferiu-lhe tapas e socos enquanto o insultava em um dialeto para mim incompreensível de tão rápido e cheio de fúria, uma palavra explodia dentro da outra. Àquela altura, todos gritavam dentro do cinema, pediam para que acendessem as luzes, chamassem a polícia, eu e Giuliana e até Angela nos agarramos aos braços de Tonino gritando: vamos embora, chega, vamos embora. No fim, conseguimos puxá-lo e partimos para a saída. Corra, Tonì, fuja, gritou Giuliana batendo nas suas costas, e ele repetiu duas vezes em dialeto: será que nesta cidade uma pessoa de bem não pode ver um filme em paz. Dirigiu-se a mim em especial, para ver se eu concordava. Concordei para acalmá-lo e ele saiu correndo rumo à Piazza Dante, bonito apesar dos olhos esbugalhados, os lábios azuis.

SETE

Também nos dispersamos a passos rápidos, passando pela basílica do Espírito Santo, e só desaceleramos quando nos sentimos protegidas pela multidão da Via Pignasecca. Então percebi todo o medo que eu havia sentido. Angela também estava aterrorizada, assim como Giuliana, que parecia ter participado ativamente ela mesma da rixa, com os cabelos despenteados, o paletó com o colarinho meio rasgado. Verifiquei se a pulseira ainda estava no seu braço, e estava, mas não brilhava.

— Preciso ir correndo para casa — disse Giuliana dirigindo-se a mim.

— Vá e me ligue para dizer como Tonino está.

— Você ficou assustada?

— Fiquei.

— Sinto muito, Tonino geralmente se contém, mas às vezes fica cego de raiva.

Angela interveio com os olhos cheios de lágrimas.

— Eu também fiquei assustada.

Giuliana empalideceu de raiva, quase gritou:

— Calada, você só deve ficar calada e ponto final.

Eu nunca a vira tão furiosa. Beijou meu rosto e foi embora.

Eu e Angela fomos até o funicular. Eu estava confusa, ficara impressa em minha mente a frase: às vezes ele fica cego de raiva. Ao longo de todo o percurso, ouvi distraidamente as queixas da minha amiga. Estava desesperada, fui estúpida, dizia. Mas depois tocava na bochecha vermelha e inchada, o pescoço doía, gritava: como ele se atreveu, me deu um tapa, logo em mim, que nunca apanhei nem dos meus pais, não quero vê-lo nunca mais. Chorava, depois recomeçava com outra dor: Giuliana não a cumprimentara, havia se despedido só de mim. Não é justo pôr toda a culpa em mim, murmurava, como eu ia saber que Tonino era um animal. Quando a deixei no portão da minha casa, ela admitiu: tudo bem, tenho culpa, mas tanto Tonino quanto Giuliana são pessoas sem educação, eu nunca teria esperado algo assim, aquele tapa na minha cara, ele podia ter me matado, podia ter matado aqueles garotos também, errei por gostar de um animal como ele. Murmurei: você está enganada, Tonino e Giuliana são muito educados, mas, em alguns momentos, você realmente pode ficar cego de raiva.

Subi para casa a passos lentos. Aquela expressão — ficar cego de raiva — não queria sair da minha cabeça. Tudo parece estar em ordem, bom dia, até logo, fique à vontade, o que gostaria de beber, poderia abaixar um pouco o volume, obrigada, de nada. Mas existe um véu sombrio que pode cair de uma hora para outra. É uma cegueira repentina, você não sabe mais manter a distância, acaba colidindo. Só algumas pessoas ou todas, após certo patamar, ficavam cegas de raiva? E éramos mais verdadeiros quando enxergávamos tudo nitidamente ou quando os sentimentos mais robustos e densos — o ódio, o amor — nos cegavam? Enzo não havia deixado de enxergar Margherita, cego por Vittoria? Meu pai não havia deixado de enxergar minha mãe, cego por Costanza? Eu não havia deixado de enxergar qualquer coisa, cega pelo insulto de Silvestro, meu colega? Roberto também podia sofrer uma cegueira daquelas? Ou ele conseguia sempre, em todas as circunstâncias, sob o impacto de qualquer impulso emocional, se manter límpido e tranquilo?

O apartamento estava escuro, silenciosíssimo. Minha mãe devia ter decidido passar a noite de sábado fora. O telefone tocou, atendi logo, certa de que era Giuliana. Era Tonino, disse devagar, com uma calma que me agradou porque agora me parecia uma invenção robusta de sua parte:

— Queria pedir desculpa e me despedir.
— Para onde você vai?
— Para Veneza.
— Quando você vai partir?
— Esta noite.
— Por que você tomou essa decisão?
— Porque senão vou jogar fora minha vida.
— O que Giuliana acha?
— Nada, ela não sabe, ninguém sabe.
— Nem Roberto?
— Não, se ele soubesse o que fiz hoje, não falaria mais comigo.
— Giuliana vai contar.
— Eu, não.
— Você me manda o seu endereço?
— Assim que eu tiver me instalado, escrevo.
— Por que você ligou justo para mim?
— Porque você é alguém que entende.

Desliguei, me senti triste. Fui até a cozinha, peguei um pouco d'água, voltei para o corredor. Mas o dia não havia terminado. Abriu-se a porta do quarto que antigamente era dos meus pais e minha mãe apareceu. Não estava com a roupa de sempre, mas vestida para uma grande ocasião. Disse com naturalidade:

— Você não devia estar no cinema?

— Acabamos não indo.

— Agora quem vai sair somos nós: como está o tempo lá fora, devo pôr um casaco?

Do mesmo quarto, vestido ele também com esmero, surgiu Mariano.

OITO

Essa foi a última etapa da longa crise na minha casa e, ao mesmo tempo, um momento importante da cansativa aproximação ao mundo adulto. Soube — exatamente naquele momento em que tomei a decisão de ser cordial, e responder a minha mãe que a noite estava amena, e aceitar o beijo de sempre de Mariano no meu rosto, bem como sua costumeira olhada para os meus seios — que era impossível parar o crescimento. Quando os dois fecharam a porta de casa atrás de si, fui para o banheiro e tomei uma longa ducha para lavá-los do meu corpo.

Enquanto eu enxugava os cabelos na frente do espelho, senti vontade de rir. Eu havia sido enganada em tudo, nem meus cabelos eram bonitos, ficavam achatados na cabeça e eu não conseguia lhes dar volume e brilho. Quanto ao rosto, bem, não tinha nenhuma harmonia, exatamente como o de Vittoria. Mas o erro foi ter feito daquilo uma tragédia. Era só olhar por um instante que fosse quem tinha o privilégio de ter um rosto bonito e elegante e descobrir que aquela pessoa escondia infernos semelhantes aos expressos por rostos feios e grosseiros. O esplendor de um rosto, enriquecido ainda por cima pela gentileza, ocultava e prometia ainda mais dor do que um rosto opaco.

Angela, por exemplo, depois do episódio do cinema e do desaparecimento de Tonino da sua vida, entristeceu, se tornou má. Em telefonemas longuíssimos, me acusou de não estar do seu lado, de ter aceitado que um homem a esbofeteasse, de ter dado razão a Giuliana. Tentei negar, não adiantou. Ela me disse que havia contado aquele episódio a Costanza e até ao meu pai. Costanza disse que ela estava certa, mas Andrea foi além: quando entendeu quem era o tal Tonino, de quem era filho, onde havia nascido e crescido, ficou com muita raiva, não tanto dela, mas de mim. Angela contou que meu pai dissera textualmente: Giovanna sabe muito bem quem é aquela gente, devia ter protegido você. Mas você não me protegeu, gritou, e eu imaginei que seu meigo e harmônico rosto sedutor, ali na casa de Posillipo, com o fone branco encostado ao ouvido, havia se tornado naquele momento mais feio do que o meu. Eu disse: por favor, de agora em diante, me deixe em paz; faça suas confidências para Andrea e Costanza, eles entendem você melhor do que eu. E desliguei.

Logo depois, intensifiquei meu relacionamento com Giuliana. Angela tentou muitas vezes fazer as pazes, dizia: vamos sair juntas. Sempre respondi, mesmo quando não era verdade: tenho um compromisso, vou sair com Giuliana, e dei a entender ou disse explicitamente: você não pode ir comigo, ela não suporta você.

Também reduzi ao mínimo minha relação com minha mãe, passei a usar frases enxutas como: hoje vou ficar na rua, vou ao Pascone, e quando ela perguntava por quê, eu respondia: porque estou a fim. Certamente me comportei assim para me sentir livre de todos os velhos vínculos, para deixar claro que não me importava mais a opinião de parentes e amigos, os seus valores, a vontade que eles tinham de que eu fosse coerente com aquilo que imaginavam que eu era.

NOVE

É claro que me aproximei cada vez mais de Giuliana para cultivar a amizade com Roberto, não vou negar. Mas também me pareceu que Giuliana realmente precisava de mim depois que Tonino foi embora sem explicações, deixando-a sozinha para combater Vittoria e suas prepotências. Uma tarde, ela me telefonou agitadíssima para dizer que sua mãe — induzida por minha tia, naturalmente — queria que ela dissesse a Roberto: ou você se casa comigo logo e vamos morar em Nápoles ou terminamos o noivado.

— Mas não posso — desesperava-se —, ele está muito cansado, está fazendo um trabalho importante para sua carreira. Eu estaria louca se dissesse: case comigo imediatamente. E, além disso, eu quero ir embora daqui para sempre.

Ela estava farta de tudo. Aconselhei-a a esclarecer para Margherita e Vittoria os problemas de Roberto e, depois de muita hesitação, foi o que ela fez, mas as duas mulheres não ficaram convencidas e começaram a corroer seu cérebro com mil insinuações. São pessoas ignorantes — mais uma vez o desespero — e querem me convencer de que, se Roberto põe em primeiro lugar seus problemas como professor e em segundo o casamento, isso significa que não gosta de mim o suficiente e só está me fazendo perder tempo.

Aquela repetição insistente não foi sem efeito, logo percebi que, às vezes, Giuliana também duvidava de Roberto. Claro, em geral reagia com raiva e ficava zangada com Vittoria, que inculcava ideias negativas na cabeça da sua mãe, mas, de tanto martelá-las, as ideias negativas também estavam abrindo caminho na cabeça da própria Giuliana e deixando-a melancólica.

— Está vendo onde eu vivo? — disse uma tarde em que fui visitá-la e estávamos dando uma volta pelas ruas miseráveis no entorno da sua casa. — Já Roberto mora em Milão, está sempre ocupado, encontra muitas pessoas inteligentes e, às vezes, tem tanta coisa para fazer que nem consigo falar com ele ao telefone.

— É a vida dele.
— A vida dele deveria ser eu.
— Não sei.

Ela ficou nervosa.

— Não? Então o que é: estudar, bater papo com as colegas e as alunas? Talvez Vittoria tenha razão: ou ele se casa comigo ou chega.

As coisas se complicaram mais quando Roberto lhe contou que tinha de ir a Londres a trabalho por dez dias. Giuliana ficou mais nervosa do que de costume e, aos poucos, ficou claro que o problema não era tanto a permanência no exterior — soube que aquilo já havia acontecido outras vezes, embora por dois ou três dias —, mas o fato de ele não estar viajando sozinho. Naquele momento, eu também fiquei alarmada.

— Com quem ele vai?
— Com Michela e outros dois professores.
— Quem é Michela?

— Uma tal que está sempre grudada nele.
— Vá você também.
— Aonde, Giannì? Aonde? Não pense na criação que você teve, pense na minha criação, pense em Vittoria, pense na minha mãe, pense neste lugar de merda. Para você, tudo é fácil, para mim, não.

Ela me pareceu injusta: eu me esforçava para entender seus problemas, mas ela não fazia ideia dos meus. Fingi que não tinha importância, deixei que ela desabafasse, dediquei-me a acalmá-la. No centro da minha argumentação, estava como sempre a qualidade rara do seu noivo. Roberto não era uma pessoa qualquer, mas um homem de grande força espiritual, muito culto, fiel. Mesmo que a tal Michela tivesse algum interesse, ele não teria cedido. Ele ama você, falei, e vai se comportar com honestidade.

Ela começou a rir, tornou-se amarga. A transformação foi tão repentina que lembrei de Tonino e do episódio no cinema. Encarou-me com olhar ansioso, parou bruscamente de falar no seu italiano semidialetal, passou a usar apenas o dialeto.

— Como você sabe que ele me ama?
— Não sou apenas eu que sei, todos sabem, certamente essa tal Michela também.
— Os homens, bons ou ruins, basta encostar neles e o que eles querem é foder.
— Quem disse isso para você foi Vittoria, mas é bobagem.
— Vittoria diz coisas feias, mas não bobagens.
— De qualquer maneira, é melhor você confiar em Roberto, ou vai ficar mal.
— Já estou péssima, Giannì.

Àquela altura, intuí que Giuliana não atribuía a Michela apenas o desejo de ir para a cama com Roberto, mas o projeto de roubá-lo dela para se casar com ele. Passou pela minha cabeça que ele, totalmente ocupado pelos estudos, provavelmente nem suspeitava que ela pudesse ter aquelas angústias. E pensei que talvez bastasse lhe dizer: Giuliana está com medo de perder você, está muito nervosa, tranquilize-a. Ou, de qualquer maneira, esse foi o motivo que dei a mim mesma quando pedi a Giuliana o número de telefone do seu noivo.

— Se você quiser — sugeri —, falo com ele e tento descobrir qual é a situação com essa tal Michela.

— Você faria isso?

— Claro.

— Mas ele não pode pensar que você está ligando por minha causa.

— Imagine.

— E você tem que me contar tudo o que disser e o que ele disser também.

— Claro.

DEZ

Copiei o número em um caderno de anotações, encerrei-o dentro de um retângulo traçado com lápis de cor vermelho. Uma tarde, muito emocionada, liguei aproveitando que minha mãe não estava em casa. Roberto me pareceu surpreso, até apreensivo. Deve ter achado que havia acontecido algo com Giuliana, foi a sua primeira pergunta. Eu disse que ela estava bem, pronunciei algumas frases confusas e, depois, descartando de repente todos os preâmbulos que eu havia arquitetado para dar dignidade ao telefonema, disse com um tom quase ameaçador:

— Se você prometeu se casar com Giuliana e não vai cumprir, você é um irresponsável.

Ele ficou calado um instante, depois o ouvi rir.

— Sempre cumpro minhas promessas. Foi sua tia que mandou você telefonar?

— Não, eu faço o que sinto vontade.

A partir daquele ponto, teve início uma conversa que me desestabilizou muito por causa da sua disponibilidade em falar comigo de questões pessoais. Ele disse que amava Giuliana, que a única coisa que poderia impedir que os dois se casassem seria ela não o querer mais. Garanti que Giuliana o queria mais do que qualquer outra coisa, mas acrescentei que ela estava insegura, com medo de perdê-lo, com medo de que ele se apaixonasse por outra. Ele respondeu que sabia e que fazia de tudo para tranquilizá-la. Eu acredito, respondi, mas agora você vai para o exterior, poderia conhecer outra garota: se você descobrisse que Giuliana não entende nada de você e do seu trabalho e a outra, sim, o que você faria? Sua resposta foi longa. Começou com Nápoles, com o Pascone, com a sua infância naqueles lugares. Falou como se fossem lugares maravilhosos, muito diferentes de como eu os via. Disse que, ali, havia contraído uma dívida e que devia pagá-la. Procurou me explicar que o amor por Giuliana, nascido naquelas ruas, era como um lembrete para que ele nunca se esquecesse daquela dívida. E, quando perguntei o que ele queria dizer com dívida, Roberto me explicou que devia um ressarcimento ideal ao lugar onde havia nascido e que não bastaria uma vida para reequilibrar a balança. Então repliquei: você quer se casar com ela como se estivesse se casando com o Pascone? Senti que ele ficou constrangido, disse que se sentia grato porque eu o obrigava a refletir, com certa dificuldade articulou: quero me casar com Giuliana porque ela é a encarnação da minha própria dívida. Manteve até o fim um tom baixo, mesmo pronunciando às vezes frases solenes como "não nos salvamos sozinhos". Às vezes, parecia que eu estava falando com alguns dos meus colegas da escola devido às construções elementares que ele escolhia, e isso me deixou à vontade, mas ao mesmo tempo me amargurou. Em certos momentos, suspeitei que ele usasse comigo os modos adequados para quem eu era, uma garotinha, e, por um instante, pensei que, com a tal Michela, talvez falasse com mais riqueza e complexidade. Por outro lado, o que eu queria? Agradeci a conversa, ele me agradeceu por eu ter permitido que ele falasse de Giuliana e pela amizade que eu demonstrava em relação aos dois. Eu disse sem refletir:

— Tonino foi embora, ela está sofrendo muito, está sozinha.

— Eu sei, vou tentar remediar. Foi um prazer conversar com você.

— Igualmente.

ONZE

Relatei todas as palavras a Giuliana, ela recuperou um pouco de cor, estava precisando. Não notei piora quando Roberto partiu para Londres. Ela me disse que ele telefonava, que havia escrito uma carta bonita e nunca mencionou Michela. Ficou alegre quando ele comunicou que um novo artigo seu acabara de ser publicado em uma revista importante. Pareceu-me orgulhosa dele, estava feliz como se ela mesma tivesse escrito o artigo. Mas lamentou rindo que só podia se vangloriar comigo: Vittoria, sua mãe, Corrado não podiam apreciar; e Tonino, o único que teria entendido, estava longe, trabalhando como garçom, quem sabe se ainda estava estudando.

— Posso ler? — perguntei.
— Não tenho a revista.
— Mas você leu?

Percebi que eu dava como certo que ele lhe mostrasse tudo o que escrevia, era natural: era o que meu pai fazia com minha mãe, às vezes até eu era obrigada a ler algumas das suas páginas preferidas. Giuliana entristeceu, li em seus olhos que gostaria de ter respondido sim, eu os li, chegou a assentir automaticamente. Mas, depois, abaixou o olhar, voltou a levantá-lo com raiva, disse:

— Não, não os li e não quero ler.

— Por quê?
— Por medo de não entender.
— Talvez você devesse ler assim mesmo, para ele certamente é importante.
— Se fosse importante, ele os daria para mim. Mas nunca fez isso e, portanto, tem certeza de que não consigo entender.

Estávamos passeando, lembro bem, por Via Toledo. Fazia calor. As escolas estavam fechando, dali a pouco aconteceriam as provas finais. A rua estava cheia de moças e rapazes, era bom não ter deveres, ficar ao ar livre. Giuliana os olhava como se não entendesse o motivo de tanta animação. Passou os dedos sobre a testa, senti que estava ficando deprimida, falei depressa:

— É porque vocês vivem separados, mas, quando se casarem, você vai ver que ele dará tudo para você ler.

— Michela já lê tudo.

A notícia doeu em mim também, mas não tive tempo de reagir. Justamente no fim daquela frase uma potente voz masculina nos chamou, ouvi primeiro o nome de Giuliana, logo depois o meu. Nós duas nos viramos ao mesmo tempo e vimos, do outro lado da rua, Rosario na entrada de um bar. Giuliana fez um gesto contrariado, deu um tapinha no ar, queria seguir em frente como se não tivesse ouvido. Mas eu já havia feito um gesto para cumprimentá-lo e ele atravessava a rua em nossa direção.

— Você conhece o filho do advogado Sargente? — perguntou Giuliana.

— Corrado me apresentou.

— Corrado é um cretino.

Enquanto isso, Rosario vinha atravessando a rua e, naturalmente, ria, parecendo muito feliz de ter nos encontrado.

— É um sinal do destino — disse — ter encontrado vocês tão longe do Pascone. Venham tomar alguma coisa, eu ofereço.

— Estamos com pressa — respondeu Giuliana, rígida.

Ele fez uma cara de preocupação exagerada.

— O que foi, você não está bem hoje, está nervosa?

— Estou ótima.

— O noivo é ciumento? Disse que você não deve falar comigo?

— O noivo nem sabe que você existe.

— Mas você sabe, não é? Sabe e pensa sempre em mim, mas não diz nada ao noivo. Mas deveria dizer, deveria dizer tudo. Não deve haver segredos entre noivos, senão o relacionamento não funciona e todos sofrem. Vejo que você está sofrendo, olho e penso: como ficou abatida, que pena. Você era tão cheinha e macia, agora está ficando igual a um cabo de vassoura.

— É, o bonito aqui é você.

— Muito melhor do que o seu noivo. Giannì, venha cá, quer uma *sfogliatella*?

— Está tarde, precisamos ir — respondi.

— Eu levo vocês de carro. Primeiro levo Giuliana ao Pascone e depois subimos até o Bairro Alto.

Arrastou-nos para o bar, mas, depois de chegar ao balcão, ignorou totalmente Giuliana, que ficou em um canto ao lado da porta olhando fixamente para a rua e os transeuntes. Enquanto eu comia a *sfogliatella*, ele não parou de falar, estava tão colado em mim que de vez em quando eu tinha de me afastar um pouco. Dizia elogios ousados no meu ouvido e, em voz alta, exaltava, sei lá, meus olhos, meus cabelos. Chegou a me perguntar sussurrando se eu ainda era virgem e eu ri nervosamente, disse que sim.

— Vou embora — resmungou Giuliana e saiu do bar.

Rosario mencionou seu apartamento na Via Manzoni, o número, o andar, disse que tinha vista para o mar. Por fim, murmurou:

— Estou sempre à sua espera, você quer ir?

— Agora? — perguntei, fingindo achar graça.

— Quando você quiser.

— Agora, não — falei séria, agradeci a *sfogliatella* e fui me juntar a Giuliana na rua. Ela exclamou com raiva:

— Não dê confiança àquele babaca.

— Não dei, ele é que é abusado.

— Se sua tia vir vocês juntos, mata os dois.

— Eu sei.

— Ele falou da Via Manzoni?

— Falou, o que você sabe a respeito?

Giuliana balançou a cabeça com força, como se quisesse afastar com aquele gesto de negação até as imagens que passavam pela sua mente.

— Estive lá.

— Com Rosario?

— E com quem mais?

— Recentemente?

— Nada disso, eu era mais nova do que você.

— Por quê?

— Porque naquela época eu era mais tonta do que hoje.

Eu queria que Giuliana me contasse, mas ela disse que não havia nada para contar. Rosario não era ninguém, mas, graças ao pai — a Nápoles feia, Giannì, a Itália horrível que ninguém muda, muito menos Roberto com as palavras bonitas que diz e que escreve —, se achava importante. Era tão idiota que acreditava que, porque eles tinham ficado juntos algumas vezes, ele tinha o direito de ficar lembrando aquilo sempre que se encontravam. Seus olhos brilharam de lágrimas:

— Preciso ir embora do Pascone, Giannì, preciso ir embora de Nápoles. Vittoria quer me prender aqui, ela gosta de estar sempre em pé de guerra. E Roberto, no fundo, pensa como ela, disse que tem uma dívida. Que dívida? Eu quero me casar e ir morar em Milão, em uma bela casa, na santa paz.

Olhei para ela perplexa.

— Mesmo que para ele seja importante voltar para cá?

Ela balançou energicamente a cabeça, começou a chorar, paramos na Piazza Dante.

— Por que você está assim? — perguntei.

Ela enxugou os olhos com a ponta dos dedos, murmurou:

— Você iria comigo ver Roberto?

Respondi logo.

— Sim.

DOZE

Margherita me convocou no domingo de manhã, mas não fui direto para a sua casa, passei antes na casa de Vittoria. Eu tinha certeza de que ela estava por trás da decisão de pedir que eu acompanhasse Giuliana em sua visita a Roberto e intuí que a incumbência teria sido revogada se eu não me mostrasse afetuosamente submissa. Em todo aquele período, eu só a via de passagem quando ia visitar Giuliana e, como sempre, ela era ambivalente. Com o tempo, percebi que, quando se reconhecia em mim, Vittoria era dominada pelo afeto, mas, se identificava algum traço do meu pai, desconfiava que eu faria com ela ou com as pessoas que ela amava o que o irmão lhe fizera no passado. De resto, o mesmo acontecia comigo. Eu a achava extraordinária quando me imaginava uma adulta combativa, e repugnante quando reconhecia nela os traços do meu pai. Aquela manhã, pensei de repente em algo que me pareceu insuportável e ao mesmo tempo divertido: nem eu nem Vittoria nem meu pai podíamos eliminar nossas raízes comuns e, portanto, acabávamos amando e odiando, dependendo do caso, sempre nós mesmos.

O dia se revelou favorável, Vittoria se mostrou felicíssima ao me ver. Deixei que ela me abraçasse e beijasse com a intensidade grudenta de sempre. Gosto muito de você, disse, e saímos afobadas para ir à casa de Margherita. Na rua, ela me revelou o que eu já sabia, mas fingi ignorar, ou seja, que nas raríssimas vezes em que Giuliana pôde ir se encontrar com Roberto em Milão, Tonino a acompanhara. Mas ele quis ir embora para Veneza, abandonando a família — os olhos de Vittoria se encheram de lágrimas em uma mistura de dor e despeito —, e, como não se podia contar com Corrado para nada, ela havia pensado em mim.

— Vou com prazer — falei.

— Mas você precisa ser eficaz.

Decidi duelar um pouco, quando estava de bom humor, ela gostava.

— Em que sentido? — perguntei.

— Giannì, Margherita é tímida, mas eu não sou, portanto, vou falar abertamente: você precisa me garantir que Giuliana vai ficar sempre com você, noite e dia. Entende o que isso significa?

— Entendo.

— Muito bem. Os homens, ponha isso na sua cabeça, só querem uma coisa. Mas Giuliana, antes do casamento, não deve dar essa coisa para ele, ou ele não vai mais se casar com ela.

— Na minha opinião, Roberto não é esse tipo de homem.

— Todos são esse tipo de homem.

— Não tenho certeza.

— Se eu digo todos é porque são todos, Giannì.

— Enzo também?

— Enzo mais do que os outros.

— Então por que você deu a coisa para ele?

Vittoria me olhou com um misto de surpresa e satisfação. Desatou a rir, envolveu meus ombros com força, me deu um beijo no rosto.

— Você é como eu, Giannì, até pior, por isso gosto de você. Dei para Enzo porque ele era casado, tinha três filhos e, se eu não desse, teria de abrir mão daquele homem. E eu não podia porque gostava demais dele.

Fingi estar satisfeita com aquela resposta, embora tivesse ficado feliz em demonstrar que ela era uma pessoa tortuosa, que a coisa que os homens querem não deve ser dada com base em avaliações oportunistas, que Giuliana era adulta e podia fazer o que quisesse, que ela e Margherita não tinham direito algum de manter sob vigilância uma moça de vinte anos. Mas fiquei calada porque meu único desejo era ir a Milão e encontrar Roberto, ver com meus próprios olhos onde e como ele vivia. E eu também sabia que não devia puxar demais a corda com Vittoria, eu a fizera rir naquele momento, mas bastava um pequeno deslize e ela seria capaz de me mandar embora. Então escolhi o caminho da condescendência e chegamos à casa de Margherita.

Lá garanti à mãe de Giuliana que eu vigiaria assiduamente os noivos, e Vittoria, enquanto eu falava em um italiano correto para ganhar autoridade, sibilou muitas vezes à afilhada: entendeu, você e Giannina devem ficar sempre juntas, devem sobretudo dormir juntas, e Giuliana assentiu distraidamente. O único que me incomodou com seus olhares gozadores foi Corrado. Ofereceu-se várias vezes para me acompanhar até o ônibus e, quando todos os pactos com Vittoria foram estipulados — era absolutamente necessário voltar no domingo à noite, as passagens de trem seriam pagas por Roberto —, fui embora com ele atrás de mim. Na rua e no ponto, enquanto eu esperava o ônibus, ele não fez outra coisa a não ser zombar de mim e dizer frases ofensivas como se estivesse brincando. Sobretudo, pediu de forma explícita que eu fizesse outra vez as coisas que havia feito no passado.

— Um boquete — pediu em dialeto — e pronto: aqui perto tem um velho edifício abandonado.

— Não, você me dá nojo.

— Se eu souber que você pagou um boquete para Rosario, conto para Vittoria.

— Foda-se — respondi em um dialeto que o fez rir muito de tão mal pronunciado.

Também ri ao me ouvir. Não quis brigar nem mesmo com Corrado, estava feliz demais com a viagem. Na volta para casa, me concentrei em qual mentira deveria contar para minha mãe como justificativa da minha viagem a Milão. Mas logo me convenci de que não devia nem fazer o esforço de mentir e comuniquei enquanto jantávamos, com o tom de quem considera a questão indiscutível, que Giuliana, a afilhada de Vittoria, ia visitar o noivo em Milão e eu havia me comprometido a acompanhá-la.

— Este fim de semana?

— É.

— Mas sábado é seu aniversário, organizei uma festa, vem seu pai, vêm Angela e Ida.

Por alguns instantes, senti meu peito vazio. Eu gostava muito do meu aniversário quando criança, no entanto, daquela vez, nem tinha lembrado. Tive a impressão de ter cometido uma afronta a mim mesma, mais do que a minha mãe. Eu não conseguia me valorizar, estava me transformando em uma personagenzinha secundária, uma sombra ao lado de Giuliana, a acompanhante feiosa da princesa que vai visitar o príncipe. Por aquele papel, será que eu estava disposta a abrir mão de uma longa e agradável tradição familiar, de velinhas a serem sopradas, de presentinhos surpreendentes? Sim, admiti, e propus a Nella:

— Vamos festejar quando eu voltar.
— Você está me fazendo uma desfeita.
— Mamãe, não faça tempestade em copo d'água.
— Seu pai também vai ficar chateado.
— Você vai ver que ele vai ficar contente: o noivo de Giuliana é muito inteligente, papai gosta dele.

Ela fez uma careta de desagrado, como se fosse responsável pela minha escassa afetividade.

— Você vai passar de ano?
— Mamãe, é um assunto meu, não se intrometa.
— Não temos mais importância alguma para você — resmungou.

Respondi que não era verdade ao mesmo tempo que pensei: mas Roberto é mais importante.

TREZE

Começou em uma noite de sexta-feira uma das aventuras mais insensatas da minha adolescência.

A viagem noturna rumo a Milão foi muito chata. Tentei conversar com Giuliana, mas ela, em especial a partir do momento em que eu disse que completaria dezesseis anos no dia seguinte, ficou ainda mais sem graça, aumentando o constrangimento manifestado desde o momento em que chegou na estação com uma enorme mala vermelha e uma bolsa de viagem abarrotada, e percebeu que eu só tinha uma valise com poucas coisas essenciais. Sinto muito, ela disse, por ter arrastado você comigo e estragado sua festa. Depois daquele diálogo, mais nada, não conseguimos encontrar nem o tom certo nem aquele bem-estar propício a confidências. A certa altura, anunciei que estava com fome e queria explorar o trem para encontrar algo para comer. Sem muito entusiasmo, Giuliana tirou da bolsa algumas coisas gostosas que sua mãe havia preparado para a viagem, mas ficou apenas com uns pedaços de fritada de macarrão, enquanto eu devorei todo o resto. O compartimento estava cheio, nos ajeitamos sem conforto nos beliches. Ela parecia sufocada pela angústia, eu a ouvi revirar-se várias vezes, não foi nem uma vez ao banheiro.

Mas ficou lá trancada por muito tempo uma hora antes da chegada e voltou penteada e maquiada com leveza, havia até trocado de roupa. Ficamos paradas no corredor, lá fora começava um dia pálido. Ela me perguntou se algo estava exagerado ou fora do lugar. Eu a tranquilizei e, naquele momento, ela pareceu relaxar um pouco, falou com franqueza afetuosa.

— Tenho inveja de você — disse.

— Por quê?

— Você não se arruma, se sente bem do jeito que é.

— Não é verdade.

— É, sim. Dentro de você, há algo que é só seu e que a satisfaz.

— Eu não tenho nada, você é que tem tudo.

Ela balançou a cabeça, murmurou:

— Roberto sempre diz que você é muito inteligente, que você tem uma grande sensibilidade.

Meu rosto ardeu.

— Ele está enganado.

— É a pura verdade. Quando Vittoria não queria me deixar viajar, foi ele que sugeriu que eu pedisse para você me acompanhar.

— Achei que tivesse sido decisão da minha tia.

Ela sorriu. Claro que a decisão havia sido dela, nada era feito sem o consentimento de Vittoria. Mas a ideia havia sido de Roberto. Giuliana, sem mencionar o noivo, falou com a mãe, que por sua vez consultou Vittoria. Fui tomada pela emoção — então foi ele que me quis em Milão — e respondi com monossílabos a Giuliana, que agora queria conversar, não conseguia me acalmar. Dali a pouco, eu o veria novamente e ficaria o dia inteiro com ele, em sua casa, no almoço, no jantar, na hora de dormir. Aos poucos fui me acalmando, disse:

— Você sabe chegar aonde ele mora?

— Sei, mas ele vem nos buscar.
Giuliana verificou outra vez o rosto, depois tirou da bolsa um saquinho de couro, sacudiu-o e, na palma da sua mão, caiu a pulseira da minha tia.
— Devo pôr? — perguntou.
— Por que não?
— Sempre fico preocupada. Vittoria fica com raiva se não a vê no meu pulso. Mas depois tem medo de que eu a perca, me atormenta e eu fico assustada.
— Tome cuidado. Você gosta dessa pulseira?
— Não.
— Por quê?
Ela fez uma longa pausa de constrangimento.
— Você não sabe?
— Não.
— Nem Tonino contou para você?
— Não.
— Meu pai a deu de presente para a mãe de Vittoria roubando-a da minha avó, a mãe da minha mãe, que na época já estava muito doente.
— Roubando? Seu pai, Enzo?
— Sim, ele a pegou às escondidas.
— E Vittoria sabe disso?
— Claro.
— E sua mãe?
— Foi ela que me contou.
Lembrei da foto de Enzo na cozinha, com o uniforme da polícia. Vigiava as duas mulheres mesmo depois de morto, armado com um revólver. Ele as mantinha unidas no culto à sua imagem, a mulher e a amante. Que força têm os homens, mesmo os mais mesquinhos, até sobre mulheres co-

rajosas e violentas como minha tia. Eu disse, sem conseguir conter o sarcasmo:

— Seu pai roubou a pulseira da sogra moribunda para dá-la de presente à mãe saudável da sua amante.

— Foi bem isso. Lá em casa, nunca tivemos dinheiro e ele era um homem que gostava de causar boa impressão nos desconhecidos, mas não hesitava em magoar as pessoas cujo afeto já havia conquistado. Minha mãe sofreu muito por causa dele.

Falei sem pensar:

— Vittoria também.

Mas logo depois senti toda a verdade, todo o peso daquelas duas palavras, e me pareceu claro por que Vittoria tinha aquele comportamento ambíguo em relação à pulseira. Formalmente ela a queria, mas, na verdade, tendia a querer se livrar dela. Formalmente era da sua mãe, mas, na verdade, não era. Formalmente devia ser um presente para sabe-se lá qual festa da nova sogra, mas, na verdade, Enzo a roubara da velha sogra que estava nas últimas. No fim das contas, a joia era a prova de que meu pai não estava totalmente enganado a respeito do amante da irmã. E, de modo geral, testemunhava que o incomparável idílio relatado por minha tia devia ter sido tudo menos um idílio.

Giuliana disse com desprezo:

— Vittoria não sofre, Giannì, Vittoria causa sofrimento. Para mim, esta pulseira é um sinal permanente de tempos ruins e de dor, me deixa ansiosa, atrai desgraças.

— Os objetos não têm culpa, eu gosto dela.

Giuliana assumiu uma expressão de irônico desconforto.

— Eu podia ter apostado que sim, Roberto também gosta.

Ajudei-a a prendê-la no pulso, o trem estava entrando na estação.

QUATORZE

Reconheci Roberto antes mesmo de Giuliana, ele estava parado na plataforma no meio da multidão. Levantei a mão para que ele nos identificasse em meio ao cortejo de viajantes e logo ele também levantou a dele. Giuliana apertou o passo arrastando a mala, Roberto foi ao seu encontro. Abraçaram-se como se quisessem se esmagar e misturar os fragmentos dos seus corpos, mas só trocaram um beijo leve na boca. Depois ele pegou minha mão entre as suas e me agradeceu por ter acompanhado Giuliana: sem você, disse, quem sabe quando eu e ela teríamos nos revisto. Em seguida, pegou a grande mala e a bolsa de viagem da noiva, eu os segui a alguns passos de distância com minha bagagem mesquinha.

É uma pessoa normal, pensei, ou talvez, entre suas várias qualidades, esteja justamente a de saber ser normal. No bar da Piazza Amedeo, e nas outras vezes em que o encontrei, senti que estava lidando com um professor de grande densidade que se ocupava não sei bem do quê, mas certamente de disciplinas complexas. Agora eu estava vendo seu quadril colado ao de Giuliana, aquele contínuo curvar-se para beijá-la, e era um noivo qualquer de vinte e cinco anos como os que vemos pela rua, no cinema, na televisão.

Antes de descer uma grande escadaria amarelada, ele quis pegar minha valise também, mas eu, decidida, não deixei e então ele continuou a se ocupar carinhosamente de Giuliana. Eu não sabia nada de Milão, viajamos de metrô por no mínimo vinte minutos e, para chegar em casa, demoramos outros quinze minutos a pé. Subimos velhas escadas de pedra escura até o quinto andar. Senti-me orgulhosamente silenciosa, sozinha com a minha bagagem, enquanto Giuliana prosseguia livre de pesos, muito faladeira e, em cada movimento, finalmente feliz.

Chegamos a um passadiço no qual havia três portas. Roberto abriu a primeira e nos fez entrar em um apartamento que logo me agradou, apesar de um leve cheiro de gás. Ao contrário do apartamento de San Giacomo dei Capri, impecável e acorrentado à ordem da minha mãe, ali havia uma impressão de limpeza desordenada. Atravessamos um corredor com pilhas de livros apoiadas no chão e entramos em um cômodo grande com poucos móveis velhos, uma escrivaninha coberta de pastas, uma mesa, um sofá vermelho desbotado, prateleiras nas paredes abarrotadas de volumes, um televisor apoiado sobre um cubo de plástico.

Roberto, dirigindo-se a mim, sobretudo, pediu desculpa, disse que, embora a porteira arrumasse todos os dias, a casa era estruturalmente pouco acolhedora. Tentei dizer algo irônico, queria continuar a ter o tom descarado que — àquela altura eu já tinha certeza — o agradava. Mas Giuliana não me deixou falar, disse: nada de porteira, eu cuido disso, você vai ver como vai se tornar acolhedor, e jogou os braços em volta do seu pescoço, grudou nele com a mesma energia usada no encontro na estação, deu-lhe um beijo longo daquela vez. Eu logo desviei o olhar, como se estivesse procurando um lugar para pôr a mala; ela, um minuto mais tarde, já me dava indicações precisas com ares de dona da casa.

Sabia tudo do apartamento, puxou-me para uma cozinha com cores desbotadas que pareciam ainda mais desbotadas sob a luz elétrica de baixa voltagem, verificou se tinha isso, se tinha aquilo, criticou a porteira por alguns desleixos que ela mesma rapidamente começou a remediar. Enquanto isso, não parou de se dirigir a Roberto, falava sem parar perguntando de pessoas que chamava pelo nome — Gigi, Sandro, Nina —, relacionando cada uma delas a algum problema ligado à vida universitária, sobre a qual parecia bem informada. Uma ou duas vezes, Roberto disse: talvez Giovanna esteja achando chato, eu exclamei que não e ela continuou a falar com ele com desenvoltura.

Era uma Giuliana diferente da que eu, até aquele momento, achava que conhecia. Falava com decisão, às vezes até de maneira peremptória, e em tudo aquilo que dizia — ou a que aludia —, ficava claro que Roberto não apenas a informava minuciosamente sobre sua vida, seus problemas de trabalho e de estudo, mas também lhe atribuía a capacidade de segui-lo e apoiá-lo e guiá-lo, como se ela tivesse de fato as competências e a sabedoria necessárias para tanto. Enfim, Roberto lhe dava crédito e era daquele crédito — pareceu-me — que Giuliana surpreendentemente, audaciosamente, tirava forças para interpretar aquele papel. Mas houve algumas vezes em que ele, com gentileza, com carinho, opôs-se a algo, disse: não, não é bem assim. Então Giuliana se interrompeu, corou, assumiu um tom agressivo e mudou violentamente de opinião, tentando demonstrar que pensava exatamente da mesma maneira que ele. Naqueles momentos, eu a reconheci, senti o sofrimento daqueles bloqueios, achei que, se Roberto de repente a fizesse entender que ela estava falando uma bobagem atrás da outra, que, para ele, sua voz era como um prego que arranha uma chapa de metal, ela cairia morta no chão.

Naturalmente não fui só eu a perceber que a encenação era frágil. Roberto, quando se verificaram aquelas pequenas rachaduras, logo a puxou para si, falou com ternura, beijou-a, e eu me ocupei outra vez com algo que os eliminasse momentaneamente. A meu ver, foi aquele meu constrangimento que o fez exclamar: aposto que vocês estão com fome, vamos ao bar aqui embaixo, os doces são ótimos. Dez minutos mais tarde, eu estava devorando doces, tomando café e começava a me sentir muito curiosa pela cidade desconhecida. Disse isso e Roberto quis nos levar para dar um passeio no centro. Conhecia tudo de Milão e se esforçou muito para nos mostrar os monumentos essenciais e contar sua história com um tom um pouco pedante. Vagamos de uma igreja para um pátio, de uma praça a um museu, sem parar, como se fosse nossa última chance de ver a cidade antes da sua destruição. Giuliana, mesmo dizendo com frequência que não havia dormido nada no trem e estava cansada, mostrou-se muito interessada, e não acredito que fingisse. Tinha uma vontade de aprender verdadeira somada a uma espécie de senso de dever, como se o seu papel de noiva de um jovem professor lhe impusesse um olhar sempre atento, um ouvido sempre receptivo. Eu, no entanto, me senti dividida. Descobri naquele dia o prazer de reduzir um lugar desconhecido a um lugar minimamente conhecido, somando o nome e a história daquela rua ao nome e à história daquela praça, daquele edifício. Mas, ao mesmo tempo, me retraí incomodada. Pensei outra vez nos passeios instrutivos por Nápoles, guiada por meu pai, na sua permanente ostentação de competência e no meu papel de filha pequena em estado de veneração. Roberto, perguntei a mim mesma, nada mais é do que meu pai quando jovem, ou seja, uma armadilha? Olhei para ele enquanto comíamos um sanduíche e tomávamos cerveja e ele brincava e projetava um novo itinerário. Olhei para ele na companhia de Giuliana, os dois em um canto, ao ar livre, embaixo de uma grande árvore, discutindo assuntos deles, ela tensa, ele tranquilo, ela com algumas lágrimas, ele com as orelhas vermelhas. Olhei para ele enquanto vinha festivo em minha direção, os longos braços levantados, tinha acabado de saber do meu aniversário. Descartei que fosse como meu pai, havia uma distância enorme. Era eu, isso sim, que me sentia no papel da filha que escuta, e aquela sensação não me agradava, eu queria ser uma mulher, uma mulher amada.

Nosso passeio continuou. Eu escutava Roberto e perguntava a mim mesma por que eu estava ali, seguia atrás dele e de Giuliana e pensava, o que estou fazendo na companhia deles. Às vezes, eu me detinha de propósito, sei lá, nos detalhes de um afresco aos quais ele não havia, justamente, atribuído destaque algum. Fazia aquilo para atrapalhar aquele andamento, e Giuliana se virava e sibilava: Giannì, o que você está fazendo, venha, senão você vai se perder. Ah, se eu pudesse mesmo me perder, pensei em certo momento, ficar em algum lugar como um guarda-chuva e nunca mais saber nada de mim mesma. Mas era só Roberto me chamar, me esperar, repetir para mim o que já dissera a Giuliana, elogiar duas ou três observações minhas com frases como: sim, é verdade, não tinha pensado nisso, e eu logo ficava bem e me entusiasmava. Como é bom viajar, como é bom conhecer uma pessoa que sabe tudo e tem extraordinária inteligência e beleza e bondade, e explica o valor daquilo que você sozinha jamais saberia apreciar.

QUINZE

As coisas se complicaram quando voltamos para casa no fim da tarde. Roberto ouviu na secretária eletrônica um recado no qual uma festiva voz feminina recordava um compromisso que ele tinha à noite. Giuliana estava cansada, ouviu aquela voz, eu a vi muito incomodada. Roberto, por sua vez, se lamentou por ter esquecido o compromisso, era um jantar marcado havia tempos com o que ele chamou de seu grupo de trabalho, pessoas que Giuliana já conhecia. De fato, ela logo se lembrou de todos, apagou do rosto o desapontamento e exibiu grande entusiasmo. Mas eu já a conhecia um pouco, sabia distinguir quando algo a fazia feliz e quando algo a deixava ansiosa. Aquele jantar estava estragando seu dia.

— Vou dar uma volta — falei.

— Por quê? — disse Roberto — Você deve ir conosco, são pessoas simpáticas, você vai gostar.

Resisti, eu não queria mesmo ir. Sabia que ficaria calada, de cara amarrada, ou me tornaria agressiva. Giuliana inesperadamente interveio a meu favor.

— Ela tem razão — disse —, não conhece ninguém, vai se entediar.

Mas ele me olhou com insistência, como se eu fosse uma página escrita cujo sentido não quisesse se manifestar.

— Você parece ser daquelas pessoas que sempre acham que vão se entediar, mas depois nunca se entediam — disse.

O que me surpreendeu nessa frase foi o tom. Ele a pronunciou não de maneira coloquial, mas com uma tonalidade que eu o ouvira usar apenas uma vez, na igreja: a tonalidade quente e cheia de convicção que deslumbrava, como se soubesse mais sobre mim do que eu mesma. Quebrou-se, então, o equilíbrio que, mal ou bem, havia durado até aquele momento. Eu realmente me entedio — pensei com raiva —, você não sabe quanto me entedio, não sabe quanto me entediei e estou me entediando. Errei ao vir até aqui por você, só acrescentei desordem à desordem, apesar da sua gentileza, da sua disponibilidade. No entanto, exatamente quando aquela raiva revolvia dentro de mim, tudo mudou. Quis que ele não estivesse enganado. Em algum canto do cérebro, tomou forma a ideia de que Roberto tinha o poder de esclarecer e desejei que, a partir daquele momento, ele — só ele — me indicasse o que eu era e o que eu não era.

— Ela já foi gentil demais, não devemos obrigá-la a fazer o que não quer — disse Giuliana quase sussurrando.

Mas eu a interrompi.

— Não, não, tudo bem, eu vou — falei, mas sem muito ânimo, sem fazer nada para atenuar a impressão de que eu os acompanharia apenas para não criar complicações.

Naquele momento, ela fez uma careta perplexa e saiu correndo para lavar os cabelos. Enquanto ela os secava insatisfeita com o resultado que estava obtendo, enquanto se maquiava, enquanto oscilava entre o vestido vermelho ou a saia marrom com a camisa verde, enquanto estava incerta entre só os brincos e o colar ou também a pulseira e me interrogava em busca de uma confirmação, disse várias vezes: não se sinta obrigada, você, que pode, fique, eu tenho que ir de qualquer jeito, mas ficaria de bom grado com você, são todas pessoas da universidade que falam, falam, falam e você nem faz ideia de como se dão ares. Daquela maneira, resumiu o que naquele momento a assustava, achando que eu também estivesse assustada. Mas eu conhecia desde pequena aquele falatório presunçoso dos cultos, Mariano e meu pai e seus amigos não faziam outra coisa. É claro, eu detestava tudo aquilo, mas não era a conversa em si que me intimidava. Por isso eu disse: não se preocupe, vou por amor a você, para fazer companhia.

Assim, fomos parar em um pequeno restaurante no qual o dono, grisalho, alto, magérrimo, recebeu Roberto com respeitosa simpatia. Está tudo pronto, disse aludindo com tom de cumplicidade a uma saleta onde se entrevia uma mesa comprida com vários comensais barulhentos. Quanta gente, pensei, e fiquei incomodada pelo meu aspecto mesquinho, eu não me atribuía nenhum atrativo que facilitasse a relação com estranhos. Além disso, de relance, as garotas me pareceram todas muito jovens, graciosas, com ar culto, tipos femininos como Angela, que sabiam brilhar com comportamentos suaves, vozinhas sedosas. Os homens eram minoria, dois ou três, da mesma idade que Roberto ou um pouquinho mais velhos. Os olhos deles se concentraram em Giuliana, linda, cordial, e até quando Roberto me apresentou, a atenção deles durou poucos segundos, eu estava malvestida demais.

Quando nos sentamos, acabei ficando longe de Roberto e Giuliana, que encontraram lugar um ao lado do outro. Logo percebi que nenhum daqueles jovens estava ali pelo prazer de estar juntos. Por trás dos bons modos, havia tensões, inimizades, e, se pudessem, eles certamente teriam passado a noite de outra maneira. Mas já enquanto Roberto começava a falar, criou-se entre os comensais uma atmosfera semelhante à que eu vira nascer entre os paroquianos na igreja do Pascone. O corpo de Roberto — voz, gestos, olhar — começou a agir como uma cola e, ao vê-lo entre aquelas pessoas que o amavam tanto quanto eu, e se amavam entre si só porque o amavam, de repente eu mesma me senti parte de uma reação inevitável de entrosamento. Que voz ele tinha, que olhos: Roberto, naquele momento, entre tanta gente, me pareceu muito mais do que o que havia sido com Giuliana, comigo, nas horas de passeio por Milão. Voltou a ser o que fora quando dissera para mim aquela frase ("Você parece ser daquelas pessoas que sempre acham que vão se entediar, mas depois nunca se entediam") e eu tive então de admitir que aquele não havia sido um privilégio meu, ele tinha o dom de mostrar aos outros mais do que eles eram capazes de ver.

Todos comeram, riram, debateram, se contradisseram. Interessavam-se por grandes temas, eu entendi pouco. Hoje posso dizer apenas que falaram a noite toda de injustiça, fome, miséria, o que fazer diante da ferocidade da pessoa injusta que toma tudo para si tirando de todos os outros, qual é o comportamento a se adotar. Por alto, eu poderia resumir assim a discussão que ricocheteou de maneira alegremente séria de um lado a outro da mesa. Recorremos à lei? E se a lei favorece a injustiça? E se a própria lei é a injustiça, se a violência do Estado a protege? Os olhos brilhavam de tensão, as palavras sempre cultas soavam sinceramente apaixonadas. Debateram muito, de maneira douta, comendo e bebendo, e chamou minha atenção o fato de as moças mostrarem mais paixão ainda do que os rapazes. Eu conhecia as vozes litigiosas que saíam do escritório do meu pai, as discussões irônicas com Angela, as falsas paixões que às vezes eu interpretava na escola para agradar aos professores quando eles punham em campo sentimentos que eles mesmos não sentiam. Aquelas moças, no entanto, que provavelmente lecionavam ou lecionariam na universidade, eram verdadeiras e aguerridas e benévolas. Citaram grupos ou associações dos quais eu nunca ouvira falar, algumas tinham acabado de voltar de países distantes e relataram horrores que conheciam em primeira mão. Uma jovem morena que se chamava Michela logo se distinguiu pelas palavras inflamadas, estava sentada bem na frente de Roberto, era naturalmente a Michela que deixava Giuliana obcecada. Falou de um episódio de abuso que talvez tivesse acontecido diante dos seus olhos, agora não me lembro onde, ou talvez eu não queira me lembrar. Era um episódio tão terrível que, a certa altura, precisou parar para não chorar. Giuliana até aquele momento havia ficado em silêncio, comia sem entusiasmo, estava com o rosto embaçado pelo cansaço da noite e do dia turístico. Mas, quando começou a longa história de Michela, abandonou o garfo no prato e ficou olhando fixamente para ela durante todo o tempo.

A jovem — um rosto áspero, o olhar brilhante atrás de grandes óculos com armação fina, lábios marcados e muito vermelhos — começara falando para toda a mesa, mas depois passou a se dirigir só a Roberto. Não era uma anomalia, todos tendiam a fazer a mesma coisa, atribuíam-lhe inadvertidamente o papel de coletor de cada um dos discursos que depois, na síntese da sua voz, se tornavam a convicção de todos. Mas, se os outros às vezes se lembravam dos colegas presentes, Michela mostrava que só se importava com a atenção de

Roberto, e Giuliana, quanto mais ela falava, mais — percebi — se abatia. Era como se seu rosto estivesse definhando até se tornar apenas pele transparente que mostrava antecipadamente o que ela se tornaria quando a doença e a velhice chegassem para deteriorá-la. O que a deformava naquele momento? O ciúme, provavelmente. Ou talvez não, Michela não estava fazendo nada que pudesse deixá-la com ciúme, nenhum gesto, por exemplo, daqueles que Angela elencara para mim ao ilustrar a estratégia da sedução. Provavelmente Giuliana simplesmente se deformava em consequência do sofrimento causado pela qualidade da voz de Michela, pela eficácia das frases, pela sua habilidade em levantar questões alternando exemplos e generalizações. Quando a vida parecia ter deixado por completo seu rosto, ela emitiu uma voz rouca, agressiva, com forte nuance dialetal:

— Se você tivesse dado uma facada nele, teria resolvido tudo.

Logo percebi que eram palavras que não combinavam com aquele ambiente e tenho certeza de que Giuliana sabia disso. Mas também tenho certeza de que ela as pronunciou porque foram as únicas frases que lhe ocorreram para dar um corte seco no longo fio de palavras de Michela. Fez-se silêncio, Giuliana se deu conta de que dissera as palavras erradas e seus olhos se tornaram de vidro como se ela estivesse prestes a desmaiar. Tentou tomar distância de si mesma rindo nervosamente, disse a Roberto em um italiano mais controlado:

— Ou pelo menos é o que fariam no lugar onde eu e você nascemos, não é?

Roberto a puxou para si pelos ombros, beijou sua testa e começou um discurso que, a cada passagem, apagou o efeito trivial das palavras da noiva. É o que fariam não apenas no lugar onde nós nascemos, disse, mas em toda parte porque é a solução mais fácil. Mas ele, naturalmente, não era a favor das soluções fáceis, nenhum dos jovens naquela mesa era. E Giuliana também se apressou em dizer, novamente quase em dialeto, que era contra a resposta violenta à violência, mas se confundiu — senti muita pena dela —, logo se calou, já estavam todos escutando Roberto. À injustiça — disse ele —, é necessário dar uma resposta firme, persistente: você faz isso ao próximo e eu digo que você não deve fazê-lo e, se você continuar a fazer, continuarei a me opor, e, se você me esmagar com a sua força, eu me reerguerei, ou se não conseguir mais me reerguer, outros se erguerão, e mais outros. Fixava a mesa enquanto falava, depois, de repente, levantava o rosto, encarava todos, um por um, com olhos encantadores.

Por fim, todos, a própria Giuliana, eu mesma, se convenceram de que aquela era a reação certa. Mas Michela — e percebi a surpresa entre os presentes — teve um espasmo de intolerância, exclamou que não se responde com fraqueza à força injusta. Silêncio, a intolerância, embora leve, não era prevista naquela mesa. Olhei para Giuliana, ela fixava Michela com raiva, temi que fosse intervir outra vez contra a outra, apesar de as poucas palavras da sua suposta rival parecerem condizer com a tese das facadas. Mas Roberto já replicava: os justos só podem ser fracos, têm coragem sem força. De repente, ocorreram-me poucas linhas lidas recentemente, misturei-as com outras, murmurei quase sem querer: eles têm a fraqueza do tolo que para de oferecer carne e gordura a Deus, saciado até demais, e as dá ao próximo, à viúva, ao órfão, ao estrangeiro. Foi tudo o que saiu da minha boca, com tom tranquilo, até levemente irônico. E, como minhas palavras logo foram retomadas por Roberto com aprovação, utilizando e desenvolvendo a metáfora da tolice, todos gostaram, exceto talvez Michela. Ela me lançou um olhar de curiosidade e, naquele momento, sem motivo, Giuliana riu, uma risada ruidosa.

— Está rindo de quê? — perguntou Michela, gélida.

— Não posso rir?

— Sim, vamos rir — interveio Roberto usando a primeira pessoa do plural embora ele não tivesse rido — porque hoje é um dia de festa, Giovanna está completando dezesseis anos.

Naquele momento, as luzes da sala se apagaram, apareceu um garçom com uma grande torta e dezesseis pequenas chamas de velinhas que oscilavam sobre a brancura do glacê.

DEZESSEIS

Foi um lindo aniversário, senti-me cercada de gentileza e cordialidade. Mas Giuliana, em dado momento, disse que estava muito cansada e voltamos para casa. Chamou minha atenção que, uma vez no apartamento, ela não reassumiu os tons de dona da casa que usara de manhã, ficou parada olhando para a escuridão pela janela da sala de estar e deixou que Roberto fizesse tudo. Ele foi muito solícito, nos deu toalhas limpas, fez um discurso irônico sobre o desconforto do sofá-cama e como era difícil abri-lo. Só a porteira consegue armá-lo com desenvoltura, disse, e se viu em dificuldade, tentou várias vezes até montar no meio do cômodo uma cama de casal já pronta, com lençóis imaculadamente brancos. Toquei nos lençóis, disse: está um pouco frio, você não tem uma coberta? Ele assentiu, desapareceu dentro do quarto.

— De que lado você dorme? — perguntei a Giuliana.

Giuliana se afastou da escuridão para além dos vidros e disse:

— Vou dormir com Roberto, assim você fica mais confortável.

Eu tinha certeza de que terminaria daquela maneira, mas mesmo assim reforcei:

— Vittoria me fez jurar que dormiríamos juntas.

— Ela fazia Tonino jurar também, mas ele nunca manteve o juramento. Você quer mantê-lo?

— Não.

— Amo você — disse ela beijando meu rosto sem entusiasmo e, enquanto isso, Roberto voltou com uma coberta e um travesseiro.

Foi Giuliana que então sumiu dentro do quarto e ele, caso eu acordasse mais cedo e quisesse comer alguma coisa, me mostrou onde ficavam o café, os biscoitos, as xícaras. O aquecedor emanava um cheiro violentíssimo de gás, eu disse:

— Está vazando, vamos morrer?

— Não, acho que não, as janelas são péssimas.

— Eu não gostaria de morrer aos dezesseis anos.

— Eu moro aqui há sete e não morri.

— Quem me garante?

Ele sorriu.

— Ninguém — disse. — Estou contente por você estar aqui, boa-noite.

Foram as únicas palavras que trocamos sozinhos. Ele foi encontrar Giuliana no quarto e fechou a porta.

Abri a valise em busca do pijama, ouvi Giuliana chorando, ele sussurrou alguma coisa, ela também sussurrou. Depois começaram a rir, primeiro Giuliana, depois Roberto. Fui ao banheiro torcendo para que adormecessem logo, tirei a roupa, escovei os dentes. Porta que se abre, porta que se fecha, passos. Giuliana bateu à porta, perguntou: posso entrar. Abri a porta, ela tinha sobre o braço uma camisola azul-marinho com renda branca, perguntou se eu gostava, eu a elogiei. Abriu a água do bidê e começou a tirar a roupa. Saí depressa (como sou idiota, por que me meti nesta situação), o sofá rangeu quando me enfiei debaixo das cobertas. Giuliana atravessou outra vez o cômodo com a camisola que aderia ao seu corpo harmonioso. Por baixo, não havia nada, tinha seios pequenos, mas duros e muito graciosos. Boa-noite, disse, eu respondi boa-noite. Apaguei a luz, pus a cabeça embaixo do travesseiro, apertei-o sobre os ouvidos. O que eu sei sobre sexo, tudo e nada: o que li nos livros, o prazer da masturbação, a boca e o corpo de Angela, os genitais de Corrado. Pela primeira vez, senti minha virgindade como uma humilhação. Não quero imaginar o prazer de Giuliana, sentir-me no seu lugar. Eu não sou ela. Estou aqui e não naquele quarto, não desejo que ele me beije e me toque e me penetre como Vittoria contou que Enzo fazia, sou amiga dos dois. No entanto, eu estava suando embaixo da coberta, já estava com os cabelos molhados, não respirava, tirei o travesseiro. Como é maleável e grudenta a carne, tentei sentir só meu esqueleto, classifiquei um por um os ruídos da casa: madeira que range, geladeira que vibra, pequenos estalos talvez do aquecedor, cupins na escrivaninha. Do quarto, não chegava som algum, nem um chiado de molas, nem um suspiro. Talvez tivessem confessado um ao outro que estavam cansados e já estivessem dormindo. Talvez tivessem decidido com gestos não usar a cama para evitar ruídos. Talvez estivessem em pé. Talvez nem suspirassem, nem gemessem, por discrição. Imaginei a união de seus corpos em posições que eu só vira desenhadas ou pintadas, mas, assim que me dei conta, afastei as imagens. Talvez não se desejassem de verdade, haviam perdido o dia inteiro em passeios turísticos e conversas. Era assim, nenhuma paixão, eu duvidava que fosse possível fazer amor em um silêncio tão absoluto: eu teria rido, teria dito palavras intensas. A porta do quarto se abriu cautelosamente, vi o perfil escuro de Giuliana atravessar o cômodo na ponta dos pés, ouvi que estava se fechando outra vez no banheiro. A água começou a escorrer. Chorei por um tempo, adormeci.

DEZESSETE

A sirene de uma ambulância me acordou. Eram quatro da madrugada, demorei a me lembrar onde eu estava e, quando me lembrei, pensei logo: serei infeliz a vida toda. Fiquei acordada na cama até o dia raiar, organizando sonsamente a infelicidade que me esperava. Eu precisava ficar ao lado de Roberto com discrição, fazer com que ele gostasse de mim. Devia aprender cada vez mais coisas que lhe interessavam. Devia conquistar um trabalho que não fosse distante demais do seu, ensinar eu também na universidade, talvez em Milão se Giuliana vencesse, ou em Nápoles se vencesse minha tia. Devia dar um jeito para que o relacionamento daquele casal durasse para sempre, consertar eu mesma suas falhas, ajudá-los a criar os filhos. Enfim, decidi, de maneira definitiva, que viveria na órbita deles, contentando-me com as migalhas. Depois, sem querer, adormeci outra vez.

Pulei da cama às nove, a casa ainda estava silenciosa. Fui ao banheiro, evitei me olhar no espelho, me lavei, me escondi na camisa que estava usando no dia anterior. Pareceu-me ouvir do quarto vozes sufocadas, por isso explorei a cozinha, arrumei a mesa para três, preparei a cafeteira. Mas os sons do outro aposento não cresceram, a porta não se abriu, nenhum dos dois pôs a cabeça do lado de fora. Achei apenas ter ouvido, a certa altura, Giuliana reprimir uma risada ou talvez um gemido. Aquilo me causou tanto sofrimento que decidi — mas talvez não tenha sido uma decisão e sim um ato impaciente — bater à porta, com os nós dos dedos, sem hesitação.

Silêncio absoluto. Bati novamente, um golpe exigente.

— Sim? — disse Roberto.

Perguntei em tom festivo:

— Levo o café para vocês? Está pronto.

— Já estamos indo — disse Roberto, mas Giuliana exclamou ao mesmo tempo:

— Que ótimo, sim, obrigada.

Ouvi os dois rindo daquela sobreposição divergente das palavras e prometi ainda mais festivamente:

— Cinco minutos.

Encontrei uma bandeja, arrumei as xícaras, pratos, talheres, pão, biscoitos, manteiga, uma geleia de morango da qual tirei alguns traços esbranquiçados de mofo e a cafeteira fumegante. Agi com uma alegria repentina, como se minha única possibilidade de sobrevivência estivesse prestes a tomar forma naquele momento. E a única coisa que me assustou foi a brusca inclinação da bandeja enquanto, com a mão livre, eu abaixava a maçaneta. Temi que a cafeteira, tudo, fosse para o chão, mas não aconteceu, e, no entanto, a alegria desvaneceu, o equilíbrio precário da bandeja transmitido para mim. Avancei como se não fosse a bandeja, mas eu, a correr o risco de ir parar no chão.

Ao contrário do que eu esperava, o quarto não estava escuro. Havia luz, a persiana estava levantada, a janela estava entreaberta. Os dois estavam na cama, embaixo de uma coberta leve de cor branca. Mas Roberto estava com a cabeça apoiada na cabeceira e tinha uma expressão constrangida — um homem qualquer, os ombros largos demais, o tórax estreito — ao passo que Giuliana, os ombros nus, o rosto apoiado no peito dele, com pelos pretos, a mão que tocava em seu rosto como em uma carícia recém-interrompida, estava alegre. Vê-los daquela maneira eliminou todos os meus projetos. Aproximar-me deles não mitigava a minha condição infeliz, mas me transformava na plateia da felicidade do casal. Era — pareceu-me naquele momento — o que Giuliana desejava. Nos poucos minutos que levei para preparar a bandeja, eles poderiam ter se vestido, mas ela devia tê-lo impedido, havia deslizado para fora da cama nua, aberto a janela para renovar o ar e se enfiou novamente no leito para se mostrar na pose da jovem mulher após uma noite de amor, agarrada a ele entre os lençóis, com uma perna sobre as suas. Não, não, minha ideia de me tornar uma espécie de tia sempre pronta para correr, para dar uma mão, não era o pior dos venenos. O espetáculo — para Giuliana — devia ser justamente isto: uma demonstração de si mesma como no cinema, uma maneira provavelmente nada malévola de dar uma forma ao seu bem-estar, um modo de aproveitar minha irrupção para que eu a visse e, ao vê-la, fixar o que não dura, me tornar uma testemunha — pareceu-me insuportavelmente cruel. No entanto, fiquei ali, sentada na beirada da cama, prudentemente no lado ocupado por Giuliana, agradecendo mais uma vez a festa do dia anterior, bebericando café com eles, que se soltaram do abraço, ela que mal se cobria com o lençol, ele que havia finalmente vestido uma camisa que eu mesma, a pedido de Giuliana, lhe passara.

— Como você é gentil, Giannì, nunca vou me esquecer desta manhã — exclamou ela, e quis me abraçar deslocando perigosamente a bandeja apoiada sobre um travesseiro.

Roberto, por sua vez, disse com distanciamento, após um gole de café, olhando para mim como se eu fosse um quadro sobre o qual tinha sido convidado a dar um parecer:

— Você é muito bonita.

DEZOITO

Na volta, Giuliana fez o que não havia feito na ida. Enquanto o trem viajava com uma lentidão extenuante, segurou-me no corredor, entre o compartimento e a janela escura, falando sem parar.

Roberto nos acompanhara à estação, o adeus deles havia sido doloroso, trocaram beijos e mais beijos e se abraçaram forte. Não pude deixar de olhar para eles, eram um casal que dava prazer aos olhos, sem dúvida ele a amava e ela não podia viver sem aquele amor. Mas a frase — *você é muito bonita* — não quis sair da minha cabeça, que impacto no coração havia sido. Respondi áspera, desafinada, deturpando as vogais por causa da emoção: não zombe de mim. E Giuliana logo acrescentou, séria: é verdade, Gianni, você é linda. Murmurei: sou igual a Vittoria, mas os dois exclamaram indignados, ele rindo, ela abanando o ar com a mão: Vittoria, o que você está dizendo, está maluca? Então, estupidamente, desatei a chorar. Um choro breve, poucos segundos, como um acesso de tosse logo estrangulado, mas que os perturbou. Ele, sobretudo, murmurou: o que foi, calma, o que fizemos de errado? E eu logo me recuperei, envergonhando-me, mas aquele elogio ficou ali, intacto na cabeça, e permaneceu lá, na estação, na plataforma, enquanto eu arrumava as bagagens no compartimento e eles conversavam através da janela até o último minuto.

O trem partiu, ficamos no corredor. Eu disse, para me mostrar controlada, para espantar a voz de Roberto — você é muito bonita —, para consolar Giuliana: como ele gosta de você, deve ser magnífico ser amada assim. E ela, pega de surpresa pelo desespero, começou a desabafar meio em italiano meio em dialeto e não parou mais. Viajamos em contato próximo — os quadris roçavam, ela muitas vezes segurava meu braço, minha mão —, mas, na verdade, separadas: eu que continuava a ouvir Roberto dizendo aquelas quatro palavras — e me deleitava, parecia a fórmula mágica secretíssima da minha ressurreição —, ela que precisava dizer até o fim o que a fazia sofrer. Desabafou por muito tempo retorcendo-se de raiva, de angústia, e eu a escutei com atenção, encorajei-a a continuar. Mas, enquanto sofria, arregalava os olhos, mexia obsessivamente nos cabelos enrolando uma mecha em volta do indicador e do dedo médio e depois liberando bruscamente os dedos como se fossem serpentes, eu estava feliz e sempre a ponto de interrompê-la para perguntar sem premissas: você acha que Roberto, quando disse que eu era muito bonita, estava falando sério?

O monólogo de Giuliana foi longo. Em síntese, o que ela disse foi: sim, ele gosta de mim, mas eu gosto muito mais dele porque ele mudou minha vida, me tirou de repente do lugar em que eu estava destinada a ficar e me pôs ao seu lado, e agora só posso ficar lá, entende, se ele mudar de ideia e me afastar, não saberei mais ser eu mesma, não saberei nem mesmo quem eu sou; já ele, ele sempre soube quem é, já sabia quando criança, eu me lembro, você não pode imaginar o que acontecia quando ele simplesmente abria a boca, você viu o filho do advogado Sargente, Rosario é malvado, ninguém pode encostar em Rosario, mas Roberto o encantava como uma serpente e o transformava em uma pessoa tranquila, se você nunca viu essas coisas, não sabe o que é Roberto, eu vi várias delas, e não apenas com pessoas como Rosario, que é um tolo, pense na noite de ontem, ontem eram todos professores, eram os melhores dos melhores, mas você percebeu, estavam lá por causa dele, foram tão inteligentes, tão educados, só por causa dele, senão se estrangulavam, você deveria ouvi-los assim que Roberto desvia o olhar, invejas, maldades, palavrões, obscenidades; de maneira que, Giannì, não existe paridade entre nós, se eu morresse agora, dentro deste trem, ah, claro, Roberto ficaria triste, Roberto sofreria, mas depois continuaria a ser o que é, já eu, não falo de ele morrer — nem posso pensar nisso —, mas se ele me deixasse — você viu como todas as mulheres olham para ele, e viu como elas são bonitas, inteligentes, e quantas coisas sabem —, se ele me deixasse por uma delas — Michela, por exemplo, que está ali só para falar com ele, não dá a mínima para as outras pessoas presentes, ela é importante, sabe-se lá o que vai se tornar, e justamente por isso o quer, porque com ele pode se tornar até, sei lá, presidente da república —, se Michela tomasse o lugar que agora é meu, Giannì, eu me mataria, teria de me matar porque, mesmo que eu vivesse, viveria sem ser mais nada.

Foi mais ou menos o que ela disse ao longo de horas, obsessivamente, arregalando os olhos, torcendo a boca. Escutei o tempo todo aquele falatório desmedido no corredor deserto do trem e, devo admitir, senti mais pena dela e também certa admiração. Eu a considerava uma adulta, eu era uma garotinha. Eu certamente não teria sido capaz de uma lucidez tão impiedosa, nos momentos mais críticos, sabia como me esconder até de mim mesma. Mas ela não fechava os olhos, não tapava os ouvidos, delineava com precisão a situação. Todavia, não fiz muita coisa para consolá-la, limitei-me a repetir de vez em quando um conceito que eu mesma queria definitivamente levar em consideração. Roberto, eu disse, mora em Milão há muito tempo, conheceu sei lá quantas garotas como a tal Michela, e você tem razão, está na cara que todas ficam encantadas com ele, mas é com você que ele quer viver porque você é totalmente diferente das outras, portanto, você não deve mudar, deve permanecer sendo o que é, só assim ele vai amá-la para sempre.

Só isso, um discursinho pronunciado com aflição um pouco artificial. De resto, eu também me deixei levar por um monólogo silenciosíssimo que se desenvolveu paralelamente ao dela. Não sou, pensei, realmente bonita, nunca serei. Roberto percebeu que eu estava me sentindo feia e perdida e quis me consolar com uma mentira piedosa, o motivo daquela frase provavelmente foi esse. Mas e se ele tivesse de fato visto em mim uma beleza que eu não sei ver, se tivesse de fato gostado de mim? Claro, ele disse que eu era muito bonita na presença de Giuliana, portanto, sem malícia. E Giuliana concordou, ela também não viu malícia. Mas e se a malícia tivesse ficado bem escondida nas palavras, passando despercebida até para ele? E se agora, neste momento, estivesse aflorando, e Roberto, voltando a pensar a respeito, estivesse perguntando a si mesmo: por que falei daquela maneira, quais eram as minhas intenções? Sim, quais eram as suas intenções? Preciso entender, é importante. Tenho o número de telefone dele, vou ligar e dizer: você me acha mesmo muito bonita? Cuidado com o que você diz, meu rosto já mudou por causa do meu pai e me tornei feia; não brinque de mudá-lo você também, tornando-o bonito. Estou cansada de ser exposta às palavras dos outros. Preciso saber quem realmente sou, que pessoa posso me tornar, me ajude. Pronto, um discurso desse tipo o agradaria. Mas qual seria o meu objetivo? O que eu de fato quero dele, e logo agora, enquanto essa garota me inunda com a sua dor? Desejo que ele me confirme que sou bonita, mais bonita do que qualquer pessoa, até mesmo do que a sua noiva? É o que desejo? Ou mais, ainda mais?

Giuliana ficou grata pela minha escuta paciente. A certa altura, pegou minha mão, se comoveu, me elogiou — ah, como você foi inteligente, deu um soco na cara de Michela com meia frase, obrigada, Giannì, você precisa me ajudar, precisa me ajudar sempre, se eu tiver uma filha, ela vai se chamar como você, deverá se tornar inteligente como você — e quis que eu jurasse que a apoiaria de todas as maneiras. Jurei, mas não foi suficiente, impôs-me um verdadeiro pacto: pelo menos até ela se casar e ir morar em Milão, eu devia ficar de olho para não deixá-la perder a cabeça e se convencer de coisas que não eram verdadeiras.

Aceitei, me pareceu mais calma, decidimos nos deitar um pouco nos beliches. Adormeci logo, mas, a poucos quilômetros de Nápoles, quando já era dia, senti alguém me sacudir, saí do meio-sono e a vi mostrar para mim o pulso com os olhos assustados:

— Meu Deus, Giannì, não estou com a pulseira.

DEZENOVE

Saí do beliche:

— Como é possível?

— Não sei, não sei onde a coloquei.

Revirou a bolsa, a bagagem, e não a encontrou. Tentei acalmá-la:

— Você certamente a deixou na casa de Roberto.

— Não, estava aqui, no compartimento da bolsa.

— Tem certeza?

— Não tenho certeza de nada.

— Você estava com ela na pizzaria?

— Lembro que eu queria usá-la, mas talvez, depois, não a tenha colocado.

— Acho que você estava com ela.

Continuamos assim até o trem entrar na estação. Seu nervosismo me contagiou. Também comecei a temer que o fecho tivesse quebrado e ela a tivesse perdido, ou que a tivessem roubado no metrô ou até que algum outro passageiro do compartimento a tivesse furtado enquanto ela dormia. Nós duas conhecíamos a fúria de Vittoria e tínhamos certeza de que, se voltássemos sem a pulseira, ela teria tornado nossa vida difícil.

Depois de desembarcar do trem, Giuliana correu para um telefone, discou o número de Roberto. O telefone tocava e ela, enquanto isso, penteava os cabelos com os dedos, murmurava de lado: não atende, me olhava, repetia: não atende. Disse depois de alguns segundos, em dialeto, rompendo com seu desejo de autodestruição a parede entre as palavras convenientes e as inconvenientes: deve estar trepando com Michela e não quer interromper. Mas Roberto por fim atendeu e ela passou logo para um tom de voz afetuoso, sufocando a angústia, mas continuando a mexer freneticamente nos cabelos. Falou da pulseira, ficou calada um tempo, murmurou submissa: tudo bem, telefono daqui a cinco minutos. Desligou, disse com raiva: precisa acabar de foder. Chega, exclamei irritada, acalme-se. Ela assentiu, envergonhando-se, pediu desculpa, disse que Roberto não sabia nada da pulseira, ia procurá-la pela casa. Fiquei ao lado das bagagens, ela começou a andar para a frente e para trás, sempre nervosa, agressiva com os homens que a olhavam ou diziam obscenidades.

— Passaram cinco minutos? — quase gritou.
— Passaram dez.
— Você não podia ter dito?

Correu para pôr fichas no telefone. Roberto atendeu logo, ela ficou ouvindo, exclamou: ainda bem. A voz de Roberto chegou até mim, mas indistinta. Enquanto ele falava, Giuliana sussurrou aliviada para mim: ele achou, deixei na cozinha. Deu-me as costas para dizer-lhe palavras de amor, mesmo assim eu as ouvi. Desligou, pareceu contente, mas durou pouco, murmurou: como eu faço para ter certeza de que, assim que eu vou embora, Michela não se enfia na cama dele? Parou ao lado da escada que descia até o metrô, ali deveríamos nos despedir, íamos em direções opostas, mas ela disse:

— Espere mais um pouco, não quero voltar para casa, não quero ouvir o interrogatório de Vittoria.
— Não responda.
— Ela vai me atormentar de qualquer maneira porque não estou com a porra da pulseira.
— Você está muito ansiosa, não pode viver assim.
— Eu vivo ansiosa por qualquer coisa. Quer saber o que me ocorreu agora, enquanto estou falando com você?
— Fale.
— E se Michela for à casa de Roberto? E se ela vir a pulseira? E se ela a pegar?
— Fora o fato de que Roberto não permitiria, você sabe quantas pulseiras Michela poderia comprar? Por que ela ia querer logo a sua, nem você gosta daquela pulseira.

Ela me olhou fixamente, enrolou uma mecha em volta do dedo, murmurou:
— Mas Roberto gosta, e ela gosta de tudo o que ele gosta.

Fez menção de liberar a mecha com aquele gesto mecânico que repetia havia horas, mas não foi necessário, os cabelos ficaram em volta do dedo. Ela os olhou com uma expressão de horror. Murmurou:
— O que está acontecendo?
— Você está tão agitada que arrancou seus cabelos.

Olhava para a mecha, ficou toda vermelha.
— Não os arranquei, caíram sozinhos.

Agarrou outra mecha, disse:
— Veja.
— Não puxe.

Puxou e outro tufo de cabelos compridos ficou entre seus dedos, o sangue que subira para o seu rosto desapareceu, ela ficou muito pálida.

— Estou morrendo, Giannì, estou morrendo?
— Ninguém morre por causa da queda de alguns fios de cabelo.

Esforcei-me para acalmá-la, mas ela parecia estar subjugada por toda a angústia que sentira da infância até aquele momento: o pai, a mãe, Vittoria, os incompreensíveis gritos dos adultos à sua volta, e depois Roberto e aquela angústia de não merecê-lo e perdê-lo. Quis me mostrar o crânio, disse: afaste os meus cabelos, veja o que eu tenho. Foi o que eu fiz, havia uma pequena mancha de couro cabeludo branco, um vazio insignificante no centro da cabeça. Acompanhei-a até lá embaixo, na plataforma.

— Não conte a Vittoria da pulseira — recomendei —, fale apenas do nosso passeio turístico por Milão.
— E se ela perguntar?
— Ganhe tempo.
— E se ela quiser vê-la logo?
— Diga que a emprestou para mim. Enquanto isso, descanse.

Consegui convencê-la a entrar no trem para Gianturco.

VINTE

Ainda hoje tenho curiosidade de saber como nosso cérebro elabora estratégias e as executa sem revelá-las a si mesmo. Dizer que se trata de ações inconscientes me parece aproximativo, talvez até hipócrita. Eu sabia muito bem que queria voltar imediatamente, a qualquer custo, para Milão, sabia com todo o meu ser, mas não o dizia a mim mesma. E sem nunca confessar a mim mesma o objetivo daquela minha nova e extremamente cansativa viagem, fingi sua necessidade, sua urgência, os motivos nobres daquela partida a uma hora de distância da chegada: aliviar o estado de angústia de Giuliana recuperando a pulseira; dizer ao seu noivo o que ela silenciava, ou seja, que logo, antes que fosse tarde, ele devia se casar com ela e levá-la embora do Pascone, sem dar atenção a dívidas morais ou sociais e outras bobagens; proteger minha amiga adulta, desviando a ira da minha tia para mim, ainda uma garotinha.

Foi assim que comprei uma nova passagem e liguei para minha mãe para avisar, sem admitir lamúrias, que ficaria mais um dia em Milão. Estava quase na hora da partida do trem quando me dei conta de que não avisara Roberto. Telefonei como se estivesse cumprindo o que com uma outra expressão conveniente chamamos de destino. Ele atendeu logo e, francamente, não sei o que dissemos um ao outro, mas eu gostaria de contar que foi assim:

— Giuliana precisa recuperar a pulseira com urgência, estou quase partindo.
— Sinto muito, você deve estar cansada.
— Não importa, volto de bom grado.
— A que horas você chega?
— Às 22:08.
— Vou pegar você na estação.
— Vou ficar esperando.

Mas é um diálogo falso, tende a desenhar grosseiramente uma espécie de acordo subentendido entre mim e Roberto: você me disse que sou muito bonita, portanto, mal tendo desembarcado de um trem, eis que, embora morta de cansaço, embarco em outro com a desculpa dessa pulseira mágica que — você sabe melhor do que eu —, de mágico, só tem a oportunidade que nos dá de dormirmos juntos esta noite, na mesma cama em que vi você ontem de manhã com Giuliana. Mas suspeito de que não houve um verdadeiro diálogo entre mim e ele, mas somente uma comunicação minha sem rodeios, como eu costumava fazer naquela época.

— Giuliana precisa urgentemente da pulseira. Estou prestes a pegar um trem, estarei em Milão à noite.

Talvez ele tenha respondido algo, talvez não.

VINTE E UM

Eu estava tão cansada que dormi por horas apesar do compartimento lotado, do falatório, das portas batidas, das vozes dos alto-falantes, dos sopros longos dos apitos, do barulho das ferragens. Os problemas começaram quando acordei. Toquei imediatamente minha cabeça, convencida de que estava calva, eu devia ter tido um pesadelo. Mas o que eu sonhara já havia desvanecido, deixando apenas a impressão de que meus cabelos estavam caindo aos tufos, mais do que os de Giuliana, porém não os cabelos de verdade, e sim os que meu pai elogiava quando eu era criança.

Fiquei de olhos fechados, meio adormecida. Parecia que a proximidade física excessiva de Giuliana me infectara. Seu desespero já era o meu, ela devia tê-lo transmitido para mim, meu organismo se consumia como havia acontecido com o dela. Assustada, me esforcei para sair definitivamente do sono, mas permaneceu o incômodo de ter na mente Giuliana com seus tormentos justo quando eu estava viajando rumo ao seu noivo.

Fiquei irritada, comecei a não suportar meus companheiros de viagem, fui para o corredor. Procurei me consolar com citações sobre a potência do amor, do qual, mesmo querendo, não podemos nos furtar. Eram versos de poesias, palavras de romances, eu as lera em livros que me agradaram e as copiara nos meus cadernos. Mas Giuliana não desbotou, durou, sobretudo, aquele gesto que deixava em suas mãos mechas de cabelos, uma parte de si mesma que se desprendia quase com doçura. Sem um nexo imediato, disse a mim mesma: se, por ora, ainda não tenho a cara de Vittoria, logo aquele rosto vai se depositar definitivamente sobre meus ossos e não irá mais embora.

Foi um momento ruim, talvez o pior daqueles anos ruins. Eu estava em pé, em um corredor idêntico àquele no qual havia passado boa parte da noite anterior escutando Giuliana, que, para ter certeza da minha atenção, segurava minha mão, puxava meu braço, encostava o tempo todo seu corpo no meu. O sol estava se pondo, o campo azulado era dilacerado pelo estrondo do trem que corria, outra noite chegava. De repente, consegui dizer a mim mesma com clareza que eu não tinha intenções nobres, que eu não estava fazendo aquela viagem para recuperar a pulseira, que não tinha intenção alguma de ajudar Giuliana. Eu estava indo traí-la, estava indo pegar para mim o homem que ela amava. Eu, muito mais sorrateiramente do que Michela, queria expulsá-la do lugar que Roberto lhe oferecera ao seu lado, queria destruir sua existência. E me sentia autorizada a fazê-lo porque um jovem que me parecera extraordinário, mais extraordinário do que eu considerava meu pai quando ele deixou escapar que eu estava ficando a cara de Vittoria, dissera que, ao contrário, eu era muito bonita. Mas naquele momento — enquanto o trem estava prestes a entrar em Milão —, eu devia admitir que, justamente por estar indo, orgulhosa daquela honraria, fazer o que eu tinha em mente, justamente por não ter nenhuma intenção de deixar que nada me detivesse, meu rosto só podia ser o molde do rosto de Vittoria. Ao trair a confiança de Giuliana, eu de fato me tornaria igual a minha tia quando ela destruiu a vida de Margherita e, por que não, como seu irmão, meu pai, quando ele destruiu a vida da minha mãe. Senti-me culpada. Eu era virgem e, naquela mesma noite, queria perder a virgindade com a única pessoa que havia me atribuído, graças à sua enorme autoridade de homem, uma nova beleza. Parecia um direito meu, eu entraria daquela maneira na idade adulta. Mas, ao descer do trem, eu estava assustada, não queria me tornar grande daquela maneira. A beleza que Roberto reconheceu em mim se parecia demais com a beleza de quem faz mal às pessoas.

VINTE E DOIS

Achei ter entendido, ao telefone, que ele me esperaria na plataforma como havia feito com Giuliana, mas não o encontrei por lá. Esperei um pouco, telefonei. Ele ficou chateado, estava certo de que tínhamos combinado de nos encontrar em casa, estava trabalhando em um ensaio que precisava entregar no dia seguinte. Fiquei deprimida, mas não disse nada. Segui suas indicações, peguei o metrô, fui até sua casa. Ele me recebeu com cordialidade. Esperei que ele beijasse minha boca, beijou meu rosto. Havia posto a mesa para o jantar, obra da porteira prestativa, e jantamos. Não mencionou a pulseira, não mencionou Giuliana, e eu também não. Falou como se precisasse de mim para esclarecer as ideias sobre o tema no qual estava trabalhando e eu tivesse pegado o trem justamente para escutá-lo. O ensaio era sobre a compunção. Chamou-a várias vezes de adestramento para pungir a própria consciência, atravessando-a com agulha e fio como se fosse um tecido quando precisamos fazer uma roupa. Fiquei ouvindo, ele usou a voz que havia me encantado. Fui mais uma vez seduzida — estou na casa dele, entre seus livros, aquela é a sua escrivaninha, estamos comendo juntos, ele fala comigo do seu trabalho —, senti-me a mulher que ele precisava, exatamente o que eu queria ser.

Depois do jantar, ele me deu a pulseira, mas como se fosse uma pasta de dente, uma toalha, e continuou a não mencionar Giuliana, parecia que a apagara da sua vida. Tentei assumir definitivamente aquela sua linha de conduta, mas não aguentei, fui dominada pelo pensamento da afilhada de Vittoria. Eu sabia bem mais do que ele em que condições físicas e mentais ela estava, longe daquela cidade bonita, longe daquele apartamento, lá embaixo, nas margens de Nápoles, na casa cinza com a grande foto de Enzo fardado. No entanto, estivéramos naquele cômodo poucas horas antes, eu a vira no banheiro enquanto secava os cabelos e disfarçava suas angústias no espelho, enquanto se sentava ao lado dele no restaurante, enquanto se abraçava a ele na cama. Como era possível que naquele momento ela parecesse estar morta, eu estava ali e ela não mais? Será que é tão fácil — pensei — morrer justamente na vida das pessoas sem as quais não podemos viver? E, no rastro daqueles pensamentos, enquanto ele falava de sei lá o que de maneira docemente irônica — eu não estava mais ouvindo, captava apenas algumas palavras: o sono, o sofá-cama, a escuridão que oprime, a vigília até o amanhecer, e às vezes a voz de Roberto parecia a mais bonita das vozes do meu pai —, eu disse desanimada:

— Estou muito cansada e assustada.

Ele respondeu:

— Você pode dormir comigo.

As minhas palavras e as suas não conseguiram se unir, pareciam duas falas encadeadas, mas não eram. Nas minhas, havia precipitado a loucura daquela viagem extenuante, o desespero de Giuliana, o medo de cometer um erro imperdoável. Nas dele, havia o ponto de chegada de um

alusivo dar voltas em torno da dificuldade de abrir o sofá-
-cama. Assim que eu me dei conta, respondi:
— Não, eu me viro assim mesmo.
E, como demonstração, deitei-me no sofá toda encolhida.
— Tem certeza?
— Tenho.
— Por que você voltou? — perguntou ele.
— Não sei mais.
Passaram alguns segundos, ele em pé, olhando-me do alto com simpatia, eu no sofá, que o olhava de baixo para cima, confusa. Ele não se curvou sobre mim, não me acariciou, disse apenas boa noite e foi para o quarto.
Ajeitei-me no sofá sem me despir, não queria me privar da couraça das roupas. Mas logo senti o desejo de esperar que ele adormecesse para depois me levantar e ir até ele e me enfiar na sua cama vestida, só para ficar ao seu lado. Até conhecer Roberto, eu nunca havia sentido a necessidade de ser penetrada, no máximo, sentira certa curiosidade, logo afastada pelo temor de sentir dor em uma parte do corpo tão delicada a ponto de eu ter medo, ao me tocar, de arranhar a mim mesma. Depois de tê-lo visto na igreja, fui tomada por uma vontade tão violenta quanto confusa, uma excitação que parecia uma tensão alegre e que, após acometer os genitais como se os estivesse inchando, se espalhava por todo o corpo. Mesmo depois do encontro da Piazza Amedeo e das pequenas conversas ocasionais que se seguiram, nunca imaginei que ele pudesse me penetrar, aliás, pensando bem, as raras vezes em que tive fantasias naquele sentido, achei uma ação vulgar. Só em Milão, na manhã anterior, quando o vi na cama com Giuliana, tive de admitir que, como todos os homens, ele também tinha

um sexo pendente ou ereto, introduzia-o em Giuliana como uma tomada, e estaria disposto a introduzi-lo em mim também. Mas nem essa constatação havia sido decisiva. Sem dúvida, eu fizera a nova viagem com a ideia de que aquela penetração aconteceria, que o cenário erótico vividamente esboçado por minha tia algum tempo antes diria respeito a mim. Contudo, a necessidade que me impulsionara exigia algo muito diferente e ali, no meio-sono, eu me dei conta. Na cama, ao lado dele, agarrada a ele, eu queria gozar da sua estima, queria discutir sobre a compunção, sobre Deus que está saciado enquanto suas criaturas morrem de fome e de sede, queria me sentir muito mais do que um animalzinho gracioso, ou até mesmo muito bonito, com o qual um homem de grandes pensamentos pode se distrair brincando um pouco. Adormeci pensando com dor que aquilo, justamente aquilo, nunca aconteceria. Tê-lo dentro de mim teria sido fácil, ele me penetraria até naquele momento, no sono, sem espanto. Ele estava convencido de que eu havia voltado para aquele tipo de traição, e não para traições bem mais ferozes.

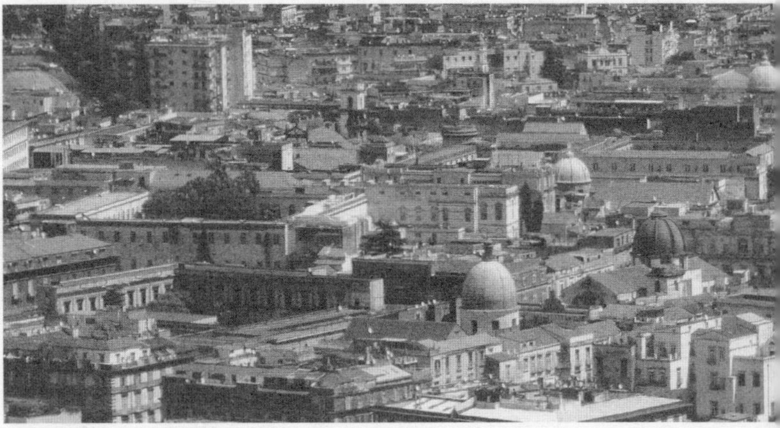

PARTE 7

UM

Quando voltei para casa, minha mãe não estava. Não comi nada, fui para a cama, adormeci logo. A casa de manhã me pareceu vazia e silenciosa, fui ao banheiro, voltei para a cama e dormi outra vez. Mas, a certa altura, acordei sobressaltada. Nella estava sentada na beirada da cama, me sacudia.

— Tudo bem?
— Tudo.
— Chega de dormir.
— Que horas são?
— Uma e vinte.
— Estou morta de fome.

Perguntou-me distraidamente de Milão, falei também distraidamente dos lugares que vira, a catedral, o teatro Scala, a Galeria, os canais. Depois ela me disse que tinha uma boa notícia: a diretora havia telefonado para meu pai e dissera que eu tinha sido aprovada com ótimas notas, até nove em grego.

— A diretora ligou para o papai?

— Ligou.
— A diretora é uma idiota.
Minha mãe sorriu.
— Vá se vestir, Mariano está lá na cozinha — disse.
Fui para a cozinha descalça, descabelada, de pijama. Mariano, que já estava sentado à mesa, levantou-se com um salto, quis me cumprimentar pela minha aprovação me abraçando e beijando. Constatou que eu estava crescida mesmo, maior do que da última vez que ele me vira, e disse: como você ficou bonita, Giovanna, uma noite dessas, vamos jantar só eu e você para bater um belo papo. Então se dirigiu a minha mãe com um tom de falsa contrariedade e exclamou: não é possível que essa senhorita frequente Roberto Matese, um dos nossos jovens mais promissores, e fale pessoalmente com ele de sabe-se lá quantas coisas interessantes enquanto eu, que a conheço desde pequena, não posso nem trocar uma ideia com ela. Minha mãe assentiu com expressão orgulhosa, mas dava para perceber que não sabia nada de Roberto, então deduzi que meu pai é que havia falado com Mariano sobre ele, dizendo que era meu amigo.
— Mal o conheço — falei.
— É simpático?
— Muito.
— É verdade que é napolitano?
— É, mas não do Vomero, lá de baixo.
— Napolitano mesmo assim.
— É.
— Do que ele está se ocupando?
— Da compunção.
Ele olhou para mim, perplexo.

— A compunção?

Pareceu decepcionado e, no entanto, logo se mostrou curioso. Uma área remota do seu cérebro já estava pensando que talvez a compunção fosse um tema sobre o qual era urgente refletir.

— A compunção — confirmei.

Mariano se dirigiu à minha mãe, rindo:

— Viu só, Nella? Sua filha diz que mal conhece Roberto Matese e depois descobrimos que eles conversaram sobre compunção.

Comi muito, de vez em quando tocava meus cabelos para ver se estavam bem presos ao couro cabeludo, acariciava-os com os dedos, puxava-os um pouco. No fim da refeição, me levantei e disse que ia tomar um banho. Mariano, que até aquele momento emendara uma frase na outra certo de que estava divertindo tanto a mim quanto a Nella, assumiu um ar preocupado, disse:

— Já soube da Ida?

Fiz sinal negativo com a cabeça, minha mãe interveio:

— Foi reprovada.

— Se você tiver um tempinho — disse Mariano —, fique um pouco com ela. Angela passou de ano e ontem de manhã já foi para a Grécia com um amigo. Ida precisa de companhia e consolo, não faz outra coisa a não ser ler e escrever. Foi reprovada por isso: lê, escreve e não estuda.

Não suportei os rostos pesarosos deles.

— Consolo por quê? — perguntei. — Se vocês evitarem fazer disso uma tragédia, vão ver que Ida não vai precisar ser consolada.

Fui me trancar no banheiro e, quando saí, a casa estava em absoluto silêncio. Encostei o ouvido na porta do quarto da minha mãe, nem um suspiro. Abri-a um pouquinho, nada. Nella e Mariano, obviamente, me consideraram mal--educada e caíram fora sem nem gritar: tchau, Giovanna. Então liguei para Ida, meu pai atendeu.

— Parabéns — exclamou feliz assim que ouviu minha voz.

— Parabéns para você: a diretora é uma espiã a seu serviço.

Ele riu satisfeito.

— Ela é gente boa.

— Claro.

— Soube que você esteve em Milão, hóspede de Matese.

— Quem contou?

Demorou alguns segundos para responder.

— Vittoria.

Exclamei incrédula:

— Vocês telefonam um para o outro?

— Mais do que isso: ontem ela veio aqui em casa. Costanza tem uma amiga que precisa de assistência noite e dia e pensamos nela.

— Vocês fizeram as pazes — murmurei.

— Não, fazer as pazes com Vittoria é impossível. Mas os anos passam, envelhecemos. E, aos poucos, com astúcia, você criou uma ponte, muito bem. Você leva jeito para isso, como eu.

— Também vou seduzir diretores de escola?

— Isso e muito mais. Como foi com Matese?

— Pergunte para Mariano, já contei para ele.

— Vittoria me deu o endereço dele, quero mandar uma carta. São tempos tenebrosos, as pessoas de valor devem manter contato. Você tem o número de telefone dele?

— Não. Você pode chamar a Ida?
— Nem vai se despedir de mim?
— Tchau, Andrea.
Ele ficou calado por um longo segundo.
— Tchau.
Eu o ouvi chamar Ida com o mesmo tom de voz que usava, anos antes, para me chamar quando alguém me ligava. Ida veio logo, disse tristonha, quase com um sussurro:
— Faça alguma coisa para me tirar desta casa.
— Nos vemos daqui a uma hora na Floridiana.

DOIS

Fui esperar Ida na entrada do parque. Ela chegou toda suada, os cabelos castanhos presos em um rabo de cavalo, bem mais alta do que alguns meses antes e magérrima, delicada como uma folha de grama. Tinha uma bolsa preta estufada, uma minissaia também preta, uma regata com estampa de zebra e um rosto muito pálido que deixava a infância para trás, boca farta, maçãs do rosto grandes e redondas. Procuramos um banco na sombra. Ela disse que estava feliz de ter sido reprovada, queria largar a escola e só escrever. Lembrei que eu também tinha sido reprovada, mas não tinha ficado contente, pelo contrário, havia sofrido. Ela respondeu com olhos desafiadores:

— Você sentiu vergonha, eu não sinto.

— Senti vergonha porque meus pais sentiam vergonha — falei.

— Não estou nem aí para a vergonha dos meus pais, eles têm outras coisas das quais se envergonhar.

— São pessoas assustadas. Temem que não sejamos dignas deles.

— Não quero ser digna, quero ser desprezível, quero acabar mal.

Contou que, para ser o mais desprezível possível, venceu o nojo e foi se encontrar com um sujeito que, por um certo período, havia cuidado do jardim de Posillipo, casado e pai de três filhos.

— Como foi? — perguntei.

— Horrível. Ele tinha uma saliva que parecia água de esgoto e dizia palavrões o tempo todo.

— Mas pelo menos você tirou uma ideia da cabeça.

— Isso sim.

— Agora acalme-se e procure ficar bem.

— Como?

Propus que fôssemos juntas visitar Tonino em Veneza. Ela respondeu que preferia outro destino, Roma. Insisti em Veneza, entendi que o problema não era a cidade, mas Tonino. De fato, acabei descobrindo que Angela contara do tapa, da fúria que havia tomado conta do rapaz até fazê-lo agir sem controle. Ele machucou minha irmã, disse. Sim, admiti, mas gosto do esforço que ele faz para se comportar bem.

— Com minha irmã, não conseguiu.

— Mas se empenhou bem mais do que ela.

— Você quer perder a virgindade com Tonino?

— Não.

— Posso pensar e respondo depois?

— Pode.

— Eu gostaria de ir para um lugar onde fico bem e escrevo.

— Quer escrever a história do jardineiro?

— Já escrevi, mas não vou ler para você porque você ainda é virgem e vai perder a vontade.

— Então leia alguma outra coisa.

— Sério?

— Sim.

— Tem uma história que quero ler para você faz tempo.

Remexeu na bolsa, pegou cadernos e folhas soltas. Escolheu um caderno de capa rosa, encontrou o que estava procurando. Eram poucas páginas, a história de um longo desejo não realizado. Duas irmãs tinham uma amiga que costumava ir dormir na casa delas. A amiga era mais próxima da irmã mais velha do que da irmã mais nova. A mais velha esperava que a menor dormisse para ir para a cama da hóspede dormir com ela. A menor tentava resistir ao sono, sofria com a ideia de que as duas a excluíssem, mas, no fim, cedia. Uma vez, porém, fingiu estar dormindo e assim, em silêncio, sozinha, ficou ouvindo os sussurros e os beijos que as outras trocavam. A partir de então, não parou mais de fingir para poder espiá-las, e sempre, quando enfim as duas grandes adormeciam, a pequena chorava um pouco porque achava que ninguém gostava dela.

Ida leu sem paixão, rapidamente, mas articulando com precisão as palavras. Não levantou o olhar do caderno nenhuma vez, nunca olhou no meu rosto. Por fim, começou a chorar exatamente como a criatura sofrida da história.

Procurei um lenço, enxuguei suas lágrimas. Beijei sua boca embora duas mães estivessem passando lado a lado a poucos metros de nós, empurrando carrinhos de bebê e conversando.

TRÊS

Na manhã seguinte, sem nem telefonar, fui à casa de Margherita levando comigo a pulseira. Evitei com cuidado a casa de Vittoria, primeiro porque queria ver Giuliana a sós, segundo porque, depois daquela repentina e certamente provisória reconciliação com meu pai, eu achava que não sentia mais curiosidade alguma em relação a ela. Mas foi um expediente inútil, quem abriu a porta foi justamente minha tia, como se a casa de Margherita fosse sua. Recebeu-me com um bom humor desolado. Giuliana não estava, Margherita a levara ao médico, Vittoria estava arrumando a cozinha.

— Mas entre, entre — disse —, como você está bonita, me faça companhia.

— Giuliana como está?

— Está com os cabelos fracos.

— Eu sei.

— Eu sei que você sabe, e sei também que você a ajudou e ficou atenta a tudo. Muito bem. Tanto Giuliana quanto Roberto gostam muito de você. Eu também. Se seu pai fez você assim, quer dizer que ele não é tão merda quanto parece ser.

— Papai me disse que você tem um novo trabalho.

Ela estava em pé ao lado da pia, atrás dela estava a foto de Enzo com a lamparina acesa. Pela primeira vez desde que a conhecera, vi passar nos seus olhos um leve constrangimento.

— Sim, muito bom.
— Você vai se mudar para Posillipo?
— É, vou.
— Fico contente.
— Já eu, nem tanto. Devo me separar de Margherita, Corrado, Giuliana, e já perdi Tonino. Às vezes, acho que seu pai encontrou esse trabalho para mim de propósito. Quer me fazer sofrer.

Comecei a rir, mas logo me recompus.
— Pode ser — eu disse.
— Você não acredita?
— Acredito: do meu pai, você pode esperar qualquer coisa.

Ela me lançou um olhar atravessado.
— Não fale assim do seu pai, senão te dou um tapa.
— Desculpa.
— Só quem pode falar mal dele sou eu. Você, não, é sua filha.
— Tudo bem.
— Vem cá, me dá um beijo. Gosto de você, apesar de às vezes você me emputecer.

Beijei seu rosto, remexi na bolsa.
— Trouxe a pulseira para Giuliana, tinha ido parar na minha bolsa por acaso.

Ela segurou minha mão.
— Ah, sim, por acaso. Fique com ela, sei que você a aprecia.
— A esta altura, já é de Giuliana.
— Ela não gosta dessa pulseira, você, sim.
— Por que você deu para ela se ela não gosta?

Ela olhou para mim incerta, pareceu não entender o sentido da pergunta.

— Você está com ciúme?

— Não.

— Dei para ela porque eu a via nervosa. Mas a pulseira é sua desde que você nasceu.

— Mas não era uma pulseira para meninas pequenas. Por que você não ficou com ela? Poderia usá-la aos domingos para ir à missa.

Seus olhos ficaram pérfidos, exclamou:

— Agora é você que vai me dizer o que devo fazer com a pulseira da minha mãe? Fique com ela e cale a boca. Giuliana, para dizer a verdade, não precisa dela. É tão cheia de luz que, para ela, a pulseira ou qualquer outra joia são um complemento. Agora está com esse problema nos cabelos, mas não é nada de grave, o médico vai receitar algum tratamento reconstituinte e tudo vai passar. Já você, Giannì, não sabe se arrumar. Venha cá.

Ficou agitada como se a cozinha fosse um espaço apertado e sem ar. Arrastou-me para o quarto de Margherita, abriu as portas do armário, surgiu um espelho comprido. Vittoria exigiu: olhe para você. Olhei, mas vi, sobretudo, ela atrás de mim. Minha tia disse: você não se veste, minha querida, você se esconde dentro das roupas. Puxou minha saia até a cintura, exclamou: veja só essas coxas, meu Deus, e vire-se, isso sim que é uma bunda. Obrigou-me a virar, deu um tapa bastante violento na minha calcinha, depois me fez virar novamente para o espelho. Nossa Senhora, que curvas — exclamou acariciando meus quadris —, você deve se conhecer, se valorizar, precisa mostrar as coisas bonitas. Especialmente o peito, ah, que peito, você não sabe o que uma garota faria para ter um peito assim. Mas você o castiga, tem vergonha dos seus peitos e os mantém fechados à chave. Veja o que você deve fazer. Naquele momento, enquanto eu puxava a saia para baixo, ela enfiou a mão no decote da minha blusa, primeiro em um dos bojos do sutiã, depois no outro, e arrumou meus seios para que se tornassem uma onda estufada, alta, em cima do decote. Entusiasmou-se: viu só? Nós somos bonitas, Giannì, bonitas e inteligentes. Nascemos bem-feitas e não devemos desperdiçar isso. Quero ver você em uma situação até melhor do que a de Giuliana, você merece subir até o Paraíso que está no céu, e não ficar como aquele babaca do seu pai que ficou rente ao chão, mas se dá ares. Mas lembre-se: essa aqui — tocou delicadamente, por uma fração de segundo, entre minhas pernas —, essa aqui, eu já disse mil vezes, cuide muito bem dela. Avalie os prós e os contras antes de dá-la, ou você não vai chegar a lugar algum. Aliás, ouça bem: se eu souber que você deu à toa, conto para o seu pai e juntos matamos você a pauladas. Agora fique quieta — e foi ela que remexeu daquela vez na minha bolsa, pegou a pulseira, colocou-a no meu braço —, está vendo como você ficou bem, está vendo como você melhorou?

Naquele momento, no fundo do espelho, também apareceu Corrado.

— Oi — disse ele.

Vittoria se virou, eu também. Perguntou para ele abanando-se com uma mão por causa do calor:

— Giannina está bonita, não?

— Linda.

QUATRO

Recomendei várias vezes que Vittoria mandasse lembranças a Giuliana por mim, que dissesse que eu gostava dela e que ela não devia se preocupar com nada, tudo daria certo. Então me encaminhei para a porta, mas esperando que Corrado dissesse: vou dar uma volta com você. Porém, ele ficou calado, perambulando desanimadamente. Fui eu que disse:
— Corrado, você me acompanha até o ponto de ônibus?
— Sim, vá com ela — ordenou Vittoria, e ele me seguiu de má vontade pela escada, pela rua, sob um sol atordoante.
— O que você tem? — perguntei.
Ele deu de ombros, murmurou alguma coisa que não entendi, disse com maior clareza que se sentia sozinho. Tonino tinha ido embora, Giuliana logo se casaria e Vittoria estava prestes a se mudar para Posillipo, que era como uma outra cidade.
— Eu sou o bobo da casa e devo ficar com minha mãe, que é mais boba do que eu — disse.
— Vá embora você também.
— Para onde? Para fazer o quê? E, de qualquer maneira, não quero ir embora. Nasci aqui e é onde eu quero ficar.
— E então?
Ele tentou se explicar. Disse que sempre havia se sentido protegido pela presença de Tonino, de Giuliana e sobre-

tudo de Vittoria. Murmurou: Giannì, eu sou como minha mãe, somos duas pessoas que aguentam tudo porque não sabem fazer nada e não têm importância alguma. Mas — quer saber de uma coisa? — assim que Vittoria for embora, tiro aquela foto do papai da cozinha, nunca a suportei, me dá medo e já sei que minha mãe vai concordar.

Eu o encorajei, mas disse que não deveria se iludir, Vittoria nunca iria embora definitivamente, voltaria várias vezes, cada vez mais sofrida e cada vez mais insuportável.

— Convém você ir ficar com Tonino — aconselhei.

— A gente não se dá bem.

— Tonino sabe resistir.

— Eu, não.

— Talvez eu dê um pulo em Veneza e passe para dar um oi.

— Muito bem, mande lembranças minhas e diga que ele só pensou em si mesmo e não deu a mínima para mamãe, para Giuliana, para mim.

Pedi o endereço do irmão, mas ele só tinha o nome do restaurante onde Tonino trabalhava. Depois de desabafar um pouco, quis voltar a interpretar seu papel de sempre. Brincou misturando ternura e propostas obscenas, então eu disse rindo: ponha bem na sua cabeça, Corrà, nunca vai acontecer nada entre nós. Depois fiquei séria e pedi o número de telefone de Rosario. Ele me olhou surpreso, quis saber se eu havia decidido trepar com seu amigo. Como eu respondi que não sabia e ele queria um não decidido, assumiu o tom de um irmão mais velho que queria me proteger de escolhas perigosas. Continuou por um tempo, percebi que ele não queria me dar o número. Então eu o ameacei: tudo bem, eu acho sozinha, mas vou dizer a Rosario que você está com ciúme e não quis me dar o número dele. Então ele cedeu, mesmo continuando a resmungar: vou contar para Vittoria e ela vai contar ao seu pai e vão acontecer coisas horríveis. Sorri, quis dar um beijo no seu rosto, disse com toda a seriedade: Corrà, você assim me faz um favor, sou a primeira a querer que Vittoria e meu pai saibam, ou melhor, você deve jurar que, se acontecer, vai contar. Enquanto isso, o ônibus chegou e eu o deixei na calçada, confuso.

CINCO

Nas horas seguintes, percebi que eu não tinha urgência alguma de perder a virgindade. Rosario, é claro, por motivos obscuros, me atraía um pouco, mas não telefonei para ele. Telefonei para Ida para saber se havia decidido ir comigo a Veneza e ela disse que estava pronta, tinha acabado de falar com Costanza, a mãe estava contente de não tê-la por perto por um tempo e havia lhe dado muito dinheiro.

Logo depois, procurei Tonino no número de telefone do restaurante onde ele trabalhava. No início, pareceu feliz com o meu projeto, mas, quando soube que Ida me acompanharia, hesitou por alguns segundos, depois disse que morava em um quartinho em Mestre, não cabiam três pessoas. Respondi: Tonì, nós, de qualquer forma, vamos passar para dar um oi; se você quiser nos encontrar, tudo bem, senão, paciência. Ele mudou de tom, jurou que estava contente, que ia nos esperar.

Como, indo para Milão, eu já havia gastado com trens todo o dinheiro que minha mãe me dera de presente de aniversário, insisti até ela me dar mais dinheiro, daquela vez por eu ter passado de ano. Já estava tudo pronto para a partida quando, em uma manhã de chuva fina e agradável frescor, Rosario ligou às nove horas em ponto. Corrado devia ter falado com ele, pois a primeira frase que ele disse foi:

— Giannì, me disseram que você enfim se decidiu.
— Onde você está?
— No bar aqui embaixo.
— Embaixo de onde?
— Da sua casa. Desça, espero você com um guarda-chuva.

Não fiquei incomodada, senti que tudo estava se encaminhando e que acabar abraçada com uma pessoa em um dia fresco era melhor do que em um dia quente.

— Não preciso do seu guarda-chuva — respondi.
— Quer dizer que devo ir embora?
— Não.
— Então mexa-se.
— Aonde você vai me levar?
— À Via Manzoni.

Não me penteei, não me maquiei, não fiz nada do que Vittoria me aconselhara, a não ser pôr a sua pulseira. Encontrei Rosario no portão com sua aparente alegria de sempre estampada no rosto, mas, quando acabamos no trânsito dos dias de chuva, o pior, ele ameaçou, insultou durante todo o tempo a maior parte dos motoristas, que, na sua opinião, não sabiam dirigir. Fiquei preocupada, disse:

— Se não é um bom dia, Rosà, leve-me de volta para casa.
— Não se preocupe, é um bom dia, mas veja como dirige aquele babaca.
— Calma.
— O que foi? Sou grosseiro demais para você?
— Não.
— Quer saber por que estou nervoso?
— Não.

A vida mentirosa dos adultos

— Giannì, estou nervoso porque quero você desde a primeira vez em que nos vimos, mas não entendo se você me quer. Então, você me quer?
— Quero. Mas você não deve me machucar.
— Que nada, vai ser ótimo.
— E você não deve demorar demais, tenho coisas a fazer.
— Vai levar o tempo que for necessário.

Encontrou uma vaga bem na frente do edifício, uma construção de pelo menos cinco andares.

— Que sorte — falei enquanto ele, mal tendo trancado o carro, saía depressa em direção à entrada.

— Não é sorte — disse —, todos sabem que a vaga é minha e ninguém deve ocupá-la.

— Senão?
— Senão eu atiro.
— Você é um gângster?
— E você é uma garota de boa família que está no ensino médio?

Não respondi, subimos em silêncio até o quinto andar. Pensei que, dali a cinquenta anos, se eu e Roberto fôssemos muito mais amigos do que naquele momento, eu falaria daquela tarde para que ele a explicasse para mim. Ele sabia dar sentido a tudo o que fazíamos, era o seu trabalho, e, segundo meu pai e Mariano, ele era bom no que fazia.

Rosario abriu a porta, o apartamento estava todo escuro. Espere, ele disse. Não acendeu a luz, movimentou-se com segurança, levantou as persianas uma depois da outra. A claridade cinzenta do mau tempo se difundiu por um grande aposento vazio, não havia uma cadeira sequer. Entrei, fechei a porta atrás de mim, ouvi as rajadas de chuva contra as janelas e o uivo do vento.

— Não dá para ver nada — falei olhando pelos vidros.
— Escolhemos mal o dia.
— Não, me parece o dia certo.

Ele veio com passo rápido na minha direção, agarrou minha nuca com uma mão e me beijou apertando com força meus lábios e procurando abri-los com a língua. Enquanto isso, com a outra mão, apertou um dos meus seios. Eu o afastei com uma leve pressão contra o peito, uma risadinha nervosa dentro da sua boca e escapando pelo nariz. Ele se retraiu, deixou só a mão no meu seio.

— O que foi? — perguntou.
— Você precisa mesmo me beijar?
— Você não quer?
— Não.
— Todas as garotas gostam.
— Eu, não, e também prefiro que você não toque no meu peito. Mas, se você precisar, tudo bem.

Ele soltou meu seio.

— Eu não preciso de nada — resmungou.

Abaixou o zíper e pôs para fora o sexo para demonstrar. Eu tinha medo de que ele tivesse algo descomunal dentro da calça, mas vi com alívio que seu negócio não era muito diferente do de Corrado, além disso, parecia ter uma forma mais elegante. Ele pegou minha mão, disse:

— Toque.

Toquei, estava quente como se ele ali estivesse com febre. Como, apesar de tudo, era agradável apertá-lo, não retirei a mão.

— Tudo bem?
— Sim.
— Então diga o que quer fazer, não quero desagradar você.

— Posso ficar vestida?
— As garotas tiram a roupa.
— Se pudermos fazer sem tirar a roupa, você vai me fazer um favor.
— Você tem de tirar pelo menos a calcinha.
Soltei seu negócio, tirei o jeans e a calcinha
— Tudo bem?
— Tudo, mas não é assim que se faz.
— Eu sei, mas estou pedindo esse favor para você.
— Posso pelo menos tirar a calça?
— Pode.
Tirou os sapatos, a calça, a cueca. Tinha pernas muito finas e peludas, pés magros, compridos, calçava pelo menos 45. Ficou de paletó de linho, camisa, gravata e, logo embaixo, o membro ereto que se esticava para além das pernas e os pés descalços, como um inquilino briguento que foi perturbado. Éramos ambos feios, ainda bem que não havia espelhos.
— Deito no chão? — perguntei.
— Nada disso, tem uma cama.
Foi até uma porta escancarada, vi sua bunda pequena, as nádegas encovadas. Ali havia uma cama desfeita e nada mais. Daquela vez, não levantou a persiana, acendeu a luz. Perguntei:
— Você não vai se lavar?
— Eu me lavei de manhã.
— As mãos, pelo menos.
— Você vai lavar as suas?
— Eu, não.
— Então eu também não.
— Tudo bem, eu lavo as minhas.
— Giannì, você está vendo o que está acontecendo comigo?

O sexo estava descendo, murchando.

— Se você se lavar, não sobe mais?

— Claro que sim, já vou.

Ele desapareceu no banheiro. Quanta história eu estava inventando, nunca imaginei que me comportaria assim. Ele voltou e tinha uma coisinha pendurada entre as pernas que eu olhei com simpatia.

— É gracioso — falei.

Ele bufou.

— Você pode dizer se não quiser fazer nada.

— Quero, sim, agora vou me lavar.

— Venha cá, está bom assim. Você é fina, tenho certeza de que se lava cinquenta vezes por dia.

— Posso tocar nele?

— Quanta bondade.

Aproximei-me, peguei-o com delicadeza. Como Rosario havia sido inesperadamente paciente, eu queria me mostrar experiente e tocá-lo de forma a deixá-lo contente, mas não sabia bem o que fazer e me limitei a segurá-lo. Bastaram poucos segundos para que se agigantasse.

— Também vou tocar um pouco em você — disse ele com a voz levemente rouca.

— Não — falei —, você não sabe como fazer e vai me machucar.

— Sei fazer muito bem.

— Obrigada, Rosà, você é gentil, mas não confio.

— Giannì, se eu não tocar um pouco em você, depois você vai mesmo sentir dor.

Fiquei tentada a deixar, ele com certeza tinha mais prática do que eu, mas tinha medo das suas mãos, das suas unhas sujas. Fiz um gesto claro de recusa com a cabeça, soltei aquela sua excrescência, deitei na cama com as pernas fechadas. Eu o vi alto em cima de mim, com olhos perplexos entalhados no rosto contente, estava com o busto muito bem-vestido e, da cintura para baixo, grosseiramente nu. Por uma fração de segundo, pensei em como meus pais haviam me preparado com atenção desde criança para que eu vivenciasse minha vida sexual com consciência e sem medos.

Enquanto isso, Rosario havia segurado meus tornozelos, estava abrindo minhas pernas. Disse com voz emocionada: que coisa linda você tem entre as coxas, e se deitou cuidadosamente em cima de mim. Procurou meu sexo com o seu usando a mão para ajudar e, quando pareceu ter se ajeitado, empurrou devagar, bem devagarinho, depois, de repente, deu um golpe enérgico.

— Ai — falei.
— Machucou?
— Um pouco. Não me engravide.
— Não se preocupe.
— Já foi?
— Espere.

Empurrou novamente, se ajeitou melhor, voltou a empurrar. A partir daquele momento, não fez outra coisa a não ser se afastar um pouco para trás e depois novamente se impulsionar para a frente. Quanto mais ele insistia naquele movimento, mais me machucava, e ele estava percebendo, murmurava: relaxe, você está contraída demais. Eu sussurrava: não estou contraída, ai, estou relaxada, e ele dizia com educação: Giannì, você precisa colaborar, o que você tem aí embaixo, um pedaço de ferro, uma porta blindada. Eu apertava os dentes, sentia o suor no meu rosto e no meu peito, ele mesmo dizia: como você está suada, e eu ficava envergonhada, sussurrava: eu nunca suo, só estou suando hoje, sinto muito, se estiver com nojo, esqueça.

Finalmente ele me penetrou totalmente com tal força que tive a impressão de um longo rasgo na barriga. Foi um instante, ele se afastou de repente causando-me ainda mais dor do que quando havia me penetrado. Levantei a cabeça para entender o que estava acontecendo e o vi de joelhos entre as minhas pernas com o negócio sujo de sangue, do qual esguichava esperma. Embora estivesse rindo, estava com muita raiva.

— Conseguiu? — perguntei com a voz fraca.
— Consegui — disse ele deitando-se ao meu lado.
— Ainda bem.
— Ainda bem mesmo.
— Está ardendo.
— Culpa sua, podia ter sido melhor.
Virei-me para ele, disse:
— Era assim mesmo que eu queria fazer. — E beijei-o esticando o máximo possível a língua além dos dentes. Um instante depois, corri para me lavar, vesti outra vez a calcinha e o jeans. Quando ele entrou no banheiro, tirei a pulseira e a pus no chão, ao lado da cama, como um presente da má sorte. Rosario me levou de volta para casa, ele chateado, eu alegre.

No dia seguinte, fui para Veneza com Ida. No trem, prometemos novamente que nos tornaríamos adultas como jamais havia acontecido com nenhuma outra mulher.

1ª edição	SETEMBRO DE 2020
reimpressã	SETEMBRO DE 2024
impressão	LIS GRÁFICA
papel de miolo	HYLTE 60 G/M²
papel de capa	CARTÃO SUPREMO ALTA ALVURA 250 G/M²
tipografia	FAIRFIELD LT